D1166965

AUTRES PUBLICATIONS DE L'AUTEURE

ROMANS

Les voyageurs malgré eux, Montréal, Québec/Amérique, 1993.
Chronique au pays des mères, Montréal, Québec/Amérique, 1992. (Grand prix de la science-fiction des Amériques en 1992)
Le silence de la cité, Paris, Denoël, coll. «Présence du futur» n° 327, 1981. (Grand Prix de la science-fiction française en 1982)

RECUEILS DE NOUVELLES

L'oeil de la nuit, Longueuil, le Préambule, coll. «Chroniques du futur» n° 1, 1980. Recueil de six nouvelles.
Janus, Paris, Denoël, coll. «Présence du futur» n° 388, 1984. Recueil de huit nouvelles.
Ailleurs et au Japon, Montréal, Québec/Amérique, 1991. Recueil de sept nouvelles.

OUVRAGES POUR LA JEUNESSE

Histoire de la princesse et du dragon, Montréal, Québec/Amérique Jeunesse, 1990.
Les contes de la chatte rouge, Montréal, Québec/Amérique Jeunesse, 1993.
Contes de Tyranaël, Montréal, Québec/Amérique Jeunesse, 1994.

NON-FICTION

«Automatisation et désautomatisation dans les machines conjecturales, ou "Jusqu'où peut-on aller ailleurs?"» dans *Protée,* vol. 10, n° 1, printemps 1982, Département d'arts et lettres de l'Université du Québec à Chicoutimi, p. 59-68.
«SF: savoir-fiction» dans *Protée,* vol. 13, n° 1, printemps 1985, Département d'arts et lettres de l'Université du Québec à Chicoutimi.

Élisabeth Vonarburg

Comment écrire des **histoires**

Guide de l'explorateur

Collection Griffon / La Lignée

Données de catalogage avant publication (Canada)

Vonarburg, Élisabeth, 1947-

Comment écrire des histoires: guide de l'explorateur

Comprend un index.

2-920190-15-6

1. Roman - Art d'écrire - Guides, manuels, etc.

2. Roman - Technique - Guides, manuels, etc. I. Titre.

PN3355.V66 1986 808.3 C86-096327-6

Réviseurs: Vital Gadbois, Denis Hamelin et Christian Vandendorpe

Couverture et caricatures: Charles Montpetit

Photocomposition et montage: Les Ateliers C.M.

Dépôt légal: dernier trimestre 1986
Bibliothèque nationale du Québec
Bibliothèque nationale du Canada
ISBN: 2-920190-15-6

7649, boulevard Wilfrid-Hamel
Sainte-Foy (Québec), G2G 1C3
Tél.: (418) 871-6898
Téléc.: (418) 871-6818

Diffusion exclusive:

Modulo-Griffon
233, av. Dunbar, bureau 300
Mont-Royal (Québec)
Canada H3P 2H4
Téléphone: (514) 738-9818 / 1-888-738-9818
Télécopieur: (514) 738-5838 / 1-888-273-5247
Site Internet: www.modulogriffon.com

Imprimé au Canada

Table des matières

Entracte
MENU LUDIQUE

Chapitre IV - Jeux de catégorie A

Chapitre VIII - Le développement

Chapitre IX - Le personnage

Introduction

Raconter une histoire, ce que faisaient nos ancêtres rassemblés autour des feux, la nuit, c'est la plus ancienne forme de fiction, celle qui est à la source de toute la littérature. Malgré toutes nos sophistications réelles ou supposées, il y a toujours en nous une curiosité et une faculté d'émerveillement enfantines devant les histoires. Contes de fées, romans d'amour, récits d'espionnage... ou faits divers, chacun peut trouver son propre type d'histoire, et chacun le trouve, parce qu'il en a *besoin*.

Pourquoi? Parce que le monde peut être une prison et que, comme l'a dit justement un célèbre conteur d'histoires merveilleuses, on a bien le droit d'essayer d'échapper à sa prison. Non pas, paradoxalement, pour nier le monde, mais pour mieux y revenir après être allé reprendre des forces au pays des rêves. Les rêves ne sont pas forcément le contraire de la réalité: ils sont peut-être plutôt ce qui nous encourage à la transformer...

Mais ce n'est pas la seule raison de notre fascination pour les histoires, et pour ceux qui les racontent. C'est aussi que raconter une histoire est la forme la plus ancienne du *jeu de la communication*. Quelqu'un, dans le noir ou à la lumière du jour, raconte quelque chose à quelqu'un d'autre: c'est une relation interpersonnelle, un partage, un échange.

C'est pourquoi j'ai choisi de donner à ce *Guide* un ton personnel: c'est d'une certaine façon une histoire que je vais essayer de vous raconter; vous devez savoir que je suis là, qui je suis et d'où je parle, pour mesurer ma subjectivité et pouvoir la prendre en compte dans votre appréciation de cette histoire...

J'écris depuis vingt-cinq ans et j'en ai, au moment où je finis de rédiger ces lignes, trente-huit. J'ai commencé par la poésie puis je me suis tournée vers la science-fiction et le fantastique, parce que ce sont les genres qui présentent pour moi le meilleur dosage de poésie et... de tout le reste. J'ai publié à ce jour trois livres, deux recueils de nouvelles et un roman; je suis responsable et directrice littéraire d'une revue de SF et de fantastique; depuis six ans, j'ai participé à plusieurs ateliers d'écriture et j'en ai animé également un grand nombre. Accessoirement, j'enseigne aussi la littérature, ce qui a certainement nourri ma réflexion sur l'écriture autant que ma pratique de lectrice et d'écrivaine.

Mais rien de tout cela ne me qualifie comme maîtresse en écriture. Je ne crois ni à l'objectivité ni à la vérité absolues, encore moins à un savoir sans trous —et tout particulièrement pas dans le domaine de la création artistique. Je le dis ici pour la première fois mais je le répéterai sans doute plusieurs fois au cours de ce *Guide*: pas plus que je ne détiens quelque science-infuse-et-définitive-en-écriture, ce livre n'est pas un recueil de recettes ou de trucs, ni une bible de la fiction narrative.

La seule façon que j'aie imaginée pour vous éviter de succomber à ces fatales illusions, amis lecteurs, c'est de vous rappeler sans cesse que c'est une personne bien réelle qui vous parle, une *compagne en écriture*.

Quelquefois, victime des nécessités de la clarté pédagogique, je pourrai sembler énoncer des «règles» absolues. Il n'en sera rien. Tout ce que je vais vous exposer, c'est ce que j'ai pu apprendre moi-même en lisant, puis en écrivant, en aidant d'autres à écrire, en réfléchissant seule ou avec d'autres sur l'écriture. C'est une expérience *personnelle*, et donc non seulement obligatoirement limitée mais inévitablement biaisée. C'est le récit d'un voyage que j'ai fait et que je continue à faire au Pays de la Fiction. De ce que je vais vous raconter, je vous invite à prendre et à laisser ce que vous voudrez. Tout est et doit être contestable, et contesté.

Ce livre est destiné aussi bien à des groupes qu'à des explorateurs isolés. C'est aussi une des raisons pour lesquelles j'ai choisi de dire JE le plus souvent possible: je voudrais qu'il soit pour ces derniers, dans la mesure du possible, la voix qui va répondre, commenter, argumenter, ouvrir en spirale vers l'indispensable extérieur le cercle parfois vicieusement solitaire de la création. Je ne me fais pas d'illusion sur les possibilités de ce dialogue forcément artificiel: nous ne sommes pas vraiment ensemble; je vous parle, certes, mais vous ne pouvez me répondre, et vice versa. J'ai cependant essayé de mettre à profit mes expériences en animation d'ateliers d'écriture pour me mettre le plus souvent en situation avec vous.

La «situation d'écriture» initiale

Si raconter/écrire une histoire est un échange, un partage, un *jeu*, c'est donc qu'il y a une règle du jeu; un *contrat tacite* entre les partenaires: «Je sais que tu me mens, mais fais ça bien», dit l'auditeur. La relation de départ s'établit entre l'art du conteur et le jeu de la crédulité/incrédulité chez l'auditeur.

C'est un *contrat*. Cette notion est importante: il n'y a pas un pouvoir absolu du conteur auquel correspondrait une totale passivité chez l'auditeur, mais un pouvoir réciproque, une relation dynamique: l'auditeur fait l'histoire autant que le conteur.

C'est pourquoi l'organisation des groupes en vue d'ateliers ou de cours de création littéraire doit permettre le plus grand dynamisme possible, c'est-à-dire la plus large circulation possible de l'information entre ceux qui racontent/écrivent et ceux qui écoutent/lisent. En effet, le jeu de la communication doit être également le jeu de la réflexion, dans le double sens de ce terme. Écrire, c'est communiquer avec autrui; mais c'est aussi communiquer avec soi par l'intermédiaire d'autrui. Le lecteur devient alors un miroir —avec tout ce qu'un miroir peut avoir de *révélateur* et de *déformant*.

Des bons usages de ce *Guide*

Comme je l'ai fait remarquer plus haut, il y a au moins deux situations possibles d'exploration de l'écriture avec le présent *Guide*: ou bien des groupes d'étudiants en compagnie d'animateurs, ou bien des explorateurs solitaires, étudiants ou non. Mais dans l'un et l'autre cas, il faudrait pouvoir se livrer au jeu de la communication: avoir des récepteurs/lecteurs et pouvoir en être un soi-même, cumuler les fonctions de producteur et de consommateur, être des deux côtés de la «barrière», ce qui est un processus extrêmement formateur.

Et donc, pour les groupes:

Règle numéro 1: Tout le monde essaie de produire des textes (même la non-production, si ses causes éventuelles sont discutées en groupe, peut être instructive).

Règle numéro 2: Tout le monde lit les textes de tout le monde.

Ces règles (les deux seules règles absolues du *Guide*...) suscitent un certain nombre de problèmes d'ordre aussi bien matériel (la taille des groupes, et donc le nombre et la longueur optimum des textes) que psychologique. C'est plutôt à ceux-ci que je voudrais m'attarder.

Situation des groupes

Le problème des animateurs

Pour atténuer l'aspect hiérarchique de la relation maître/élèves (potentiellement démotivante), il est nécessaire, pour ne pas dire impératif, que les animateurs produisent des textes, comme tous les autres participants.

Cela implique qu'ils soient prêts à accepter la possible remise en question de leur autorité et/ou de leur compétence. Ce n'est pas parce qu'on est professeur de français ou de littérature qu'on est écrivain, la théorie et la pratique étant comme on le sait deux choses plus ou moins distinctes. Les animateurs doivent accepter de se trouver dans la même situation que les étudiants du groupe qu'ils animent et de *jouer le jeu* avec eux et comme eux.

On peut rencontrer ici des problèmes d'ordre psychologique. Ainsi, pour se sécuriser, certains animateurs pourraient être tentés, plus ou moins consciemment, d'entrer en compétition avec les autres participants en produisant des textes plus achevés, et/ou de les présenter implicitement ou explicitement comme «le résultat à atteindre». Les animateurs, comme les participants, doivent avoir conscience de ce danger, et veiller à l'atténuer en plaçant toutes les productions sur le même plan: si les animateurs ne jouent pas le jeu comme les autres participants, le jeu s'en trouve faussé.

Une façon d'atténuer ce problème particulier serait l'organisation de sous-groupes animés par les étudiants eux-mêmes, selon l'importance des groupes, la plus ou moins grande homogénéité de leurs capacités et de leurs besoins, et l'espace/temps disponible.

En fait il faut bien admettre que les problèmes des animateurs et ceux des groupes se correspondent: il s'agit ici de dynamique relationnelle. Il n'y a ni recette ni garanties: les groupes valent ce que valent les animateurs, et réciproquement. Si les animateurs ont quelques notions de dynamique de groupe, ou même simplement de psychologie élémentaire, tant mieux; mais le présent *Guide* ne peut véritablement offrir de conseils à ce propos, sinon celui de se renseigner —ou celui du risque honnêtement accepté, de l'engagement personnel de bonne foi...

Mais par ailleurs, pour jouer correctement leur rôle d'animateurs, les enseignants ne doivent-ils pas en grande partie savoir ce qu'ils font, le but, par exemple, des jeux-exercices, les interprétations et les usages possibles de leurs résultats, les raisons éventuelles des blocages, les façons diverses de les débloquer, etc.? Il ne faut pas se dissimuler la position délicate des animateurs, à égalité avec les autres participants mais «un peu plus égaux» qu'eux (selon la célèbre formule de G. Orwell), à la fois à l'intérieur et à l'extérieur du groupe...

Le problème des participants

Au reste, les autres participants se trouvent eux aussi dans une position éventuellement délicate à cause de la règle proposée plus haut, à savoir la nécessité d'une exposition mutuelle par la lecture des textes.

Il ne faut pas sous-estimer l'importance de l'investissement personnel de chacun dans ses productions écrites: il est alors terriblement facile de prendre à tort l'évaluation du texte pour celle de la personne... Il s'agira donc pour le groupe de passer en quelque sorte un contrat de fonctionnement, après en avoir discuté en commun pour s'assurer que chacun a bien conscience de ce qui est impliqué.

Qu'est-ce qui est impliqué, au fait?

a- Une lecture attentive des textes de chacun par chacun...

b- ... qui soit aussi une lecture critique la plus dépersonnalisée possible. Car même si les textes sont issus de personnes identifiables, il ne peut s'agir en aucun cas d'une mise en question/accusation de la personne à travers ses textes. Que chacun soit amené à s'interroger à partir de ses textes, c'est souhaitable, mais non qu'on soit soumis par les autres à un interrogatoire... policier ou parapsychanalytique. Le rôle des animateurs, ici, sera évidemment de «calmer le jeu»...

Il vaudrait peut-être donc mieux toujours parler de *commentaires*, et non de critiques, pour éviter les dérapages fâcheux.

Ces commentaires, d'ailleurs, ne seront pas forcément adéquats dès le début. L'habitude de l'analyse s'acquiert peu à peu: il y a un apprentissage à faire pour passer du stade du «j'aime/je n'aime pas» (ou son équivalent fréquent: «c'est bon/c'est mauvais»), au stade du «je comprends/je ne comprends pas». Le stade du «ça marche/ça ne marche pas pour moi parce que...» serait idéalement le stade à atteindre...

Toutes les notions qui seront présentées au cours du *Guide* sont destinées à la panoplie du lecteur-conscient-et-organisé que ne peut se dispenser d'être l'aspirant-écrivain-d'histoires, et donc le participant à des ateliers de création littéraire. En effet, c'est en prenant conscience des éléments particuliers entrant dans toute fiction, en apprenant à les reconnaître et à les faire jouer dans ses productions comme dans celles des autres qu'on se pourvoit peu à peu de poignées «objectives» à tourner pour entrer dans tel ou tel texte.

C'est grâce à ces notions qu'on peut éventuellement dépasser le stade premier du commentaire «tripal», trop étroitement émotionnel («J'aime...»), ou celui que j'appelle *la critique de morceaux choisis*: on extrait du texte tel ou tel passage dont on décide qu'on «l'aime» ou non, qu'on le «comprend» ou non; le texte comme totalité disparaît dans cet émiettement qui permet en fait au lecteur d'éviter sa responsabilité dans le jeu de la communication: ce jeu porte sur *l'intégralité* du message, pas sur des «morceaux choisis» détachés de l'ensemble.

Si j'insiste sur ce point, c'est que je sais, par expérience souvent pénible, quelle pente savonneuse il peut constituer pour n'importe quel groupe et quelles conséquences fâcheuses il peut avoir: rien moins que la disparition de toute réelle communication entre les participants.

La «critique de morceaux choisis» découle très souvent d'un désir bien compréhensible: celui d'éviter à tout prix toute confrontation. C'est ce même désir qui pousse souvent les participants à ne pas exprimer réellement leur opinion sur les productions des autres. En effet, l'absence d'implication est confortablement rassurante à court terme. À moyen et à long terme, c'est un mauvais calcul. À un moment ou à un autre, chacun doit bien apprendre à accepter la critique: si un enfant n'a pas de bleus aux genoux, c'est peut-être qu'il marche très bien, mais ce peut aussi être parce qu'il n'a jamais essayé de marcher. L'apprentissage est parfois douloureux, mais devenir assez autonome pour un jour écrire/voyager est à ce prix...

Nombre des jeux-exercices qu'on est amené à pratiquer au cours d'un atelier de création, et dont on partage donc les résultats avec les autres participants, peuvent paraître très bénins ou «de pur divertissement». Mais il ne faut pas s'aveugler sur le fait que la communication en général, et l'écriture entre autres formes de communication, sont essentiellement des relations entre des personnes, et en tant que telles ne sont jamais ni totalement innocentes ni totalement sans risques. Une attitude généreuse d'ouverture et d'accueil est donc indispensable chez tous les participants.

Situation des explorateurs solitaires

Je n'ai malheureusement pas grand-chose à dire à ces valeureux aventuriers. Le seul véritable conseil que je pourrais leur donner, ce serait d'essayer de se trouver au moins des lecteurs, et si possible des gens qui ne sont pas émotionnellement trop proches d'eux... Mais ce peut être difficile. Ils peuvent aussi essayer de s'adresser aux directeurs de certaines revues littéraires... De toute façon, il ne faut pas se cacher que, même dans un groupe, la création est d'abord une aventure individuelle. J'espère seulement que ce *Guide* pourra servir à la rendre moins difficile pour les explorateurs solitaires.

Organisation du *Guide*

Considérez-le comme une épicerie: les choses y sont rangées dans un certain ordre, mais l'acheteur éventuel y établit ses propres itinéraires à partir de sa propre liste d'achats, de ses propres besoins. La forme du livre, dans sa linéarité, oblige à une présentation successive d'éléments, mais vous pouvez y chercher d'abord ce qui vous intéresse le plus, sans vous soucier d'un ordre séquentiel. Un *Index*, à la fin du livre, pourra d'ailleurs vous aider dans cette circulation que je souhaite la plus aisément fantaisiste.

Cela dit, il y a évidemment une certaine progression logique dans tout processus d'apprentissage; mais tous les apprentis ne sont pas des tables rases, vierges de toute expérience, et il me faut tenir compte des capacités individuelles comme des aspirations des divers groupes qui seront amenés à utiliser le *Guide*. On peut par exemple avoir déjà écrit de sa propre initiative (poésie, journaux intimes, voire nouvelles ou romans) en dehors des exigences scolaires. Comme on peut ne jamais avoir écrit quoi que ce soit, même pas des lettres familiales. On peut donc rencontrer au départ des *blocages*:

— vis-à-vis de la chose écrite: environnement culturel privilégiant l'oral, désaffection due à des traumatismes scolaires, conception mystifiante et paralysante de la littérature comme chasse-gardée-des-spécialistes-écrivains-reconnus...

— vis-à-vis de la fiction en soi: «Ce n'est pas vrai, ce n'est pas réel, c'est de la blague, tout ça ce sont des histoires»; ou encore: «Je n'ai rien à raconter, je n'ai rien à dire.»

Il existe quantité de jeux-exercices susceptibles de déclencher le geste d'écrire malgré toutes ces réserves ou toutes ces craintes. Ils sont parfois d'aspect assez anodin, «mécanique», en prise directe avec le concret, en tout cas toujours pratique, et donc éventuellement sécurisant pour ceux que l'écriture rebute ou effraie. Corrélativement, ils peuvent être agaçants ou démotivants pour ceux qui sont prêts à aller plus loin plus vite; c'est aux animateurs d'évaluer les capacités de chacun. Une autre catégorie comprend des jeux-exercices visant plus spécifiquement à faire approfondir la relation de chacun à l'écriture.

Tous ces jeux-exercices sont présentés dans une partie intitulée *Entracte*, pour simplifier l'organisation du *Guide* et en rendre l'usage plus pratique. Je rappellerai l'existence de l'*Entracte* et signalerai l'utilité des divers jeux-exercices qu'il propose là où ce sera pertinent dans les autres parties.

Ces jeux-exercices peuvent être considérés comme des gammes, ou comme des exercices de réchauffement, ou comme des moyens de se «dépanner» quand on a des problèmes, ou comme des outils de réflexion, selon les besoins des participants. Ce ne sont donc en aucun cas des préalables aux autres parties du *Guide*.

Les autres parties vont fatalement être intitulées *Première* et *Deuxième*. Ces dénominations n'impliquent pas forcément qu'on doive les aborder dans cet ordre...

Dans la *Première partie*, nous examinerons en détail quelques notions générales que j'ai tendance à croire nécessaires dans une phase initiale de l'apprentissage: les différents outils, les différents matériaux, leur interaction, leurs conditions et leurs conséquences.

Après avoir examiné plutôt théoriquement ce qu'est ce fameux «racontage d'histoires» qui constitue la fiction, nous essaierons de voir dans la *Deuxième partie* comment (et si) on peut perfectionner ce «racontage» dans la pratique: non plus en général, mais pour des histoires bien particulières.

En passant, un petit mot sur les textes ou extraits de textes illustrant chacune des parties. Certains sont tirés de la Littérature Vénérable; d'autres sont inventés de toutes pièces, et un biais personnel m'a fait inventer des exemples à coloration plus ou moins «science-fictionnelle». Qu'on veuille bien me le pardonner —et surtout, si on n'en a jamais lu, qu'on ne s'imagine pas que toute la SF ressemble aux exemples quelque peu farfelus inventés pour les besoins de la cause... J'ai également eu à choisir entre présenter des exemples tous différents pour illustrer telle ou telle structure narrative, ou me servir d'un même exemple que je répéterais, en faisant valoir ainsi les variantes, les transformations. J'ai choisi cette deuxième possibilité —au risque de lasser ceux qui aiment la variété. À ceux-là, je propose une échappatoire simple: fabriquez *vos propres exemples* en vous aidant des miens... Enfin, certains exemples seront tirés de textes produits dans des ateliers auxquels j'ai assisté comme animatrice ou comme simple participante. Il ne sert à rien de théoriser dans le vide, et les enseignements à tirer de ces textes sont encore frais dans ma mémoire; d'autre part, ce sera un peu ma façon d'être avec vous en cours de route.

En guise d'illustration finale et de conclusion, je vous présenterai l'un de mes textes, justement produit dans un atelier d'écriture, avec des notes sur sa genèse. Non que mon écriture soit un exemple à suivre, bien entendu! Mais on m'a assurée qu'il était instructif de voir ainsi se développer le processus créateur, de partager l'expérience du producteur «à chaud» en quelque sorte. Le fait que ce texte soit de la SF ne constituera pas, nous l'espérons, un trop gros handicap. Il est assez évident que je ne pouvais faire cette expérience qu'avec un de mes propres textes —et ce sera, encore une fois, ma façon de partager avec vous l'aventure d'écrire.

Philosophie du *Guide*

a- Ce *Guide* ne se propose pas de livrer des cogitations théoriques soutenues sur la Métaphysique de l'Écriture. Il essaiera cependant de suggérer des orientations à la réflexion, à partir de pratiques, sur le mouvement de l'écriture.

b- Ce *Guide* ne se propose pas de faire éclater les cadres traditionnels du récit, mais bien de décrire ces cadres traditionnels aux éventuels amateurs d'explosifs, pour qu'ils sachent où placer leurs charges s'ils le désirent —et leur donner aussi la possibilité de prévoir les conséquences probables de l'explosion.

c- Ce *Guide* ne se propose pas d'aligner en rang d'oignons, soigneusement étiquetés, des trucs ou des recettes qui garantiraient mécaniquement la fabrication de «bonnes histoires». En tant que directrice littéraire d'une revue publiant de la fiction, en tant qu'enseignante ayant réfléchi sur la littérature, en tant qu'animatrice d'ateliers ayant réfléchi sur l'écriture, et en tant qu'écrivaine essayant d'écrire, je crois avoir constaté qu'il existe un certain nombre de notions de base à toute écriture, et à toute écriture *de fiction*. Et qu'il existe un certain nombre de problèmes *pratiques* liés à la mise en oeuvre de ces notions, problèmes auxquels certaines *stratégies* (et non "solutions") peuvent être appliquées. Il ne faudra surtout pas se laisser impressionner par le vocabulaire parfois un peu «mécaniste» qu'il m'arrivera d'employer («effets produits»..., «avantages et inconvénients»...).

d- Ce *Guide* ne se propose pas d'être un Manuel de Style. Il porte sur l'écriture de la fiction, c'est-à-dire essentiellement sur les structures narratives, au plan de la construction plutôt qu'au plan de la phrase. Les deux plans sont évidemment indissociables dans plusieurs cas, et j'en tiendrai alors compte. Mais je ne me soucierai nullement de correction de l'écriture ou de travail du style. Certains jeux-exercices donneront amplement aux animateurs l'occasion de s'attarder sur ces aspects de l'écriture s'ils le désirent.

C'est d'ailleurs parce que ce *Guide* n'est en aucune sorte un manuel que j'ai été placée devant un choix difficile. Devais-je suivre un ordre rigoureux, qui rassemblerait logiquement tous les aspects d'un même sujet dans un même passage? Ou allais-je suivre l'itinéraire plus aventureux d'une véritable exploration, et présenter certains aspects d'un problème *au moment où on les rencontre lorsqu'on est en situation d'écriture,* ce qui n'a rien à voir avec une logique scolaire, et quitte à risquer certaines redites? J'ai préféré la seconde option, parce qu'elle permet elle aussi de ne pas trop succomber à l'illusion des «recettes garanties et bien étiquetées». L'*Index* est là pour aider l'explorateur à se retrouver dans ses itinéraires. D'ailleurs, faire quelques détours permet parfois la découverte de paysages qu'on aurait peut-être ratés sans cela...

Écriture/réécriture, lecture/relecture

J'aimerais enfin souligner que si un certain nombre des notions présentées dans ce *Guide* pourront à un moment ou à un autre se révéler utiles au moment de la *rédaction* de textes, elles seront peut-être surtout utiles au moment de la *relecture* (de façon rétrospective, donc), à plus forte raison quand cette relecture ne sera pas seulement une lecture des textes, mais une lecture de ses propres textes.

Apprendre à mieux lire, c'est l'effet secondaire le plus fréquent d'un atelier d'écriture... Et c'est normal: la relecture est la seconde phase de la création, le second regard indispensable après la spontanéité du premier jet; elle amène à cette troisième phase de la création qu'est la *réécriture.*

La réécriture est fortement conseillée après bon nombre de jeux-exercices présentés dans l'*Entracte.* Elle est à conseiller chaque fois que c'est matériellement possible. C'est à mon avis une étape essentielle de la création littéraire.

Sur ce point, à la vérité, deux écoles s'affrontent: les partisans du premier jet et ceux du «re-travail». Les premiers tendent à privilégier l'inspiration (venue des hauteurs du ciel ou, «modernement», des profondeurs de l'inconscient), la «pure spontanéité créatrice» —qui selon eux ne peut jamais (se) tromper— ou la «totale indépendance» de l'écrivain seul-maître-à-bord-de-son-texte. Il me semble, quant à moi, qu'après avoir fait l'expérience des jeux-exercices proposés dans l'*Entracte*, il doit être un peu difficile de s'en tenir intégralement à la théorie voulant que le premier jet soit toujours le meilleur...

> Ce qui ne veut nullement dire non plus que le troisième jet, ou le cinquième, ou le dixième, sera *forcément* meilleur que le premier. (Les tenants de la réécriture, dont je suis, ne le prétendent d'ailleurs pas.) Mais étant donné l'existence difficilement niable des contraintes externes et internes, de tout ce qui vient parasiter la «pure spontanéité» de l'écriture, il me semble plus prudent d'en tenir compte, d'essayer donc de prendre du recul par rapport à son texte et d'en envisager d'éventuelles retouches. Il arrive (c'est une des joies les plus intenses et troublantes de la création) que des morceaux plus ou moins longs de textes «viennent tout seuls». Mais il faut beaucoup de temps, de lucidité et, osons le dire, d'humilité, pour arriver à distinguer entre ce qui est «venu tout seul» de nous —et comme tel porte une vérité profonde, constitue une révélation à ne pas retoucher, à ne pas gâcher— et ce qui vient des usages acquis, réflexes de langage, clichés, bref, tout ce qui nous possède de l'extérieur et n'est pas vraiment nous...

De toute façon, pour arriver à fonctionner dans le cadre d'un atelier d'écriture, et pour créer tout court, je crois qu'il est nécessaire de ne pas tenir trop rigoureusement à l'idée d'une quelconque «intangibilité de l'oeuvre». Un texte, par exemple, n'est pas une Vache Sacrée: on peut se permettre de lui donner quelques coups de pieds; il faut le secouer, pour voir s'il tient bien... Et il faut accepter que les autres lui donnent des coups de pieds et le secouent —ce qui est déjà plus difficile... mais peut éviter le tête-à-tête mortel et paralysant de l'autosatisfaction.

PREMIÈRE PARTIE
Les structures narratives

CHAPITRE I
Qu'est-ce qu'une histoire, au fait?

Introduction

Avez-vous déjà raconté un film ou un livre à un ami qui ne les connaît pas?

Vous pouvez en faire l'expérience tout de suite, oralement ou par écrit. Si vous êtes en groupe, vous pouvez aussi vous donner rendez-vous à la prochaine séance en vous fixant comme consigne d'y apporter des photographies et/ou des images (sans légendes, si possible): des publicités, par exemple, ou des photos de films... Étalez-les devant vous, et *racontez-vous les uns aux autres ce qui se passe, selon vous, dans ces images, ou d'une image à l'autre* (toujours oralement ou par écrit).

Ou bien encore: prenez des morceaux de papier et sur chacun d'eux inscrivez un des mots suivants: *Chevalier, vert, Dragon, caverne, bleu, épée, plaine, Magicien/Magicienne.* Étalez ces mots devant vous, puis organisez-les de la façon qui vous semblera la plus logique ou la plus plaisante, et faites des phrases pour concrétiser cette organisation. Vous pouvez ajouter des mots, mais vous devez inclure tous ceux qui ont été énumérés plus haut.

(Vous trouverez d'autres séries possibles de mots dans l'*Entracte*, ainsi que davantage de détails sur d'autres jeux-exercices susceptibles de faire produire des scénarios d'histoires.)

Et cela nous donnerait quelque chose comme ceci, par exemple:

Un vaillant Chevalier à l'armure verte voyageait dans les montagnes qui surplombaient la mer. Fatigué, il décida de se reposer au bord d'une cascade rafraîchissante. Mais tout près se trouvait la caverne où vivait un paresseux Dragon Bleu. Le Chevalier, qui avait été élevé dans l'idée que c'était son travail de tuer les dragons, même paresseux, dégaina donc son épée et se lança à l'attaque du Dragon Bleu. Malheureusement, les écailles des Dragons Bleus sont très épaisses, et celui-ci avait le sommeil particulièrement profond. Après plusieurs heures d'efforts infructueux, le Chevalier, très déprimé, redescendit dans la plaine, jusqu'à la Tour Jaune où vivait une Magicienne très renommée, mais que personne n'avait jamais vue, car elle était invisible. Lorsqu'il lui eut expliqué son problème avec le Dragon Bleu, elle lui donna un médaillon magique et lui conseilla de le placer au cou du Dragon: cela le réveillerait à coup sûr. Mais il ne fallait surtout pas ouvrir le médaillon auparavant. Or, une fois rendu à la caverne, ne voilà-t-il pas que le Chevalier entend une voix de femme qui appelle au secours, et cette voix vient du médaillon! Le Chevalier hésite, puis, comme on lui a aussi parlé de ses devoirs envers les Demoiselles en Détresse, il jette un dernier regard de regret au Dragon Bleu (qui dort toujours) et ouvre le médaillon. L'image animée d'une ravissante Demoiselle s'y trouve: c'est la Magicienne, qui était la victime d'un sort jeté par un concurrent jaloux, et que le Chevalier vient de délivrer en renonçant à la somme toute égoïste satisfaction d'avoir une tête de Dragon Bleu au-dessus de sa cheminée. Aucun des autres Chevaliers de passage n'avait eu ce beau geste. Et le Dragon est toujours vivant?! Oui, répond la Magicienne en baissant les yeux avec un certain embarras, mais pas les Chevaliers... "D'ailleurs", ajoute-t-elle avec dignité, "je ne voudrais pas qu'il arrive quelque chose à ce dragon: c'est ma grand-mère."

Il vécurent donc heureux et eurent beaucoup de petits dragons.

Eh bien, peut-être n'aurez-vous pas obtenu exactement cette histoire-là... Mais je crois que vous aurez obtenu une histoire, ou un embryon d'histoire. Et si vous êtes en groupe, vous pouvez établir des comparaisons.

Vous vous rendrez sans doute compte alors que vos histoires ont un certain nombre de points communs. Elles ont toutes un commencement, un déroulement et une fin, par exemple. Élémentaire? Mais oui: nous en sommes aux éléments de base, ici. Et si vous rassemblez les autres structures communes de vos histoires, vous obtiendrez sans doute quelque chose comme ceci:

> Un personnage subit des épreuves ou est engagé dans un conflit, au cours desquels il rencontre des alliés/des adversaires; il est transformé à la suite de cette expérience; il est récompensé ou non à la fin de l'histoire.

Cette histoire, c'est ce qu'on peut appeler **l'histoire type.**

> L'histoire produite à partir des mots ''Chevalier'', etc., sera bien sûr un conte de fées, mais vous pourrez aisément retrouver la structure minimale que je viens de décrire dans les films ou les livres que vous vous serez racontés les uns aux autres... ou peut-être même dans le dernier fait divers...

Bivouac panoramique: le problème des contenus

«Forme» et «fond»

Toute cette partie, comme la *Deuxième partie* plus tard, va porter davantage sur la «forme» que sur le «fond» ou «contenu». Le contenu, c'est en grande partie vous-mêmes, usagers de ce *Guide*: d'une part ce qui vous est personnel (et que divers jeux-exercices, à l'*Entracte*, peuvent vous permettre d'explorer: technique ''de la Nébuleuse'', ou des mots-inducteurs, dans les jeux A et tous les jeux B); et d'autre part ce qui appartient à la culture dans laquelle vous baignez et que vous absorbez continuellement de façon plus ou moins consciente pendant toute votre vie (influence d'amis, de parents, de professeurs, télé, cinéma, journaux, livres...).

Ce deuxième aspect du matériau à histoire (du «contenu», du «fond»), il est très important qu'on essaie de s'entraîner à le reconnaître. En effet, il intervient constamment dans le rapport qui s'établit entre auteur et lecteur: il constitue une expérience éventuellement commune, et donc un bon support à la communication en tant qu'elle est un *partage*. Par ailleurs, il détermine en grande partie les *attentes* du lecteur: ce que celui-ci s'attend à trouver dans l'histoire qu'il lit. Attentes qui seront satisfaites ou non, délibérément ou non, par l'auteur. Enfin, ce matériau qui est moins personnel que collectif va créer l'important problème des clichés.

Les clichés

Un **cliché**, comme le nom l'indique, est la reproduction industrielle de formes (mots, images, idées, histoires complètes même), qui ont été inventées une fois, il y a plus ou moins longtemps —et qui étaient alors fraîches, neuves, frappantes, signifiantes. Mais... elles ont trop bien réussi: exploitées à mort, usées jusqu'à la corde, elles ont perdu leur force. C'est pourtant bel et bien encore une monnaie d'échange (tout le monde sait de quoi on parle), mais elle est dévaluée: plus personne ne fait vraiment attention, tout le monde sait de quoi on parle, c'est trop banal. Par exemple, une image comme *L'aurore aux doigts de rose* est utilisée depuis au moins Homère, ce qui fait... quelques milliers d'années. On ne s'arrête plus sur ce genre d'image.

Or **l'attention du lecteur**, du *destinataire*, est une denrée précieuse, essentielle à toute communication —comme pourra vous le certifier n'importe quel professeur, journaliste, homme politique. Une bonne partie, voire l'essentiel du travail de la «forme» va précisément être destinée à attirer ou à retenir cette attention du lecteur, souvent afin de la concentrer sur le «fond».

C'est dire évidemment que *«forme» et «fond» sont étroitement et dynamiquement reliés*: on ne peut en fait avoir l'un sans l'autre. Il suffit de considérer l'organisation matérielle de l'histoire et son contenu.

> *Jules Héros, né à Québec le 28 février 1966...* (commencement)
>
> *... a grandi et fait ses études à Sainte-Foy, s'est marié avec Anasthasie Héroïne le 1er Janvier 1990 et en a eu trois enfants en 1991, 1993 et 1994, a été élu député en 1995...* (développement)
>
> (Abrégeons...)... *est devenu le Maître du Monde en 2016, et est mort le 31 décembre 2050 à l'âge de 90 ans.* (C'est la fin.)

Il y a pourtant plusieurs degrés dans ces relations étroites entre «forme» et «fond». Pour les besoins de la démonstration, je vais établir une sorte de hiérarchie entre ces degrés, mais en réalité, dans la pratique, tous sont d'une importance égale et fonctionnent sur le même plan.

Commençons donc par introduire trois notions dont la compréhension et la distinction seront fort utiles à la poursuite de nos aventures.

1. Récit, histoire, narration

On peut ici aller faire un tour du côté de l'*Entracte*, dans les jeux B utilisant images ou photographies, en en analysant les divers éléments (cadrages, éclairages, perspective, etc.).

Le **récit**, c'est la façon de raconter.

(Au présent, au passé, au futur. En IL, en ELLE, en JE, en TU. Long, semi-long, court, bien dégagé autour des oreilles. Sur un certain ton: tragique, comique, détaché, les trois, neutre, «capoté», «semi-capoté», sans capote, etc.).

Bref, le récit, c'est en quelque sorte plutôt le «contenant», plutôt la «forme». **L'histoire,** c'est ce qui est raconté, c'est plutôt le «contenu», plutôt le «fond».

Mais, comme je ne saurais trop le redire, une relation indissoluble les unit. Reprenons l'exemple des images que vous avez peut-être utilisées: la façon dont une photographie est cadrée, éclairée, composée, tout cela appartient au plan de la *mise en forme* mais intervient aussi comme *élément de signification*. Essayez donc un peu d'imaginer une photographie non cadrée... C'est un peu, si vous voulez, comme l'eau et la cruche. On peut avoir un tas d'idées (de l'eau) mais elles ne seront pas... conservables, transportables, cuisinables, bref, échangeables, comme les histoires, sans ce récipient plein d'ingéniosité, parfois de beauté, cet objet si éminemment convivial, qu'est la cruche —le récit.

Et sans l'intention d'échange, suscitant le mouvement qu'est la **narration**. (Il faut bien quelqu'un pour la transporter, cette cruche pleine...)

À ce trio récit/narration/histoire correspond un autre trio de notions également nécessaires à ce stade de notre voyage.

2. Émetteur, récepteur, message ou «l'acte de communication»

Pour être convivial (et propre à la communication), le processus du «racontage» d'histoires suppose toujours au moins deux partenaires: l'auteur et le lecteur. Qui peuvent également être nommés **émetteur** et **récepteur**.

Entre les deux (et aux deux sens de ce mot: liaison et obstacle), il y a le **message**, ou ce que l'émetteur A veut dire au récepteur B. Et aussi, empressons-nous de l'ajouter, tout ce qu'il ne veut pas forcément dire mais dit tout de même, ou ce que B lui fait dire —ce qui revient au même.

Et ce que je résumerai par le décoratif et pédagogique croquis suivant:

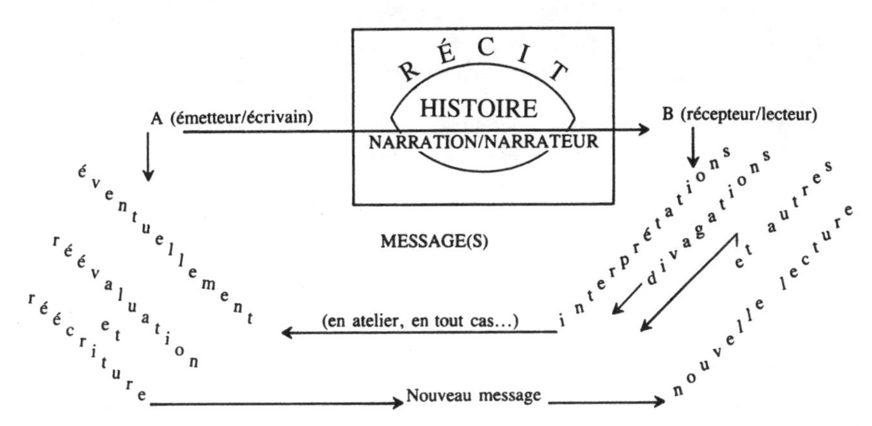

L'intérêt d'un atelier/cours/groupe, c'est que, contrairement à la situation habituelle où l'Écrivain Solitaire est évalué de loin et sans pouvoir dire grand-chose par un lecteur ou un critique littéraire qui n'est pas forcément lui-même un praticien, c'est-à-dire un écrivain, dans un groupe chacun est *à la fois* écrivain, lecteur et critique, producteur et consommateur, émetteur et récepteur. Ce qui accélère considérablement le processus d'apprentissage —et explique la nécessité pour tous de produire et de lire dans les ateliers.

C'est à ce stade de la communication avec le lecteur que commencent les problèmes. Si on n'a jamais de difficulté à comprendre (et à apprécier...) les histoires qu'on se raconte à soi-même, il n'en va pas forcément de même lorsqu'il s'agit de les raconter à autrui.

Petit examen du lecteur

D'abord, le lecteur n'est pas dans la tête de l'auteur lorsque celui-ci écrit son texte. Il ne peut donc deviner ce que vous avez «voulu dire», si d'une façon ou d'une autre vous ne le lui dites pas.

Par ailleurs, il n'aime pas avoir à deviner une histoire à partir de trop peu d'éléments; et il n'aime pas non plus (en général) n'avoir rien à deviner du tout et se faire servir l'histoire sous forme de bouillie prédigérée, accompagnée de modes d'emploi tous plus explicites les uns que les autres!

> *Un extra-terrestre à dix-huit yeux pédonculés apparut soudain au milieu du salon. Johnny* se leva d'un bond, *les yeux* écarquillés *et s'exclama d'une voix* stupéfaite*: "Ça alors, dites donc, quelle* surprise, *j'en suis tout* éberlué*!"*

On a un peu beaucoup compris, je crois, que Johnny est étonné... Le problème, en fait, ce n'est pas seulement cet indispensable (quoique parfois insupportable) lecteur à qui il faut n'en dire ni trop ni trop peu; c'est aussi la façon dont fonctionne toute lecture.

On lit en effet toujours de façon *prospective* (vers l'avant): on emmagasine et additionne les données au fur et à mesure qu'on les rencontre, et on anticipe les données futures à partir des données passées.

Mais en même temps, on lit d'avant en arrière, de façon *rétrospective*: on modifie, on réévalue les données anciennes à partir des données nouvelles.

> Le Vilain de l'histoire (qu'on nous a par ailleurs décrit comme beau, quoique sombre, aimant les fleurs, les animaux, Bach et les Beatles) se révèle à la fin être un *bon!* Il se *sacrifiait* par *grandeur d'âme!* Il jouait la *comédie* pour aider les autres bons, en trompant le pervers Empereur Mingo dont il avait réussi à devenir le favori en *feignant* de partager ses goûts décadents pour les combats de radiateurs!

C'est alors que vous vous rappellez soudain: chaque fois que le Vilain était dans les parages, le Héros réussissait toujours à échapper aux gardes de l'Empereur, grâce à des *circonstances fortuites!* (Son gardien s'assommait tout seul et les clés de la cellule tombaient aux pieds du Héros, par exemple...) Par ailleurs, chaque fois que le Héros était envoyé à la Chambre de Désintégration, le Vilain le regardait partir avec un sourire dont on nous soulignait *l'étrangeté,* accompagné d'une expression *indéfinissable* et d'un regard *indéchiffrable...* Et le Héros s'échappait derechef grâce à des *circonstances fortuites*: ("Ah tiens, la Chambre de Désintégration est en panne! Diantre, profitons-en!").

"Bon sang, mais c'est bien sûr!», vous exclamerez-vous peut-être en vous levant d'un bond, les yeux écarquillés.

À moins que vous n'ayez laissé tomber le livre à la deuxième évasion-due-à-des-circonstances-fortuites, parce que vous aurez reconnu une structure familière d'histoire, dont vous aurez anticipé le dénouement.

Bivouac panoramique: les clichés

Nous anticipons sans cesse, comme je l'ai déjà remarqué: en lisant un livre, en regardant un film; et dans la vie de tous les jours, n'avons-nous pas tendance à faire des hypothèses sur les gens et les situations, en tirant de nos expériences passées des conclusions/prédictions (parfois hâtives) sur ce qui se passe/va se passer, pour peu qu'il nous semble posséder des données suffisantes, c'est-à-dire familières?

Par exemple, vous savez bien que le type giflé par la fille au début du film a de fortes chances d'être son cher-et-tendre à la fin; et dans le roman policier, c'est bien sûr le Majordome qui a traîtreusement étranglé le mille-pattes favori de Lady MacSanders, puisque c'est précisément lui que le fin limier Breloque Oldmess a écarté d'emblée de sa liste de suspects...

Les clichés, problème du lecteur

Nous retrouvons ici, et ce n'est pas la dernière fois, le problème des **clichés** (ici, des clichés *situationnels*), et leur rapport avec une gestion optimale de la communication. Il ne s'agit rien de moins que de la liberté réciproque de l'émetteur et du récepteur, ce jeu dans la communication, qu'on ne peut jamais totalement contrôler, et qui la rend si angoissante parfois (et si précieuse lorsqu'elle s'établit...).

En effet, le cliché, c'est d'abord le problème de **l'attente du lecteur**. Celle-ci dépend au départ de sa culture, en l'occurrence de la plus ou moins grande habitude qu'il a du genre d'histoire que l'auteur veut raconter. C'est très sensible dans les genres bien définis (comme le policier, l'espionnage, le fantastique, la science-fiction... ou la pornographie et son cousin, le roman Harlequin!). Le fanatique de romans policiers ne marchera pas au truc du Majordome: ça a été fait trop souvent! Même chose dans la science-fiction: comment l'extra-terrestre a-t-il bien pu savoir que Johnny aimait Patricia?! Parce qu'il l'a lu dans sa pensée, bien sûr! Cet extra-terrestre est un télépathe!!!

«Diantre», dira le novice en se levant d'un bond, les yeux écarquillés.

Le lecteur habitué, lui, aura depuis longtemps lancé le livre dans la Chambre de Désintégration (qui a été réparée).

Les clichés, problème de l'auteur

Il faut donc tenir compte du *lecteur implicite* (celui qu'on s'imagine, comme on pourra s'en rendre compte dans les jeux B), savoir au moins en gros à qui on veut s'adresser. À partir de là, la tâche de l'écrivain consistera à se faire le cas échéant pédagogue et/ou magicien (les deux sont plus proches qu'on ne le pense...), et à disposer avec habileté ses lapins, ses tourterelles et ses chapeaux.

Car enfin, rappelons-le, un *contrat tacite* a été passé au départ entre écrivain et lecteur: «Mens-moi, mais fais ça bien!»

En effet, à l'attente du lecteur, recto du problème, correspondent au verso les capacités de l'écrivain par rapport au(x) type(s) d'histoire(s) qu'il veut présenter: son expérience, sa culture... et ses conditionnements à lui. Pour prendre encore une fois mon exemple dans un genre bien identifié, vous aurez sans doute l'impression d'avoir moins de possibilités au niveau des **histoires** (des contenus) si vous avez lu beaucoup de romans policiers, mais vous en aurez certainement bien davantage au niveau des **récits** (des formes, des contenants). Inversement, si vous en avez très peu lu, vous arriverez vierge dans un monde immense et neuf... pour vous; vous aurez peu l'expérience des diverses façons de raconter ces histoires, mais vous découvrirez avec enthousiasme (et beaucoup de mérite, mais là n'est pas la question, hélas!) des idées d'histoires géniales... qui font partie depuis au moins cinquante ans du patri/matrimoine commun du genre considéré! Si votre lecteur est dans la même situation que vous, c'est parfait. Sinon... la Chambre de Désintégration!

Que dites-vous? Vous avez parfaitement raison, il n'y a pas grand-chose de nouveau sous le soleil depuis le temps qu'il y a des gens, et qui pensent, et qui écrivent. Et c'est bien pour cela, renchérirai-je, que le présent *Guide* n'aborde que de loin et avec prudence les questions de «contenu»: on n'en finirait pas, et quel intérêt? Mais j'ajouterai ceci: c'est très souvent au plan du *récit*, en racontant autrement une histoire sur un thème connu, qu'on est amené à renouveler ce thème...

Les lectures, les lecteurs, et l'écrivain

Rappelons-nous donc toujours cette évidence de bon sens qu'on a trop tendance à oublier: *il y a plusieurs types de lecteurs*, comme il y a *plusieurs niveaux de lecture* (on peut rester en surface, mais aussi choisir la plongée sous-marine avec masque et bouteille d'oxygène, ou même la plongée en bathyscaphe dans les gouffres...). *Il y a donc plusieurs niveaux d'écriture*, que ce soit au plan de la phrase ou au plan de la structuration générale d'une histoire. C'est à chaque écrivain de choisir ses niveaux, en se rappelant toujours que le lecteur implicite, le destinataire qu'il imagine à son histoire, le récepteur, a tendance à lire en *anticipant*; il a également tendance à sauter toute information qui ne lui paraît pas nouvelle et pertinente à l'action. Bref, le lecteur est quelqu'un dont il faut non seulement diriger mais *entretenir* l'attention, même si l'auteur bénéficie au départ de sa bonne volonté («Mens, mais fais ça bien»...).

Or cette attention du lecteur est très variable et s'endort assez vite, par exemple dans les passages où l'information n'est pas nouvelle, ou bien dans les clichés, justement... Or, s'il se met à lire «en diagonale» (''Moi, je saute toujours les descriptions''...), le lecteur peut manquer une information essentielle à la compréhension de l'histoire! Une des tâches de l'écrivain est donc de disposer de loin en loin, ingénieusement, des chausse-trappes: des ralentisseurs de lecteur trop pressé, ou des réveilleurs de lecteurs trop distraits. Ainsi, lorsqu'on parsème le texte de MAJUSCULES, *d'italiques* ou de **caractères gras**, ou bien lorsqu'on va

à la ligne
pour très peu de mots; c'est le cas aussi de quantité de procédés plus subtils (quand même!) comme les mélanges de *niveaux de langue*. Par exemple, dans un paragraphe rempli d'expressions très sophistiquées, éclate soudain une expression très familière; ou l'inverse. Le lecteur, brusquement réveillé par le contraste, sursaute...

Nous retrouverons tous ces procédés ailleurs et nous en parlerons alors plus longuement. Pour l'instant, je me contenterai de vous rappeler que la difficulté, la beauté et le plaisir du «racontage» d'histoires résident en partie dans le fait qu'il ne faut pas en dire *trop* (et retirer ainsi au lecteur sa motivation à poursuivre), et en dire tout de même *assez* pour piquer et satisfaire sa curiosité.

Tout ceci vous paraît peut-être bien concerté, bien manipulateur? Pas plus —pas moins— que n'importe quel jeu entre partenaires consentants. (Irais-je jusqu'à dire: ''comme n'importe quelle séduction''? Oui.) Car enfin, même si l'histoire que vous voulez raconter vient «du fond de vos tripes», vous n'écrivez pas «avec vos tripes» (à Dieu ne plaise!) mais avec (un stylo, j'espère...) des mots et des phrases, tout un jeu complexe d'illusions vraies à faire partager et par où, comédiens sincères, vous devez accepter de passer si vous voulez raconter des histoires.

L'essentiel à se rappeler pour l'instant est que l'organisation du parcours (récit et narration) est là pour rendre la promenade (l'histoire) intéressante, et inversement puisqu'ils n'existent pas l'un sans l'autre et se produisent mutuellement (comme vous pouvez en juger dans les *Notes* accompagnant ma nouvelle, à la fin du *Guide*).

De quoi est-il fait, ce parcours?

Eh bien, de son point de départ, déjà. Il y a plusieurs façons de commencer une histoire: par la fin, par le milieu, ou (pour artisans avancés), complètement à côté. On peut même —croyez-le ou non— commencer une histoire par le commencement! Ce qui revient à dire que le récit peut suivre ou non l'ordre chronologique qui, comme son nom l'indique, a quelque rapport avec la logique du déroulement temporel de l'histoire. Auquel correspond (marmonne le petit Albert Einstein, au fond de la classe) une logique du déroulement spatial de l'histoire.

Il y a également quelqu'un, ou quelques-uns et quelques-unes qui se déplace(nt) dans cet espace-temps, des personnages qui sont eux-mêmes d'ailleurs des condensations locales d'espace-temps: ils ont une origine, un passé, un avenir. Et chacun de ces personnages a sa propre vision de l'espace, du temps, des autres personnages et de soi-même, c'est-à-dire qu'ils ou elles (s)ont des points de vue.

Petit bivouac panoramique: le point de vue

Arrêtons-nous un instant sur ce terme si utile par son double sens: **le point de vue**; c'est à la fois *le lieu d'où l'on voit* (de plus ou moins près, et donc avec plus ou moins de clarté dans les détails), et dans l'autre acception non touristique du terme, c'est *une opinion sur ce qui est vu*.

On peut se reporter utilement ici aux jeux B de l'*Entracte* portant sur les images ou photographies. On aura sans doute constaté que chaque «prise de vue» est organisée: cadrage, perspective, éclairage... Et quelle est la caractéristique essentielle de ce point de vue organisateur de l'image? C'est qu'il n'est dans l'image que de façon indirecte. L'objectif qui prend la photo ne se trouve pas dans la photo (sauf cas particuliers qui sont autant d'effets de style: usage de miroirs, de reflets). Le regard qui voit la scène (l'histoire) fait parfois semblant de ne pas être là, et il peut même faire semblant d'être le vôtre.

Mais vous savez bien que ce n'est pas vous, le lecteur, qui voyez en premier l'histoire: on vous la raconte. Une question se pose alors: *Qui?* Qui est-ce qui organise le récit de l'histoire par le point de vue de sa narration?

Avouez que c'est une question qu'on oublie ordinairement de se poser lorsqu'on lit une histoire... Qui est-ce qui raconte? Quand on nous dit: «La marquise sortit à cinq heures» qui est ce JE qui se désigne de façon implicite par la troisième personne qu'il applique à la Marquise? Et quand on commence ainsi: «Longtemps je me suis couché de bonne heure» qui est ce JE explicite? Est-ce toujours l'auteur? (Paul Valéry, dans le premier cas, Marcel Proust dans le second...)

Eh bien, non! La personne qui fait le récit n'est pas forcément l'auteur.

CHAPITRE II
Le point de vue

Introduction

La personne qui fait le récit n'est pas forcément l'auteur. C'est une notion importante, bien que bizarre... Bizarre au premier abord, mais pas au deuxième rabord; en effet, si j'écris: «Moi, Johnny Héros, en cet An de Grâce 2677...» (ou 1477, d'ailleurs), est-ce que ça peut être moi, Élisabeth Vonarburg, en l'An de Grâce 1986? En fait, c'est seulement dans *l'autobiographie* ou les *mémoires* (ces histoires vraies de soi-même racontées par soi-même), qu'il y a coïncidence entre l'auteur et la voix de narration. Et encore! Il y a, nous le verrons, des autobiographies et des mémoires fictifs... Pas de limite aux (beaux) mensonges possibles de la fiction. Et dans la fiction, ne l'oubliez pas, on revient au temps de l'enfance: «*On dirait* que *je serais* la princesse et que tu *serais* le chevalier...»

Aussi, lorsqu'on écrit de la fiction, *on dirait que* la «voix qui raconte» *ce serait* quelqu'un d'autre. On dirait que vous vous poseriez sur le visage une sorte de masque plus ou moins transparent. Ou que, sur le petit théâtre de votre histoire, vous tiendriez à bout de bras une marionnette meneuse de jeu en lui ventriloquant une voix...

Ce masque, cette marionnette, c'est le **narrateur**.

Le narrateur, c'est encore par exemple le doigt qui, dans un célèbre conte chinois, montre la Lune. Il y a alors pour le badaud (le lecteur) deux comportements (lectures) possibles: regarder la Lune (l'histoire) ou regarder le doigt qui la fait en quelque sorte exister davantage en la montrant (le récit et son indispensable agent de narration, le narrateur.)

> Cette distinction, ou cette distance, est vraiment importante: c'est elle qui contribue en partie au plaisir d'écrire de la fiction: le plaisir du déguisement, du «faire semblant» à la fois dissimulateur et révélateur...

Et c'est un élément essentiel de la fabrication (du montage, de l'organisation) du récit, car *c'est en grande partie le point de vue du narrateur qui va déterminer celui du lecteur.* Pourquoi? Parce que la réaction spontanée, lorsqu'on nous raconte une histoire, c'est de voir les choses comme on nous les montre. Faites-en l'expérience sur vous-même, ou les uns sur les autres...

Quel pouvoir exorbitant détient le narrateur, n'est-ce pas? Et l'auteur, donc, qui tient le narrateur... Mais c'est ainsi: une histoire est toujours orientée par son récit parce qu'elle est toujours racontée par quelqu'un. Par ailleurs, elle est aussi lue par quelqu'un qui dispose par son attention, sa bonne volonté, son intelligence, sa sensibilité, etc., d'un pouvoir tout aussi exorbitant... N'oublions pas que le contrat de base de tout «racontage» d'histoires est que quelqu'un raconte quelque chose à quelqu'un.

Il importe donc bien de poser le plus vite possible la question: *Qui raconte?* Il importe en effet de savoir au plus vite comment l'histoire est orientée par son récit...

> Que dites-vous? Vous croyez qu'il existe une façon *objective* de raconter une histoire? C'est l'illusion standard 427 bis; abandonnez-la tout de suite. «L'objectivité», dit notre ami Breloque Oldmess, et nous tous avec lui si nous sommes honnêtes, «c'est quand on pense comme moi». Dieu, peut-être, est objectif. Quant à nous, notre objectivité consiste essentiellement à connaître le mieux possible notre subjectivité (nos biais, nos préjugés, nos conditionnements), pour essayer de la prendre en compte, et donner aussi aux autres les moyens de la prendre en compte à leur tour. Pas de récit objectif, donc. Mais des récits qui *prétendront* l'être. Car enfin, puisque c'est par contrat un *jeu* qui lie auteur et lecteur, on peut bien s'amuser un peu, n'est-ce pas? Et justement, on peut jouer de façon fort plaisante avec le(s) point(s) de vue.

Narrateurs et narration

Il y a deux types de narrateurs: d'abord *ceux qui racontent une histoire qui n'est pas la leur*; puisqu'ils sont en dehors de l'histoire, ou de la diégèse comme on dit savamment, on les appellera «extra-diégétiques» (c'est moins long à utiliser que «narrateur racontant une histoire qui n'est pas la sienne», vous me l'accorderez). Et il y a *ceux qui racontent leur propre histoire, ou du moins une histoire où ils apparaissent comme personnages;* on nommera ces derniers narrateurs intérieurs à l'histoire... «intra-diégétiques». Examinons-les chacun plus en détail.

A. Le narrateur extra-diégétique

On le reconnaît tout de suite à la personne qu'il emploie pour le récit: c'est il(s) ou elle(s).

Il y a plusieurs sortes de narrateurs extra-diégétiques.

1. Le narrateur omniscient

Il sait tout, il voit tout, se déplace à volonté dans le temps, dans l'espace et dans la tête de tous les personnages humains ou non. C'est le narrateur dit «traditionnel», celui qu'on rencontre le plus fréquemment, et peut-être celui que vous aurez spontanément utilisé si vous avez déjà écrit de la fiction. Dans un conte célèbre de Le Sage, écrivain du 18e siècle, c'est le Diable Boiteux qui soulève les toits des maisons pour montrer au héros ce qui se passe à l'intérieur.

Quelle puissance enivrante, se dit l'auteur. *Je suis le maître du Monde!*

Mais voyons plus précisément comment ça se passe.

> *Tandis que, à Montréal, Johnny s'endormait du sommeil du juste, bercé par la musique subliminale que lui jouait son lit, le vaisseau des extra-terrestres aux yeux pédonculés quittait les limites du système solaire, et vingt-six fourmis périssaient, noyées, à Sigognac (Lot-et-Garonne) pour s'être malencontreusement trouvées au pied du réverbère favori de Cyrano, jeune chien errant de race indéterminée, qui se demandait tristement s'il trouverait jamais un foyer.*

C'est ce qu'on appelle «la vision par derrière»: le narrateur voit plus haut, plus loin, plus large que les personnages.

> Petit exercice: dans un roman pris au hasard, ou le cas échéant dans les textes de fiction que vous auriez déjà écrits vous-même, essayez de percevoir la nature du narrateur, et, s'il est omniscient, de repérer toutes les marques de son omniscience: à quoi le reconnaît-on?

Ce narrateur omniscient semble bel et bien pourvu du don d'ubiquité: il peut être partout à la fois. C'est évidemment ce qui en fait l'intérêt et le haut rendement: l'information nécessaire à la compréhension de ce qui se passe (s'est passé, se passera) est toujours disponible par son intermédiaire: il peut toujours tout expliquer (justifier). C'est lui qui dit par exemple: «en effet... car... c'est parce que... il ne savait pas que... la raison en était bien simple...,» etc. Comme il dispose à sa guise de l'espace, du temps et de la conscience de tous les personnages, il peut aménager des rapprochements, des coïncidences (fortuites...), des parallèles, des suspenses, des contradictions, des énigmes, etc., pour éclairer, complexifier ou enjoliver l'histoire, en tout cas pour *l'organiser*. Bref, il est bel et bien le maître de son monde, ce narrateur omniscient.

Et le lecteur, entraîné dans son sillage, partageant son point de vue, se trouve aussi être le Maître de ce monde, ce qui est extrêmement satisfaisant pour lui, non? Après tout, nous vivons toujours plus ou moins à l'aveuglette, plus ou moins soumis à des forces qui nous dépassent: comment ne trouverions-nous pas de plaisir, en tant que lecteurs, à contempler des existences parfaitement transparentes pour nous, et sur lesquelles nous avons un pouvoir total —quoique par procuration— grâce aux machinations du N.O. (narrateur omniscient)?

Exercice: écrire ce qui se passe présentement dans le groupe (ou autour de vous, si vous êtes seul) du point de vue d'un N.O.

Transformations à vue (ou presque) du narrateur omniscient

Les avantages du N.O. sont considérables: il permet d'être partout, de voir tout, il fait plaisir au lecteur... Mais nous allons rencontrer avec lui un phénomène que nous retrouverons plusieurs fois par la suite: au-delà d'un certain seuil, d'une certaine intensité d'usage, les avantages du N.O. basculent et peuvent se retourner en inconvénients.

Maître trop puissant: il peut en effet finir par produire chez le lecteur la sensation, un peu... indigeste, de n'être qu'un pur consommateur passif, un spectateur/voyeur. On se lasse à la fin de trop de lapins sortis trop à point de trop de chapeaux... Et puis, les personnages risquent de devenir des marionnettes, et alors, comment sympathiser (ou antipathiser, d'ailleurs...) avec eux? La projection du lecteur dans les personnages contribue souvent à sa bonne volonté vis-à-vis de l'histoire, et l'intérêt de ce type de lecteur qui veut «vibrer avec les personnages» risque de se trouver diminué par trop d'omniscience manipulatrice du narrateur. Et puis, quel ennui de suivre le narrateur-qui-sait-tout si l'on est ce genre de lecteur qui aime faire la lecture buissonnière, celui qui estime qu'une histoire ne doit pas forcément être toujours une visite guidée, ou, pour changer de métaphore, une bouillie prédigérée. Or un lecteur qui s'ennuie est un lecteur qui va bientôt rompre le contrat tacite qui le lie à l'auteur...

Complice: et pourtant, par un second renversement, une dose plus importante de dirigisme chez le N.O. le rend soudain de nouveau intéressant! Il produit de nouveaux effets, éventuellement positifs (si ce sont bien les effets voulus par l'auteur)! Il finit par devenir *une sorte de personnage supplémentaire,* parallèle à l'histoire qu'il raconte (et qui n'est cependant toujours pas la sienne, rappelez-vous). Il en expose alors les rouages: on regarde moins la Lune, un peu plus le doigt...

On peut tirer des effets fascinants, ou amusants, ou tourneboulants, de ce genre de N.O., en lui faisant souligner sa présence et sa qualité de meneur de jeu qui manipule ouvertement l'histoire, les personnages, et finalement le lecteur lui-même. Il suffit pour cela que, au lieu de prétendre à l'objectivité sous prétexte qu'il sait (fabrique...) tout, le N.O. intervienne directement, personnellement, et se mette à nous apostropher, par exemple, un peu comme dans un monologue de théâtre:

Vous pensez, ami lecteur, que notre héros est désintégré? Eh bien, pas du tout: j'ai changé d'avis pendant qu'on l'entraînait vers le lieu de son supplice. Après tout, c'est le héros: sans lui, pas d'histoire; il est bien trop tôt pour le faire disparaître. C'est pourquoi, en route vers la Chambre de Désintégration, voilà-t-il pas que Johnny voit apparaître son ami l'extra-terrestre aux dix-huit yeux pédonculés, qui lui télépathe la pensée suivante...

Vous pouvez vous livrer vous-même à ce genre d'exercice, si vous le désirez: essayez d'écrire ce qui se passe dans le groupe (ou autour de vous, toujours, si vous être seul) du point de vue d'un N.O. envahissant qui n'arrête par de faire des commentaires personnels sur tout ce qu'il raconte...

En somme, parti d'une considérable malhonnêteté («Je suis absolument objectif et véridique, comme Dieu... puisque c'est moi qui organise comme un dieu la totalité du récit, moi qui choisis ce que je veux montrer ou cacher...»), le N.O. peut en arriver à la relative honnêteté du clin d'oeil au lecteur: «J'invente au fur et à mesure, je vous mens, et nous sommes complices.»

Bien entendu, ce genre de N.O. dévoilant (honnêtement ou sans pudeur, au choix) les rouages du récit qui fait «tictaquer» l'histoire, ce N.O.-là suppose un certain type de lecteur, celui qui veut bien être dupe, mais en sachant tout du long qu'il l'est et donc en l'étant moins...

2. Le narrateur non omniscient

Il n'est pas totalement le maître du temps, de l'espace et des consciences. En racontant l'histoire (qui n'est toujours pas la sienne, rappel), il va seulement partager, et donc nous faire partager, le point de vue d'un seul personnage, sur lequel il va toujours fidèlement *s'aligner*, parfois jusqu'à se confondre. Il ne se permettra donc pas d'incursions dans d'autres consciences, sinon sous la forme des hypothèses et réflexions que le «personnage point de vue» peut faire, à haute voix ou en pensée, sur les autres personnages. *Le narrateur aligné en sait donc exactement autant, mais pas plus, que le personnage sur lequel il est aligné.*

> **Narrateur aligné confondu**: *Le flanc de la colline s'arrondissait sous le ciel brumeux, avec la ligne transversale du chemin aux ornières durcies, et l'irrégulière tache rouge que faisaient les coquelicots dans le champ du Père Bourdon. Le temps invitait à la promenade, mais elle n'avait pas envie d'aller se promener.*

C'est ce qu'on appelle aussi «la vision avec». Un N.O. verrait de l'autre côté de la colline jusqu'au village voisin, et aussi le trésor romain enfoui *sous* la colline et dont absolument personne ne sait rien, sauf lui.

> **Narrateur aligné distancié**: *D'où elle se tenait, elle pouvait voir (...) Elle se dit que le temps invitait à la promenade, mais qu'elle n'avait pas envie d'aller se promener.*

Pourquoi un N.A. «distancié»? Parce qu'il se démarque du personnage en interposant des verbes comme «dire, penser, voir», etc.: il ne décrit pas l'action ou les perceptions de l'intérieur du personnage comme le N.A. confondu, mais bien *avec* lui: il en est distinct, comme le rappellent sans cesse ces verbes *intermédiaires*.

Il y a donc au moins deux possibilités: le narrateur peut être totalement confondu avec le personnage point de vue, n'étant en fait repérable que par le *IL/ELLE* désignant ce personnage, *IL/ELLE* qui suppose un regard extérieur.

Dans ce premier cas où le N.A. s'efface, le lecteur va pouvoir aisément *s'identifier* avec le personnage en oubliant cet intermédiaire qu'est le narrateur. Ce qui permet à l'auteur de faire intensément *participer* le lecteur à l'histoire, de capter et de retenir son attention et sa bonne volonté si précieuses...

Quand le narrateur se dissocie plus ou moins du personnage point de vue, il devient parfois un guide dont le propre point de vue (commentaires, hypothèses, opinions) court parallèlement à celui du personnage suivi.

> *Elle aurait pu rester des heures ainsi, appuyée au balcon, à regarder la brume de chaleur qui tremblait dans le ciel, mais elle avait trop le sens du devoir pour cela. (Elle avait bien souvent entendu cette phrase alors qu'elle lisait dans un coin: «Mais ne reste donc pas là à ne rien faire!») Elle rentra dans la cuisine fraîche, en se disant qu'elle trouverait bien quelque chose à faire dans la maison.*

L'un et l'autre type de narrateur aligné sur un seul personnage point de vue ont cependant le même avantage (simplement plus marqué dans le cas du N.A. confondu): ils rendent l'histoire plus *vraisemblable.*

Bivouac panoramique: les problèmes de la vraisemblance

Il faut revenir ici au lecteur et à ses relations particulières avec l'histoire (et avec l'auteur).

Crédulité volontaire et participation du lecteur

Comme je l'ai déjà dit, tout «racontage» d'histoires suppose un contrat tacite; c'est le jeu du «faire semblant», accepté de part et d'autre. Le lecteur consent à une suspension volontaire de son incrédulité, cette incrédulité qui l'amènerait en d'autres circonstances à dire: «On ne me la fait pas à moi; tout ça, c'est des histoires!»

C'est grâce à cette *crédulité volontaire* que le lecteur peut «entrer dans l'histoire», «s'identifier aux personnages», bref, trouver un plaisir spontané de lecture, ce qui est quand même la moindre des choses, n'est-ce pas? Mais cette bonne volonté est plus ou moins difficile à entretenir selon les lecteurs: il faut que l'histoire «se tienne» —plus ou moins— il faut que «ça ait l'air vrai» —plus ou moins; il faut que ce soit plus ou moins *vraisemblable.*

Qu'est-ce que le vraisemblable?

Vous pouvez en faire rapidement l'expérience: c'est une qualité particulièrement volatile et fluctuante, surtout dans ce domaine-roi de l'illusion qu'est la fiction. Le vraisemblable de l'un n'est pas forcément le vraisemblable de l'autre...

> Pensez à ces faits divers dont on entend dire aussi bien: «C'est trop fou pour être vrai», que «C'est trop fou pour ne pas être vrai». Sans parler de la fameuse phrase qui rend bien des écrivains enragés: «La réalité dépasse la fiction», ce qui est une façon de dire que la «réalité» est parfois plus incroyable que la ... «non-réalité» qu'est censée être la fiction...

Il ne peut donc pas plus y avoir de trucs ni de recettes pour garantir la production de la vraisemblance que pour le reste: la décision du lecteur (la personnalité du lecteur...) en est ultimement le dernier juge.

Il y a cependant un certain nombre d'éléments contrôlables par l'auteur, pour en quelque sorte assurer ses arrières et permettre aussi au lecteur de mieux accrocher sa crédulité volontaire au texte, sans qu'elle soit dérangée toutes les cinq minutes par des discordances trop stridentes.

Stratégies diverses

La cohérence interne

Le premier de ces éléments contrôlables, c'est la cohésion, la cohérence interne du texte. Un exemple simple: si l'héroïne a les cheveux noirs et les yeux bleus dans le premier chapitre, il est préférable qu'elle ne se retrouve pas blonde aux yeux noirs dans le second *sans explication/justification intégrées à l'histoire.* Il en va de même pour les innombrables manipulations du temps, de l'espace et de la matière (objets...) auxquelles on se livre dans une histoire; par exemple, même si la magie des mots peut créer une fenêtre par où le héros s'enfuira à propos (là où l'on ignorait auparavant qu'il y en eût une), il vaut cependant mieux ne pas situer cette scène sous terre... et se rappeler à quel étage se trouve le héros avant de le faire sauter!

> Il s'agit là de la cohérence la plus élémentaire. Ce n'est pourtant pas la première, j'en profite pour le souligner: la première cohérence minimale du texte, c'est «l'orthographe-et-la-grammaire», et c'est peut-être leur plus solide justification... Comment un malheureux lecteur, même pourvu de toute la bonne volonté du monde, pourrait-il en effet s'accrocher à une histoire où genres, nombres, temps des verbes et formes des mots «revolent» dans tous les sens à chaque ligne? Il y a des contraintes incontournables à la communication: le respect d'un *langage commun minimal* en est une... (Il y en a d'autres: vous pouvez aller voir lesquelles dans l'*Entracte*, section A...)

Les effets de réalité

Il existe plusieurs degrés dans la cohérence interne, qui tous contribuent à donner au vraisemblable une texture plus riche en produisant des effets de réalité plus convaincants.

Effets de réalité, ou effet de réel: je préfère finalement cette expression à vraisemblance. En effet, le récit de l'histoire est organisé (consciemment ou subconsciemment par l'auteur), de façon à produire certains effets sur le lecteur, à susciter chez celui-ci certaines réponses, et d'abord l'acquiescement, l'adhésion, la participation: la suspension de l'incrédulité. Pour que le lecteur «croie» à l'histoire (accepte le jeu du «faire semblant»), il faut que celle-ci lui apparaisse comme une sorte de *modèle réduit,* de condensé, de concentré de la «réalité».

La «réalité»: un consensus

Mais qu'est-ce donc que cette «réalité» à laquelle l'auteur-illusionniste et le lecteur illusionné-volontaire se réfèrent tous deux? C'est essentiellement la vie quotidienne, les expériences quotidiennement partagées par la majorité des êtres humains, une sorte de plus petit dénominateur commun qui fait l'objet d'un accord, d'un *consensus tacite*. Le contenu de ce consensus est sujet à des variations considérables selon l'époque, la nationalité, la classe sociale, l'âge, le sexe et l'histoire personnelle de chacun. La vision du monde d'un Esquimau, ce qu'il considère comme les normes de la quotidienneté, n'est certainement pas la même que celle d'un Japonais vivant dans la mégapole de Tokyo, par exemple. Leur idée respective du vraisemblable sera donc différente, tout comme les effets de réalité susceptibles de produire ou d'entretenir chez eux la suspension volontaire de l'incrédulité nécessaire pour adhérer à une histoire donnée.

La «nature humaine»

Mais à l'intérieur d'une culture (et, lorsqu'on y regarde bien, dans toutes les cultures humaines), il existe un certain nombre de suppositions, de postulats de base que personne n'éprouve le besoin de justifier, démontrer ou expliquer chaque fois qu'on s'y réfère. Dans l'expérience quotidienne de tout le monde, il y a du temps, de l'espace, des objets et des êtres dans cet espace-temps; il y a un certain nombre de comportements considérés comme normaux pour ces objets et ces êtres (si on lâche une pierre, elle tombe; on a besoin de manger pour vivre; on naît, on vit, on meurt...). Il y a en somme une «nature», et une «nature humaine», considérées comme universelles: sentiments, gestes, paroles, le tout approprié à des situations données...

Et, oui, c'est ici que nous retrouvons par la bande notre vieille connaissance, le *cliché*. Vous en comprenez peut-être mieux maintenant l'incontournable importance...

La re-production du réel

Ce monde d'expériences communes à la plupart des humains, ce monde empirique, voilà la «réalité» où vous allez, généralement sans même vous en rendre compte, pêcher vos effets de réel pour re-créer un monde vraisemblable. Une bonne partie du travail de la fiction consiste en effet à re-produire une sorte d'analogue, de «modèle réduit» de ce monde empirique, en le suggérant par touches plus ou moins précises au lecteur. Celui-ci fera le reste parce que «tout le monde sait de quoi on parle» si on écrit, par exemple, sans expliquer davantage la situation, «Jules aimait Julie, qui aimait leur patron Bernard.»

En somme, la réalité empirique, quotidienne, peut être considérée comme le grand cliché commun assurant la communication minimale entre les êtres. C'est sans doute pourquoi nous nous sentons si désemparés lorsque cette notion de réalité se trouve mise en question —par les artistes ou par les savants...

Contexte et contraste

L'histoire doit donc présenter, soigneusement réorganisés en proportion, des *éléments familiers* auxquels le lecteur puisse se raccrocher, et à partir desquels il puisse aussi décoller vers le relatif inconnu que lui propose l'auteur (la vision du monde particulière à l'auteur). Ces éléments familiers, par *contraste*, vont mettre en relief et permettre de mieux repérer les éléments nouveaux, surprenants, voire déconcertants. Le lecteur pourra grâce à eux en faire l'apprentissage.

Voici un exemple très simple que j'emprunterai, si vous le voulez bien, à la science-fiction (où le problème des effets de réalité se pose de façon particulièrement aiguë). Si un extra-terrestre (à yeux pédonculés) utilise l'exclamation inconnue «Glomifru!» chaque fois qu'il est énervé, le *contexte* familier (énervement, surprise, colère, situations qui les produisent), finira bien par apprendre au lecteur qu'il s'agit de l'équivalent extra-terrestre de «sapristi!» (version expurgée).

Cette notion de contraste, inséparable de celle de contexte, est très importante, aussi bien au plan de l'organisation générale du récit (par exemple: une séquence calme après une séquence d'action endiablée) qu'au plan de la phrase.

Le **contexte**, c'est en quelque sorte la toile de fond, l'arrière-plan, l'ambiance générale sur lesquels se détache tel ou tel détail. Pour qu'il se détache, il faut évidemment que ce détail fasse contraste: qu'il soit différent. Là encore, il y a des seuils d'intensité à ne pas dépasser sous peine d'obtenir un effet qui n'est pas forcément celui qu'on recherchait, dans un sens comme dans l'autre. (Blanc clair sur gris très pâle, ce n'est pas terrible comme contraste, non plus que gris foncé sur noir clair...)

Le **contraste**, c'est ce qui empêche le texte de ronronner et donc le lecteur de s'endormir. C'est ce qui permet de stimuler son attention, de piquer sa curiosité: juste là où il a sursauté à cause d'un contraste, il y a peut-être quelque chose d'important, de vital pour la compréhension de l'histoire... Le contraste constitue un de ces «panneaux de signalisation» dont je parlais plus haut.

Je vais en profiter pour signaler que le contraste est relié —lui aussi...— à la question des clichés; il permet de nuancer ce que j'en disais tout à l'heure: comme toutes les «règles» d'écriture, le tabou des clichés est fait pour être enfreint. Un bon vieux cliché qui se présente en plein milieu d'une page de nouveautés toutes plus tourneboulantes les unes que les autres prend une valeur tout à fait nouvelle, produit un effet très différent de celui qu'il produirait au milieu d'une page d'autres clichés. Ce qui compte, ce qui produit l'effet, ce n'est pas tant la nature des éléments pris séparément, c'est le contraste qui les rapproche. *Le rapport structurel de contraste modifie la nature relative des éléments contrastants.*

Cheveux bleus, pavillons de ténèbres tendus, Vous me rendez l'azur du ciel immense et rond, écrit par exemple Baudelaire dans ''La Chevelure''. Le lecteur connaît le mot *cheveux*, comme le mot *bleu*, mais il n'est pas habitué à les trouver ensemble: effet de choc; l'image est d'autant plus déconcertante qu'on trouve ensuite les *ténèbres* plus convenablement noires (pour des cheveux). La couleur bleue revient avec *l'azur du ciel* —un bon vieux cliché garanti bon teint... qui ne semble plus un cliché ici, à cause de la surprise durable des *cheveux bleus*, et ce qu'elle aura permis d'amorcer: la projection de l'image de la femme aimée sur le *ciel immense et rond* (encore un effet de surprise, ce resserrement sphérique de l'immensité céleste...). Dans l'esprit du lecteur une réalité nouvelle s'est créée, résultant de la fusion de deux éléments familiers, mais jamais rapprochés jusque-là. Il s'agit d'un usage poétique du contraste, mais les murs entre prose et poésie ne sont pas si infranchissables...

Les narrateurs et l'effet de réel

Puisque la vraisemblance est une question de point de vue, c'est le narrateur qui produit l'essentiel des effets de réel, dans la fiction.

- Le narrateur omniscient, par exemple, pourra emberlificoter à loisir le lecteur dans quantité de détails rassurants... au risque de faire renâcler certains lecteurs devant cette «réalité» presque cubiste à force d'être vue à la fois de dos, de face, de loin et de près, de l'intérieur et de l'extérieur.
- Les narrateurs alignés, eux, servent peut-être mieux la cohérence interne, et donc l'effet de réel global: il y a avec eux un seul point de vue, une seule perspective à partir de laquelle s'organise tout le récit et donc toute l'histoire.

Identification et projection du lecteur

C'est le même principe que dans la peinture traditionnelle où tout le tableau est organisé en fonction du spectateur et se présente comme une sorte de fenêtre sur une portion de la réalité, fenêtre à laquelle on n'aurait qu'à se pencher... Dans ce type de narration, le lecteur confondu avec le narrateur (lui-même confondu avec le personnage point de vue), peut *s'identifier* très fortement à ce dernier et donc «entrer dans l'histoire» avec beaucoup plus de conviction et de persévérance. De pur consommateur/voyeur (parfois un peu sadique sur les bords...) qu'il était devant l'histoire racontée par le narrateur omniscient, le lecteur peut plus aisément *participer* à l'histoire, et devenir en quelque sorte *acteur par procuration* en «entrant dans la peau du personnage».

On pourrait presque établir une «loi»: *changer de narrateur,* changer de point de vue de narration, c'est changer de réalité, *c'est changer d'histoire...*

Je voudrais signaler l'intérêt considérable du narrateur aligné lorsqu'on veut par exemple présenter un «vilain» en échappant aux clichés du Vilain (voir à ce propos, dans la *Deuxième partie,* ''La caractérisation du personnage''). Grâce au jeu de l'identification permis par le narrateur aligné confondu, en particulier, on peut amener le lecteur à réaliser que le «méchant» de l'histoire n'est somme toute pas si différent de lui...

En espérant que ce *Bivouac* aura permis de prendre plus nettement conscience des enjeux de la narration, revenons au narrateur aligné.

Avantages et inconvénients du narrateur aligné (suite)

Le N.A., outre qu'il renforce l'effet de réalité général de l'histoire, a aussi l'avantage de permettre des surprises et des rebondissements parfois plus spectaculaires que ceux ménagés par le narrateur omniscient, dans la mesure où on ne les comprend pas forcément mieux que le personnage qui les vit...

Inversement, son grand inconvénient, c'est que, dans la présentation de l'information nécessaire à la compréhension de l'histoire, il est limité à ce que sait le personnage point de vue. Il faut donc parfois tortiller considérablement l'agencement du récit (la chronologie, par exemple —voir ''L'organisation du récit'' dans la Deuxième partie), pour donner au lecteur les éléments de compréhension que le personnage n'a pas —ou au moins lui permettre de les reconstituer, deviner, ou déduire...

Aucune «loi» ne restreint cependant le N.A. à un seul personnage point de vue! Il peut y en avoir plusieurs sur lesquels s'alignera tour à tour le narrateur. Il doit à chaque fois ne pas en savoir davantage que le personnage avec lequel il se trouve momentanément coïncider: c'est ce qui le distingue du narrateur onmiscient.

Seul le lecteur, dans ce cas, finit par en savoir plus que le narrateur... Vous pouvez imaginer l'état d'esprit de ce lecteur si aimablement convié à être la seule omniscience régnante: il ne sera sans doute pas réticent à suspendre son incrédulité pour «entrer dans l'histoire»...

D'un autre côté, pour certains, l'effet de réalité globalement produit par ce procédé est peut-être un peu moins fort que celui produit par le narrateur aligné sur un seul personnage point de vue; mais là encore (leitmotiv qui revient souvent dans ce *Guide*), "ça dépend des lecteurs".

Mais y a-t-il, vous demandez-vous peut-être, un effet de réalité maximum? On peut au moins en faire l'hypothèse. Elle va nous amener à une rencontre du troisième type avec le narrateur extra-diégétique (rappel: «hors histoire»). Après celui qui en sait plus que tous les personnages, et celui qui en sait autant qu'eux mais pas plus, voici donc, logiquement, celui qui en sait *moins*.

Le narrateur ignorant

Il n'est jamais «dans la tête» de personne; il peut être moins mobile que les personnages eux-mêmes, les perdant de vue lorsqu'ils quittent la pièce (la maison, la ville). Il voit tout *de l'extérieur*, gestes, paroles, événements, sans pouvoir jamais formuler autre chose que des hypothèses plus ou moins détaillées sur ce qui se passe (c'est le narrateur ignorant «bavard»), ou même en s'abstenant d'en formuler aucune (c'est le N.I. «muet», ou «absent»). Dans ce dernier cas, c'est «l'oeil-caméra», «l'oreille-magnétophone», le narrateur «objectif», complètement «transparent».

Voici un extrait d'une nouvelle de J.D. Salinger, "Un jour rêvé pour le poisson-banane" (*Nouvelles*, Paris, Robert Laffont, 1961: Le Livre de Poche n° 5489, pp. 21-22.) C'est le commencement de la nouvelle:

Il y avait à l'hôtel quatre-vingt-dix-sept publicistes de New York. Comme ils monopolisaient les lignes interurbaines, la jeune femme du 507 dut patienter de midi à deux heures et demie pour avoir sa communication. Elle ne resta pas pour autant à ne rien faire. Elle lut un article d'une revue féminine de poche, nouvelle intitulée «Le Sexe, c'est le paradis ou l'enfer». Elle lava son peigne et sa brosse. Elle enleva une tache sur la jupe de son tailleur beige. Elle déplaça le bouton de sa blouse de chez Saks. Elle fit disparaître deux poils qui venaient de repousser sur son grain de beauté. Lorsqu'enfin le standard l'appela, elle était assise sur le rebord de la fenêtre et finissait de vernir les ongles de sa main gauche.

Ce n'était pas une femme à perdre la tête pour une sonnerie de téléphone. Elle se comportait comme si le téléphone n'avait pas arrêté de sonner depuis qu'elle avait atteint sa puberté.

À l'aide de son minuscule pinceau, tandis que le téléphone sonnait, elle termina l'ongle de son doigt, en prenant le temps de souligner le contour de la lunule. Elle referma ensuite le flacon de vernis et se leva en agitant la main, pour faire sécher. De sa main libre —la droite— elle prit un cendrier plein sur le rebord de la fenêtre et le posa sur la table de nuit, à côté du téléphone. Elle s'assit sur un des lits jumeaux et —ça faisait cinq ou six fois que ça sonnait— décrocha.

"Allô", dit-elle, les ongles de sa main gauche loin de son déshabillé de soie blanche. C'était tout ce qu'elle avait sur elle, avec ses mules. Ses bagues étaient restées dans la salle de bain.

"J'ai votre communication pour New York, Madame Glass", dit le standard.

''Merci'', fit la jeune femme, et elle fit de la place au cendrier sur la table de nuit.

Une voix féminine se fit entendre:

''Muriel? C'est toi?''

La jeune femme écarta légèrement l'appareil de son oreille.

''Oui, maman. Comment vas-tu?''

Avantages et inconvénients du narrateur ignorant

En sachant moins que les personnages, ne disposant d'aucun point de vue privilégié, le narrateur ignorant peut sembler ligoté par son ignorance. Pourtant, il jouit paradoxalement d'une liberté considérable qui se trouve être en quelque sorte l'équivalent inverse de celle du N. O. Celui-ci, en effet, peut tout expliquer... et celui-là n'est pas obligé de tout expliquer: on le sait ignorant, on ne lui en tiendra pas rigueur.

Le N.I. «bavard», s'il ne peut rien vraiment expliquer, peut tout supposer, et nous faire supposer avec lui; nous lui faisons confiance: si discrètement effacé, n'est-il pas en quelque sorte notre propre voix de lecteurs ignorants?

Le N.I. «muet», qui ne commente ni ne fait de suppositions, peut sembler encore plus «honnête». Il produit un effet de réalité maximum, dans le genre «le réel est énigmatique». «Comme dans la vie», le lecteur assiste à des événements dont il ne connaît pas tous les tenants et les aboutissants; «comme dans la vie», il entend des gens parler, il les voit agir, sans savoir ce qui les pousse, et va de surprise en étonnement, souvent déconcerté —«comme dans la vie». Alors que le narrateur omniscient invite le lecteur à partager sa toute-puissance, et que le narrateur aligné l'invite à participer en s'identifiant au(x) personnage(s), le narrateur ignorant propose au lecteur de s'identifier... à soi-même: ce narrateur ignorant devant l'histoire qu'il subit sans bien la comprendre, c'est finalement une image du lecteur lui-même. Celui-ci peut donc totalement oublier qu'un point de vue narratif, malgré tout, oriente l'histoire. Il a presque l'impression de se la raconter lui-même, cette histoire, et d'être devant la vie, la sienne ou celle d'autrui, mais la vie réelle.

Un maître illusionniste

Mais ce n'est *pas* la vie! C'est une histoire! Et le lecteur est en train de se faire hypnotiser par un maître illusionniste d'autant plus sournois qu'il prétend (comme le Diable...) ne pas exister.

Reprenez le passage cité, et vous verrez l'incroyable quantité d'informations que le narrateur soi-disant ignorant et muet nous fournit sur «la jeune femme» (Muriel Glass, mais il ne l'appelle jamais autrement que «la jeune femme» pendant toute la nouvelle). La suite du texte nous apprendra, toujours de façon indirecte, que «la jeune femme» est venue dans cet hôtel pour essayer de vivre une seconde lune de miel avec son jeune mari au tempérament artiste, profondément traumatisé par la guerre de Corée: si je vous dis que cette tentative de rapprochement se passe plutôt mal, vous comprendrez l'importance du détail à première vue très gratuit du titre de l'article lu par la jeune femme... Et il en va de même pour *chacun* des éléments présentés dans ce passage (oui, même les 97 publicistes de New York...).

À l'examen, il est facile de constater que tout est truqué avec ce genre de narrateur, que tout *doit* l'être... En effet, chaque élément de l'histoire et du récit, du plus visible au plus secret, doit être soigneusement pensé, pesé, et inclus dans une véritable mosaïque de significations. Puisque le narrateur ignorant se prive volontairement des interprétations/explications si pratiques du narrateur omniscient, ou de celles des personnages eux-mêmes (outils du narrateur aligné,) il lui faut «laisser les faits parler d'eux-mêmes», c'est-à-dire les disposer systématiquement de façon à les faire parler!

Si on reprend l'exemple de la photographie, c'en est une où tout, cadrage, éclairage, perspective, contenus, doit être prémédité: une photo publicitaire, par opposition à un instantané... Vous pouvez prendre le temps ici d'examiner quelques photographies de ce genre. Et pour finir sur le «trucage», je vous inviterai à reprendre encore une fois l'extrait cité et à chercher où le narrateur a triché avec sa propre règle de non-intervention... D'ailleurs, dans la suite de la nouvelle, on va observer non plus «la jeune femme», mais «le jeune homme», son mari: le narrateur est peut-être «ignorant», mais il est parfaitement mobile... Ce qui n'est d'ailleurs nullement interdit aux narrateurs ignorants, au fait!

Le tour de main

L'essentiel du travail d'écriture, dans ce type de récit à narrateur ignorant (et en particulier dans son cas extrême, le narrateur ignorant «muet», celui qui ne fait même pas d'hypothèses), va consister en un *choix* et en un *montage* très soigneux des éléments à «laisser (à faire...) parler». En effet, le(s) sens désiré(s) se dégagera(ront) surtout de la juxtaposition de ces éléments, laquelle va permettre de faire jouer leurs *connotations*.

Bivouac panoramique: la connotation

Définitions du dictionnaire: *Connotation: (opposé à dénotation). Propriété d'un terme de désigner en même temps que l'objet certains de ses attributs. Ensemble des caractères de l'objet désigné... (Petit Robert).* Bon, alors *Dénotation: désignation des objets auxquels renvoie un concept, (opposé à connotation).*

Très bien, abandonnons le *Petit Robert* à ses habituels jeux de balle, et traduisons: la **dénotation** est la valeur strictement utilitaire des mots. Par exemple, "nuit", toujours dans le *Petit Robert*, c'est d'abord: *Absence de soleil au-dessus de l'horizon; temps que dure cette absence.* Mais la **connotation** de «nuit», c'est... tout ce que ce mot évoque pour vous, de "rêve" à "sexe" en passant par "biberon, infini, bleu'', *«Cette obscure clarté qui tombe des étoiles»* (Corneille, *Le Cid)*, ''mort, lune, velours, papillon'', et que sais-je encore?

Si vous voulez vous étendre davantage sur la connotation (il y a là visiblement place pour cela...), je vous conseille vivement de sauter à l'*Entracte*, dans l'exercice dit ''de la Nébuleuse'', par exemple.

Problèmes pratiques

Vous voyez tout de suite le problème suscité par cette propriété particulière qu'est la connotation: si tout le monde peut s'entendre ou presque sur la dénotation des mots, *les connotations, elles, varient considérablement (comme le vraisemblable...) d'une personne à l'autre.* Or il est impossible d'employer un mot sans que ses deux niveaux, dénotation et connotation, fonctionnent en même temps, et tout le temps...

Nous revoici donc, aspirants écrivains, devant une des conséquences du couple fatal formé par l'émetteur et le récepteur. C'est une des contraintes réciproques qu'ils s'imposent dans la fiction, dans le cadre de ce jeu d'illusions volontairement partagées: d'une part, la vision du monde de l'auteur n'est pas forcément celle du lecteur, et donc l'histoire «profondément signifiante» (pour l'auteur) ne le sera pas forcément pour le lecteur. Et d'autre part, si on entre dans le détail du texte, dans les phrases, le même mot n'aura pas forcément les mêmes connotations pour l'auteur et pour le lecteur!

Catastrophe et consternation! On se demande comment diable il peut bien y avoir de la communication entre les gens...

Encodage et décodage

Et pourtant il y en a une. C'est donc que, jusqu'à un certain point, on peut contrôler les interprétations éventuellement erronées, voire complètement délirantes —ou simplement indifférentes— de ce «glomifru» de lecteur. Et ce, malgré le fait que (rappel...) l'auteur n'est pas plus dans la tête des lecteurs lorsqu'ils lisent que ceux-ci ne sont dans la sienne lorsqu'il écrit.

Encodage, décodage, la racine commune de ces deux mots est «code». Un **code**, dans le sens qui nous intéresse ici, c'est un recueil de conventions (cela vous rappelle quelque chose?), un dictionnaire des équivalences entre deux langages. C'est ce dont la connaissance permet de *traduire* un langage dans un autre, de *déchiffrer* (de décoder) un message qui a été ''chiffré'' (encodé) selon tel ou tel système.

Tout écrivain, tout artiste —tout être humain, en réalité— encode toutes ses communications à sa façon unique et particulière, et tout lecteur, tout amateur d'art, tout être humain en réalité, se livre à un perpétuel décodage. Mais peut-être l'art en général, et l'écriture en particulier puisque c'est elle qui nous intéresse ici, est-il le «langage» où cet encodage est le plus délibéré. Et le plus déconcertant aussi, parfois, dans la mesure où il tend à devenir une fin en soi en s'écartant des préoccupations plus quotidiennement utilitaires du langage habituel. Il ne s'agit pas seulement de dire «Passe-moi le sel», il s'agit de rendre cela intéressant ou beau, ou «profondément signifiant»...

Comment contrôler le décodage par le lecteur de l'information présente dans le texte, la fiction étant, je le rappelle, un jeu aux risques librement consentis?

En essayant d'en contrôler le plus possible l'encodage, bien entendu.

Permettre l'apprentissage du lecteur

Avez-vous reconnu le terme «glomifru» que j'ai utilisé tout à l'heure? Si non, vous avez un bon exemple d'apprentissage qu'on n'a pas donné au lecteur les moyens de faire, parce qu'on n'a pas assez souvent utilisé le mot nouveau dans un contexte familier permettant de le décoder.

Il faut en effet considérer chaque lecteur un peu comme quelqu'un qui apprend une nouvelle langue «en immersion totale», et lui donner les moyens d'apprendre le *code* «en situation». Mais pour cela, *il faut que l'écrivain lui-même ait conscience de son propre code.*

Reprenons par exemple le mot "nuit". Si "nuit" est pour vous un mot à connotations négatives, si vous lui associez des sens (des expériences, des souvenirs) désagréables, ils vont tous se trouver en quelque sorte condensés pour vous dans ce simple mot: vous êtes «dans votre propre tête», n'est-ce pas? Vous n'éprouvez naturellement pas le besoin, pour vous comprendre, de vous en dire davantage.

Mais le lecteur, lui, n'a pas forcément les mêmes souvenirs ou expériences que vous. La nuit peut être pour lui au contraire le moment de tous les délices, un mot chargé de connotations positives. Et il va, tout naturellement aussi, projeter ses propres sens dans «votre» mot. Cela parce que vous ne lui aurez pas donné les moyens *d'apprendre* vos connotations à vous.

Au contraire, si une fois conscient de vos connotations personnelles, vous vous efforcez de les inscrire dans le texte, de les y *encoder*, la communication sera éventuellement meilleure: vous éviterez les malentendus, les contre-sens (ou la simple indifférence!) du lecteur.

> Communication avec vous-même, d'abord: dans l'effort pour vous rendre plus clair à autrui, vous vous voyez mieux; communication avec le lecteur, et enfin communication du lecteur avec lui-même, parfois: s'il finit par percevoir la singularité de votre «langage» (de votre nuit, par exemple), il pourra faire un retour sur lui-même et prendre conscience de *sa propre singularité*. Ici encore, le contraste, une fois perçu comme *relation* et non comme simple opposition, donnera de nouveaux sens aux éléments contrastants... en l'occurrence vous et votre lecteur.
>
> L'encodage pour l'écrivain (comme le décodage pour le lecteur) ne se fait pas forcément du premier coup, au «premier jet», mais souvent à la relecture, et à la *ré-écriture* —d'où l'importance de celle-ci, que j'ai déjà évoquée. On peut alors *jouer des connotations* pour assurer une meilleure communication, au lieu d'en être le jouet; au lieu d'être le prisonnier myope de ses propres significations, on peut s'ouvrir la porte et l'ouvrir par la même occasion au lecteur.

Je vais prendre ici la liberté de me citer moi-même, non comme modèle, bien sûr, mais parce que dans le passage que je voudrais citer, il me semble avoir très bien su ce que je «voulais faire». C'est là une prétention moins... prétentieuse appliquée à ses propres textes qu'à ceux des autres, n'est-ce pas? Il s'agit d'un passage de la nouvelle que vous trouverez à la fin du *Guide*. Le héros passe, dans l'équivalent d'un avion, au-dessus du Rift, une énorme faille dans l'écorce terrestre de la planète qu'il visite:

> *La ligne se dédoublait, devenait deux lèvres craquelées béant sur une noirceur qui se révélait peu à peu profondeur et, à mesure que l'oeil rétablissait les véritables proportions de la faille, abîme au fond duquel serpentait un mince ruisseau dont la luminosité rougeâtre était atténuée par la distance (...) La blessure venait de loin. Pendant des siècles, des millénaires, des âges, les eaux s'étaient déversées dans la faille, ajoutant leur violence impétueuse à la lente violence qui écartelait le continent, la force muette et inexorable de la terre. Et pendant des âges, des millénaires, des siècles, tandis que les eaux tarissaient, déposant leurs reliques fossilisées dans le lit sans cesse élargi du Rift, la puissance était montée des profondeurs jusqu'à ce que la pression souterraine accumulée, dans une ultime convulsion, fasse sauter par endroits la dernière couche de roc (...) Ici, au fond du Rift, pour des siècles, des millénaires, des âges, le sang de la terre, jamais asséché. (...).*

Le héros de cette nouvelle est un célèbre et jeune poète en train de devenir aveugle et qui sait ne plus avoir très longtemps à vivre: cette certitude de sa mort prochaine colore tout ce qu'il vit/voit. À la fin du texte, il se réconcilie avec cette perspective. Et il aura eu cette autre vision du Rift:

> *Devant lui, non, sous lui, le Rift. Non pas noir et funèbre comme la première fois (...) mais illuminé de lumières étranges, qui ne venaient pas de l'extérieur mais semblaient sourdre des couches mêmes du roc et des sédiments à nu, des lumières qui étaient aussi des couleurs. (...) Des couleurs intenses, vibrantes, vivantes.*

Relecture, écriture, contrôle

Encore une fois, ce n'est pas au premier jet, à la première rédaction, qu'on peut se livrer au travail sur les connotations et leur encodage (sur soi-même...). Comme bien souvent, ce n'est pas à la toute première lecture que se livrent toutes les nuances d'un texte. C'est ensuite, lorsque, après avoir écrit, vous essayez de devenir votre propre lecteur, d'écouter ce que vous dit votre texte: «Tiens, pourquoi cette tournure-là, ce mot-là?»; ou: «Tiens, pourquoi cet événement-là arrive-t-il de cette façon-là à ce moment-là?»; etc. C'est alors que vous pouvez (comme dans certains des jeux-exercices de l'*Entracte*), comprendre de quelle façon ces mots, ces phrases, cette histoire, par l'intermédiaire desquels vous parlez à autrui, vous parlent aussi d'une façon que peut-être vous n'attendiez pas, et que vous n'avez pas entièrement «contrôlée»...

> Mais «contrôler», «contrôler»... Tout ceci vous paraît peut-être bien délibéré, bien manipulateur? L'écrivain, espèce d'araignée hyperlucide filant sa toile pour y capturer le malheureux lecteur-mouche? On peut aussi bien inverser les rôles: le lecteur, impitoyable éléphant obtus (et volant) qui traverse en les ignorant, et donc en les détruisant, les délicates dentelles de sens filées par le patient écrivain... Qu'on ne l'oublie pas; la manipulation est *réciproque* dans le «racontage» d'histoires. Et non seulement écrivain et lecteur se manipulent l'un l'autre, mais encore ils se manipulent eux-mêmes à travers le texte qu'ils produisent et lisent autant l'un que l'autre. Bien entendu, l'activité de l'écrivain n'est jamais aussi lucide et délibérée (ni celle du lecteur aussi obtuse...) que la descrip-

tion forcément exagérée que j'en fais ici. Vous aurez d'ailleurs pu en juger vous-même en vous livrant à certains des jeux-exercices B de l'*Entracte*.

Encodage et narrateur ignorant: avantages et inconvénients

Vous croyiez en avoir fini avec le narrateur ignorant? Mais non: c'est à lui que vous devez l'actuel bivouac. En effet, ce type de narrateur rend indispensable un encodage particulièrement minutieux du texte, comme on l'a vu avec le passage emprunté à Salinger. Il produit parfois des textes-énigmes, au décodage difficile, qui séduiront les lecteurs du genre détective, ceux qui aiment travailler (dans) un texte, ceux qui *relisent* un texte, plusieurs fois même (comme les lecteurs en atelier...). Le lecteur a indéniablement plus de travail à faire avec un narrateur ignorant qu'avec un narrateur aligné —ou omniscient, bien entendu.

C'est ce qui constitue, une fois inversé, l'inconvénient majeur des récits à narrateur ignorant: ils demandent un lecteur assidu, attentif, perspicace et patient... Et ils pourront déconcerter, fatiguer, décourager, irriter, et finalement dégoûter un lecteur qui aime la tranquillité, ne demande nullement à une histoire d'être un coffre-fort récalcitrant, et réagit ainsi à l'évocation d'un sens «au second degré» (voire au troisième degré): «Ah oui, comme la torture...»

Nous en avons fini (ou presque) avec les trois positions possibles du narrateur extra-diégétique, celui qui raconte une histoire qui n'est pas la sienne. Mais pas avec le narrateur en général, loin de là! (Ce n'est pas pour rien qu'il est un des éléments essentiels du récit...) Il nous reste à examiner les machinations de celui qui raconte sa propre histoire, le narrateur *intra-diégétique*.

B. Le narrateur intra-diégétique

1. Positions: personnage principal, personnage secondaire

-Il est le personnage *principal* de l'histoire: c'est par exemple le cas dans *À la recherche du temps perdu*, de Marcel Proust, dont je vous ai déjà cité la première phrase: *Longtemps je me suis couché de bonne heure.*

-Ou bien il en est un des personnages *secondaires* et raconte l'histoire d'autres personnages tout en racontant aussi la sienne, parce qu'il en est plus ou moins proche (voisin, parent, ami, amant...). C'est le cas dans, par exemple, *Le Grand Meaulnes,* de Alain-Fournier: le narrateur, François, se considère comme le meilleur ami du Grand Meaulnes, est amoureux de la même femme; elle épousera Meaulnes, et après sa mort François aura à élever la fillette issue de cette union, jusqu'à ce que Meaulnes revienne et la lui reprenne.

Dans les deux cas, il est plus ou moins directement concerné par l'histoire qu'il rapporte, et pour bien indiquer cette *subjectivité*, il utilise abondamment la première

personne du singulier. Le narrateur intra-diégétique se reconnaît à ce qu'il dit JE...
Le narrateur omniscient envahissant aussi, me direz-vous. Mais la différence ici est que le narrateur intra-diégétique a en quelque sorte «le droit» de le faire: c'est après tout sa propre histoire, en tout ou en partie, qu'il nous raconte.

2. Avantages et inconvénients

On peut donc dire que ce type de récit est une sorte d'autobiographie ou des mémoires *fictifs*. D'où le puissant effet de réalité produit: le lecteur est pris à témoin, il n'est plus un voyeur lointain mais l'auditeur privilégié, immédiat (sans intermédiaire), d'une *confidence* (aveu, confession). Le JE du narrateur suscite explicitement ou implicitement un VOUS ou un TU qui est ou n'est pas le lecteur mais auquel le lecteur, fatalement, tend à s'identifier. C'est le cas dans le passage suivant, tiré du roman de Camus, *La chute* (Paris, Gallimard, 1956; «Folio» n°10, pp. 7-8):

> *Puis-je, Monsieur, vous proposer mes services, sans risquer d'être importun? Je crains que vous ne sachiez vous faire entendre de l'estimable gorille qui préside aux destinées de cet établissement. Il ne parle, en effet, que le hollandais. À moins que vous ne m'autorisiez à plaider votre cause, il ne devinera pas que vous désirez du genièvre. Voilà, j'ose espérer qu'il m'a compris; ce hochement de tête doit signifier qu'il se rend à mes arguments. Il y va, en effet, il se hâte avec une sage lenteur. Vous avez de la chance, il n'a pas grogné. Quand il refuse de servir, un grognement lui suffit: personne n'insiste. Être roi de ses humeurs, c'est le privilège des grands animaux. Mais je me retire, monsieur, heureux de vous avoir obligé. Je vous remercie et j'accepterais si j'étais sûr de ne pas jouer les fâcheux. Vous êtes trop bon. J'installerai donc mon verre auprès du vôtre.*

Comme vous pouvez le constater, la voix narrative en première personne du singulier suscite une *personnalisation* intense de la relation lecteur/narrateur, et donc une plus intense immédiateté de l'histoire. Mais, comme nous l'avons déjà vu ailleurs, il n'est pas d'exemple d'un mode de narration qui ne puisse se retourner, selon les lecteurs, en inconvénient.

L'identification possible de l'auteur au narrateur peut susciter une forte cohérence interne: parlant plus ou moins de lui-même sous le couvert du narrateur, l'auteur «connaît son sujet» et «fait vrai». *Mais* cela peut aussi produire des ruptures fatales de la cohérence interne si l'auteur, ayant commencé avec un narrateur fictif différent de lui-même, l'oublie en cours de route: emporté par son élan de confidence, le voilà qui oublie la règle du jeu qu'il s'est fixée et prend la place de son narrateur fictif. On se retrouve alors avec un problème de *caractérisation de personnage* (voir ce point en *Deuxième partie*).

De même, la confidence suscite une forte participation du lecteur témoin qui se trouve pris dans une sorte de conversation (même si c'est un monologue de fait). Le lecteur peut trouver une satisfaction secrète, et valorisante, à occuper la position du confesseur —ou du psychanalyste. *Mais* un autre lecteur peut reculer, par refus/crainte d'une implication trop personnelle, ressentie comme menaçante ou agressive. Il va décrocher devant un JE qu'il percevra comme trop différent de lui, par exemple, ou qui le choquera par sa «personnalité» —comme on peut rompre le contact dans une conversation...

Par exemple, le si aimable narrateur de *La chute* traîne une vieille et douloureuse culpabilité, qu'il essaie d'atténuer en la faisant partager à ses interlocuteurs, et le livre se termine ainsi (*Ibid*, p. 160):

> *Je savais bien que nous étions de la même race. (...) Racontez-moi, je vous prie, ce qui vous est arrivé un soir sur les quais de la Seine, et comment vous avez réussi à ne jamais risquer votre vie. Prononcez vous-même les mots qui, depuis des années, n'ont cessé de retentir dans mes nuits et que je dirai enfin par votre bouche: "O jeune fille, jette-toi encore dans l'eau pour que j'aie une seconde fois la chance de nous sauver tous les deux!" Une seconde fois, hein, quelle imprudence! Supposez, cher maître, qu'on nous prenne au mot? Il faudrait s'exécuter, Brr...! L'eau est si froide. Mais rassurons-nous! Il est trop tard, maintenant, il sera toujours trop tard. Heureusement!*

Et enfin, si le narrateur en JE explique trop, il devient l'équivalent exact du narrateur omniscient envahissant et suscite les mêmes réactions de lassitude chez le lecteur qui n'aime pas se faire guider comme un mouton...

Ce sont là les principaux avantages et inconvénients de la narration en JE au plan de l'auteur-émetteur et du lecteur-récepteur. Il y en a d'autres: ce narrateur suscite en particulier un certain nombre de difficultés techniques (d'écriture): il y a des choses qu'on a du mal à écrire avec un narrateur en JE sans pousser à ses limites la bonne volonté du lecteur, sa crédulité volontaire.

Bivouac panoramique: "Il y a dix ans que je suis mort..."

Prenons cette phrase comme point de départ d'une histoire. Essayez d'imaginer des scénarios à partir de ce point de départ.

> Il en existe plusieurs. J'avais proposé cet exercice lors d'un atelier d'écriture portant plus spécifiquement sur la science-fiction et le fantastique, mais les participants avaient imaginé quantité de scénarios en dehors de ces deux genres.

Par exemple, dans le cadre de la littérature traditionnelle: JE n'est mort qu'au sens figuré: *Je suis mort psychiquement, affectivement, depuis qu'il/elle m'a quitté(e). Et c'est tout ce que peut faire la littérature traditionnelle avec cette phrase.*

Mais si on imagine le scénario suivant: *Je ne suis pas mort, je fais semblant, ayant assumé une nouvelle identité depuis dix ans.* Ou bien: *Ce n'est pas moi qui suis mort, c'est mon jumeau (ou mon sosie),* on vient de passer dans le roman d'espionnage, ou le roman policier.

Si on passe à *Je ne suis pas mort, c'est une erreur des Pouvoirs Publics et j'essaie de la faire rectifier depuis dix ans,* on a une variété d'histoires que Balzac a explorée dans le registre tragique (*Le Colonel Chabert*), mais qui se prête fort bien à la satire sociale. (Si on remplace "Pouvoirs Publics" par "Ordinateurs Gouvernementaux", on a aussi une histoire qui a été de la SF mais n'en est plus.)

Arrêtons-nous un instant et remarquons le point commun de tous ces scénarios: ils supposent tous (y compris celui de la littérature traditionnelle) que la donnée de départ est fausse ou mensongère. (On constate cependant qu'elle est de plus en plus prise au pied de la lettre à mesure qu'on s'éloigne de la littérature traditionnelle pour aller vers les «genres populaires»...)

Pourquoi ce biaisage de la donnée initiale? Eh bien, *comment* JE *peut-il être vraisemblablement mort depuis dix ans comme personnage de l'histoire passée, et en même temps vivant comme narrateur présent de cette histoire?*

Certains lecteurs ne sont pas trop à cheval sur la cohérence interne d'un récit, et considéreront cette rupture de la cohérence comme une «licence littéraire» (une liberté que les écrivains, de par leur «statut spécial» ont le droit de prendre vis-à-vis de la vraisemblance...) —ou ne la remarqueront même pas. D'autres au contraire demanderont qu'elle soit expliquée/justifiée: la fameuse exigence de vraisemblance minimale nécessaire à la suspension volontaire de l'incrédulité varie selon les lecteurs...

Il y a évidemment des façons classiques de réduire la contradiction logique JE mort/JE vivant, toutes également vénérables... et au bord dangereux du cliché narratif si on a la main trop lourde: usage de lettres, journaux intimes, testament, manuscrits divers trouvés dans des vieux coffres (valises, bouteilles...) et, pour se mettre à l'heure moderne: bandes magnétiques, vidéos, disquettes... (voir *Deuxième partie,* «Stratégies spécifiques aux narrateurs ignorants: a. L'agent passif»).

Ce qui pourrait donner, avec notre JE mort/vivant, quelque chose comme ceci: *Il y a dix ans que je suis mort. Quand vous lirez ces lignes, l'herbe aura depuis longtemps recouvert la simple tombe où j'ai demandé qu'on m'enterre. (...).* Et, après un nombre x de pages où il confesserait ce qu'il a à confesser (par exemple), JE terminerait ainsi: *Le flacon de cachets est vide. Il commence à faire noir. Ils m'ont garanti que ce serait rapide et sans douleur.* Le lecteur est ainsi directement le légataire du narrateur, celui à qui la confession est adressée. On peut aussi éloigner un peu le lecteur avec une note du genre *Postface: Ce manuscrit a été trouvé à tel endroit, etc.* Vous réalisez, bien entendu, que cette note suppose alors la présence particulièrement muette, mais néanmoins indéniable d'un autre témoin, qu'on a peine à appeler «narrateur», mais qui est pourtant l'intermédiaire apportant les faits à la connaissance du lecteur.

Le jeu de JE avec le temps: vers de nouveaux horizons

Tous ces «outils littéraires» ont un point commun: ils transportent dans le temps présent un morceau du temps passé où JE était vivant (et l'est donc pour lui-même au moment où il écrit/enregistre son récit). Ils permettent tous de jouer avec le *temps* du récit et celui de l'histoire.

C'est ce que la SF va prendre au pied de la lettre en proposant le scénario suivant: *JE est un double du «vrai JE»,venant du futur de JE —ou de son passé— par l'intermédiaire d'une machine adéquate; ou encore venant d'un univers parallèle.* En fait, les possibilités de la SF sont nombreuses: JE est un robot (un androïde, un extra-terrestre) qui a pris l'aspect du «vrai JE» —lequel est alors bel et bien mort. Ce sont les variantes SF du thème classique du Double Voleur d'identité qu'on a rencontré ailleurs sous les espèces du sosie ou du jumeau. Tout comme: *JE est la réplique exacte du «vrai JE» tombé dans une machine réduplicatrice* (en trois dimensions, évidemment...) Ou *JE est un «clone» du «JE originel», c'est-à-dire une réplique absolument identique obtenue à partir d'une cellule de JE.*

Dans le genre fantastique, JE est le fantôme ou la réincarnation de JE, ce qui est nettement plus limité; mais c'est encore le rôle du temps qui est mis en évidence: JE est un revenant...

Bref, cette petite phrase apparemment anodine résume la majeure partie des problèmes de la narration en JE: dédoublement du point de vue (JE acteur/JE spectateur-narrateur), et dédoublement du temps, (JE acteur passé/JE spectateur-narrateur présent.)

Mais cette problématique se présente plus ou moins avec tous les types de narration, pour tous les types de narrateurs rencontrés jusqu'à présent. Ce n'est que pour vous ménager, vaillants aspirants-écrivains, qu'avec la question initiale (*Qui raconte?*), je ne vous ai pas révélé qu'il fallait demander du même souffle: *Et quand?*

Car —c'est assez logique— puisqu'il y a le récit d'une part et l'histoire de l'autre, il y a au moins *deux lignes temporelles*: le temps du récit et le temps de l'histoire.

Ces deux lignes temporelles peuvent se croiser de plusieurs façons, mais qui trouverons-nous toujours au croisement, tenant les fils et tenu par eux? Le narrateur, bien entendu. Et selon le moment choisi pour le récit et celui choisi pour l'histoire, la position du narrateur, le récit et l'histoire vont se trouver plus ou moins considérablement modifiés.

CHAPITRE III
Le temps

Introduction

La vraisemblance (le «bon sens») semblerait exiger que le récit et l'histoire se déroulent en même temps: reportage en direct pour un effet de réalité maximum. Il n'en est généralement rien. Si vous consultez des textes au hasard, et éventuellement ceux que vous avez déjà produits, vous constaterez que le temps de narration le plus fréquemment employé est le *passé*, ou plutôt toutes sortes de passés:

> *Après s'être échappé pour la trente-septième fois de la Chambre de Désintégration, Johnny s'était précipité à son rendez-vous avec Patricia. Il l'aperçut de loin et courut vers elle, tout joyeux de la revoir enfin et en agitant ses tentacules avec amour. Ses tentacules, pensa Patricia avec une horreur stupéfaite! Elle l'avait vu venir de loin, et elle avait reconnu ses cheveux blonds, mais maintenant elle avait des doutes. Si ce jeune homme avait des tentacules, ce n'était sûrement pas Johnny! Elle recula en tremblant, se retrouva le dos au mur et s'écria d'une voix désespérée: ''N'approchez pas!''* (La suite au prochain numéro.)

A. Temps du récit, temps de l'histoire

Qui raconte? Élémentaire, mon cher Whatnot: de toute évidence un narrateur omniscient.

Quand se passe l'histoire racontée? Hier. Et cet *hier* a plusieurs couches: moment où se passait l'action (les passés simples), événements qui se sont passés *avant* cette action (les plus-que-parfaits), et les événements qui se passent *en même temps* que cette action, mais apparemment dans un autre registre, celui des pensées de Patricia (les imparfaits).

Peut-être serait-il bon de se livrer ici à quelques petits exercices de rafraîchissement sur les valeurs différentes des temps verbaux. Consultez votre grammaire la plus proche, si nécessaire...

Revenons à notre extrait de l'histoire palpitante de Johnny et de Patricia. Elle se passe donc hier. Mais *quand est-elle racontée?*

Maintenant, évidemment.

C'est le cas le plus fréquent. Dans la phrase de Valéry citée (beaucoup) plus tôt, *La marquise sortit à cinq heures*, on avait la même disjonction entre le temps de l'histoire et le temps du récit: le narrateur dit *maintenant* que, dans un passé indéfini, la marquise *était sortie* à cinq heures.

B. Conséquences sur la narration

Voyons de quelles façons la question du temps modifie les positions du narrateur.

1. Pour le narrateur extra-diégétique

a) Récit (au) présent/histoire (au) passé

Le narrateur raconte *maintenant* ce qui s'est passé *avant*.

Remarquons tout de suite que le narrateur omniscient envahissant, lorsqu'il déborde en disant JE dans tous les azimuts, découvre précisément de cette façon l'intérieur de ses manches truquées: il fait en général ses commentaires au moment où il raconte, c'est-à-dire au présent:

> ***Je me demande*** *comment Johnny était sorti de la Chambre de Désintégration —une coïncidence fortuite, sans doute. Toujours est-il qu'il arriva en courant au rendez-vous donné à Patricia, tout joyeux de la revoir et en agitant ses tentacules avec amour. "Ses tentacules",* ***dites-vous****? Eh oui, la pauvre Patricia* ***n'est*** *pas au bout de ses peines: est-ce bien Johnny?* ***C'est ce qu'elle se demande*** *comme vous tout en reculant avec horreur jusqu'au mur et en s'écriant d'une voix désespérée: "N'approchez pas!"* (La suite une autre fois.)

Mais la plupart du temps (c'est le tour de prestidigitation propre à la majorité des narrateurs qui essaient de dissimuler leur narration pour mieux y prendre le lecteur), on ne se rend pas consciemment compte de cette disjonction entre le moment où le récit a lieu et celui où c'est l'histoire. Pourtant, elle a un effet très précis:

elle fonctionne subconsciemment comme un signal au lecteur, modulant certaines de ses attentes.

Assurance (presque) tous risques

L'histoire, lui signale-t-elle, *a eu* lieu, elle est presque certainement terminée, complète; on pourra donc en tirer des conclusions (un ou des sens); elle constitue un objet manipulable à loisir, quels que soient les surprises et les rebondissements ménagés par le narrateur. Le lecteur d'une histoire au passé est donc tranquille, sécurisé par le récit au présent (il ne sera sûrement pas avare de sa bonne volonté à suspendre son incrédulité...): il sait que l'histoire aura un début et une fin, qu'une logique événementielle lui permettra de passer de l'une à l'autre; aaah! quelle tranquillité, les amis!

Et c'est pour cette raison très ancienne et somme toute estimable que «spontanément» vous allez écrire (ou vous avez déjà écrit) vos histoires au passé. Mais c'est peut-être aussi parce que vous aurez lu auparavant beaucoup d'histoires écrites ainsi: un réflexe conditionné...

C'est aussi tout à l'avantage du narrateur que l'histoire soit passée, finie, complète, et qu'il la raconte après coup... Il dispose alors vraisemblablement de toutes les informations pertinentes (l'enquête, en quelque sorte, a déjà eu lieu), et il a pu reconstituer les faits avec tout un luxe de détails signifiants; il peut véritablement «mener le jeu», puisque la partie a déjà été jouée, gagnée ou perdue. D'où la fréquence du narrateur omniscient dans ce type de récit: la seule véritable omniscience humaine ne peut évidemment être que rétrospective...

Plaisir spécifique de la sécurité chez le lecteur et chez l'auteur. Plaisir de voir (pour le lecteur), de créer (pour l'auteur), un univers clos, maîtrisé, où causes et conséquences s'enchaînent de façon toujours satisfaisante pour créer du sens, alors que, «dans la vie», il y a toujours des éléments qui nous échappent, des histoires dont nous ne voyons jamais la fin —à commencer par la nôtre...

Le passé fonctionne donc comme une sorte de signal rassurant en soi: même si le lecteur n'en a pas conscience, ce temps introduit une distance protectrice entre lui et l'histoire. Que ce soit avec les narrateurs omniscients (ces pères-guides plus ou moins bienveillants), avec les narrateurs alignés ou les narrateurs ignorants, le passé va toujours remplir plus ou moins sa fonction sécurisante, même si l'histoire ne se termine pas dans le passé et vient rejoindre le présent où se déroule le récit. Jugez-en plutôt.

Exemples d'effets sur la narration

Avec un narrateur omniscient:

Johnny se précipitait à son rendez-vous avec Patricia, tout joyeux. Patricia attendait au coin des rues Peel et Ste-Catherine, résignée: il ne viendrait encore pas cette fois, pensait-elle. Le policier qui faisait sa ronde en planant lentement au-dessus du flot de la circulation abondante en ce vendredi après-midi, se demandait pour la dixième fois ce que cette jolie fille aux cheveux roux attendait, et s'il n'allait pas descendre pour l'interroger. Johnny, à la hauteur de la Place des Arts, et après avoir consulté la montre attachée à son troisième tentacule gauche, courait de plus belle parmi la foule qui se pressait à la sortie du Multicomplexe Desjardins, indifférent aux regards surpris qui le suivaient.

Avec un narrateur aligné (trouvez sur qui):

Patricia a vu de loin arriver Johnny au lieu de leur rendez-vous et s'est demandée avec une joie incrédule comment il a réussi à s'échapper de la Chambre de Désintégration. Lorsqu'il a été assez proche, cependant, elle l'a vu sourire de toutes ses dents et agiter ses tentacules. Ses tentacules, se dit-elle en sursautant! Ce ne peut être Johnny! «N'approchez pas!» s'écria-t-elle en sentant sa voix s'étrangler de désespoir et d'horreur. (La suite un autre jour.)

Avec un narrateur ignorant bavard:

Le jeune homme arriva près de la jeune fille. Elle se leva d'un bond, les yeux écarquillés: quelque chose devait la surprendre dans l'arrivée du jeune homme. Il souriait en agitant ses tentacules. Le visage de la jeune fille prit une expression différente, comme si elle se rappelait quelque chose. Elle recula jusqu'au mur en lui criant de ne pas approcher; ses paroles n'étaient pas très claires, comme si quelque chose l'avait étranglée. (La suite? Eh bien...)

Comparez l'effet produit au présent, avec un narrateur ignorant muet:

Le jeune homme court vers la jeune fille. Elle se lève d'un bond, la bouche ouverte et les yeux écarquillés. Le jeune homme sourit et ses tentacules s'agitent. La jeune fille recule contre le mur et crie au jeune homme de ne pas s'approcher. Ses paroles ne sont pas très claires. (Vous voulez vraiment savoir la suite?)

Remarquez ici encore le jeu sur les différentes valeurs des temps des verbes, et la «couleur» particulière que chacune d'elle donne à la narration.

Mais enfin, d'un côté comme de l'autre de la chaîne communicationnelle, on peut ne pas être si épris de sécurité, et on peut fort bien avoir (toujours avec un narrateur extra-diégétique omniscient, aligné ou ignorant) un...

b) ...Récit au présent d'une histoire au présent

Johnny court vers Patricia... Mais vous pouvez bien, après tout, écrire vous-même vos propres exemples, avec les différentes sortes de narrateurs extra-diégétiques...

Récit au présent d'une histoire au présent, c'est ce qui constitue la «prise directe» dont je parlais plus haut, avec tous ses avantages et tous ses inconvénients:

-avec un narrateur omniscient: fort danger d'invraisemblance, mais enivrante impression d'ubiquité pour le lecteur; pour l'auteur, possibilité de miner l'illusion et de produire un tout autre effet, comme dans le passage suivant. C'est le début du *Sursis*, tome II des *Chemins de la liberté* de J.-P. Sartre (Paris, Gallimard, 1947;

Le Livre de Poche n° 654). Nous sommes à la veille de la Deuxième Guerre Mondiale, au moment où se signent les accords de Munich, qui sont censés empêcher la guerre —mais qui ne l'empêcheront pas:

VENDREDI 23 SEPTEMBRE

Seize heures trente à Berlin, quinze heures trente à Londres. L'hôtel s'ennuyait sur sa colline, désert et solennel, avec un vieillard dedans. À Angoulême, à Marseille, à Gand, à Douvres, ils pensaient: "Que fait-il? Il est plus de trois heures, pourquoi ne descend-il pas?" Il était assis dans le salon aux persiennes mi-closes (...) Il se tourna vers Horace Wilson et demanda: "Quelle heure est-il?" et Horace Wilson dit: "Quatre heures et demie, à peu près." Le vieillard leva ses gros yeux, eut un petit rire aimable et dit: "Il fait chaud". Une chaleur rousse, crépitante, pailletée s'était affalée sur l'Europe; les gens avaient de la chaleur sur les mains, au fond des yeux, dans les bronches; ils attendaient, écoeurés de chaleur, de poussière et d'angoisse. Dans le hall de l'hôtel, les journalistes attendaient. Dans la cour, trois chauffeurs attendaient, immobiles au volant de leurs autos. De l'autre côté du Rhin, immobiles dans le hall de l'hôtel Dreesen, de longs Prussiens vêtus de noir attendaient. Milan Hlinka n'attendait plus. Il n'attendait plus depuis l'avant-veille. (...)

Et le narrateur saute ainsi pendant tout le roman d'un lieu et d'un temps à un autre pendant cette seule semaine du 23 au 30 septembre, sans forcément prévenir, sans forcément changer de paragraphe, par exemple...

-avec un narrateur aligné (surtout si confondu): puissant effet de réalité, très forte identification du lecteur au personnage. Mais on rencontre divers problèmes techniques dans l'exposition des éléments nécessaires à la compréhension de l'histoire, problème minant éventuellement les effets de réalité (voir *Deuxième partie).*

-avec un narrateur ignorant: effet de réalité encore puissant, mais dangereusement proche du seuil de rentabilité maximale, où il risque de s'inverser: le lecteur peut avoir l'impression de rêver —ou de cauchemarder— à cause de la disjonction des éléments et de l'incertitude des sens à en dégager; on risque donc d'insécuriser le lecteur qui décrochera en redevenant incrédule (pour se protéger, en quelque sorte...). Nécessité d'une organisation serrée du récit par un jeu très maîtrisé des connotations.

Tout ceci, je le rappelle encore, c'est ce qui se passe avec les narrateurs extra-diégétiques, qui ne sont pas vraiment personnellement impliqués dans les histoires qu'ils racontent. Il n'en va pas de même pour le narrateur intra-diégétique.

2. Pour le narrateur intra-diégétique

a) Récit au présent d'une histoire au passé

JE raconte maintenant l'histoire qu'il a vécue.

Il importe de se rappeler ici la première réaction semi-consciente du lecteur: quoi qu'il arrive à JE, *il a dû s'en sortir puisqu'il est là maintenant pour le raconter.* Seul moyen de maintenir la vraisemblance, si c'est ce qu'on désire: l'usage des lettres, bandes magnétiques et autres outils littéraires évoqués précédemment. On peut aussi laisser planer le doute, d'ailleurs...

Longtemps je me suis couché de bonne heure. Parfois, à peine ma bougie éteinte, mes yeux se fermaient si vite que je n'avais pas le temps de me dire: "Je m'endors." Et, une demi-heure après, la pensée qu'il était temps de chercher le sommeil m'éveillait; je voulais poser le volume que je croyais avoir dans les mains et souffler ma lumière; je n'avais pas cessé en dormant de faire des réflexions sur ce que je venais de lire, mais ces réflexions avaient pris un tour un peu particulier; il me semblait que j'étais moi-même ce dont parlait l'ouvrage: une église, un quatuor, la rivalité de François Ier et de Charles-Quint. Cette croyance survivait pendant quelques secondes à mon réveil; elle ne choquait pas ma raison, mais pesait comme des écailles sur mes yeux et les empêchait de se rendre compte que le bougeoir n'était plus allumé. (Toujours Proust, *À la recherche du temps perdu,* Tome I «Du côté de chez Swann», Paris, Gallimard, 1956, pp. 7-8).

Ce genre de narration présente un intérêt considérable au plan de la présentation des informations nécessaires: en effet, on profite du dédoublement JE acteur/JE spectateur-narrateur, et du dédoublement des lignes temporelles respectives du récit et de l'histoire.

JE narrateur présent est éventuellement le juge de JE acteur passé: il comprend (mieux...), éclaire, rapproche, (s')explique, avec ironie, ou désespoir, sévérité, indulgence, sérénité, rayez les mentions inutiles.

Mais c'est un cas particulier du narrateur omniscient, vous exclamez-vous! Eh bien, pas tout à fait. Ce n'est pas parce qu'on raconte sa propre histoire qu'on sait forcément La Vérité, toute La Vérité, et rien que La... Le narrateur omniscient, lui, prétend ouvertement ou secrètement en être le dépositaire, et on aura moins tendance à le contester étant donné sa position d'autorité et la multiplicité d'arguments qu'il est à même d'apporter à l'appui de ses déclarations. Le narrateur JE, ne présentant en somme que son propre point de vue, est sujet à caution: il est très évidemment «subjectif»... C'est ce qui permet tous les intéressants jeux de la mémoire, sa «vérité» et ses «mensonges»: l'oubli plus ou moins sélectif... et révélateur, par exemple. Et toutes les figures possibles dans la danse du duo (qui est un trio...) personnage-narrateur/lecteur. Le lecteur peut aussi bien être mené en bateau par JE (qui équivaudra alors en effet à un narrateur omniscient— avec les correctifs mentionnés plus haut). Ou bien il sera à égalité avec un JE qui apprendra/comprendra en même temps que lui; le lecteur pourra même comprendre mieux et plus vite qu'un JE ignorant, naïf... ou de mauvaise foi. Et le sentiment de supériorité qu'il en éprouvera pourra renforcer son plaisir de lecteur...

Car n'oublions pas que c'est l'un des principaux effets du narrateur en JE de susciter en face le VOUS du lecteur, l'implication personnelle, directe, du lecteur-confident, ou juge.

Avec le danger pour l'auteur, ne l'oublions pas non plus, de se prendre à son propre jeu (à son propre JE), de s'engluer dans l'autobiographie «réelle» alors qu'il a commencé avec une fiction, un personnage qui n'était pas lui...

b) Récit au présent d'une histoire au présent

JE raconte son histoire au fur et à mesure qu'elle se passe: *D'une main je saisis mon sabre, de l'autre le drapeau, et de la troisième je m'écrie: "En avant!"*

c) Quelques problèmes et stratégies

Qu'advient-il de la «prise directe», du reportage, quand narrateur et personnage sont confondus?

On rencontre d'abord un problème de *vraisemblance*. Il n'y a que les maniaques qui (se) racontent continuellement ce qu'ils sont en train de faire/dire/penser; n'oublions pas que (sauf expédient de la lettre, bande magnétique, etc.) le récit en JE est essentiellement un *monologue* (voir le passage sur le «récit de paroles» en *Deuxième partie, chap. VII, 3,b)*. Or, faites-en l'expérience vous-même: il y a des choses qu'un JE «normal» ne (se) dit pas tout le temps, en particulier tout ce qui concerne les gestes quotidiens, le détail des déplacements dans l'espace et de la manipulation des objets (si importants par ailleurs pour donner de la texture, de la vraisemblance, à l'univers où JE vit son histoire tout en la racontant...).

Compter sur la faculté synthétisante du lecteur

Comment se tirer de là? Eh bien, si le narrateur extra-diégétique choisit à sa guise les détails qu'il considère comme caractéristiques, signifiants, pourquoi le narrateur intra-diégétique n'en ferait-il pas de même? Il n'a qu'à s'en remettre lui aussi à cette faculté bénie du lecteur, la faculté de reconstituer des ensembles à partir d'éléments plus ou moins dispersés.

> Nous retrouverons cette faculté lorsque nous aborderons en *Deuxième partie* les problèmes de la description et du «récit de paroles», mais on peut en dire deux mots tout de suite. Vous avez tous fait l'expérience consistant à «voir des images» (visages, animaux, objets, paysages), dans les dessins du bois, de la pierre, des nuages... Vous pouvez aussi voir aisément comment fonctionne l'art du caricaturiste, par exemple: quelques traits caractéristiques, et hop! on saisit aussitôt qui est la victime. Cette capacité à saisir des ensembles à partir de détails est liée à un mode de fonctionnement fondamental de la perception chez tous les êtres humains: on peut donc raisonnablement compter sur elle chez tous les lecteurs —quoique à des degrés divers, selon leurs conditionnements collectifs et individuels...

Et comme il n'est pas de «norme» ni de «règle» d'écriture qui ne puisse être enfreinte, je vous dirai qu'on peut très bien avoir un JE qui décrit par le menu ses moindres gestes/paroles/pensées. On obtiendra ainsi un autre *effet*, voilà tout. C'est très pratique par exemple pour mettre en place un personnage psychologiquement perturbé. Ou pour produire un effet de «suspense»: *Je m'approche de la porte, je prends la poignée, je tourne la poignée, je pousse la porte...* (Le lecteur, haletant: «Et alors? Et alors!??») Ou encore un effet comique. Tout dépendra du contexte. En effet (une remarque en passant), *plus on détaille un geste, plus on le mécanise*, et plus la personne qui agit ressemble à une marionnette: elle devient potentiellement comique... ou inquiétante, ou pitoyable, selon le contexte.

Variante du problème de vraisemblance/cohérence

Si un narrateur JE raconte au présent son histoire au passé, un problème très spécifique se pose: JE n'a aucune raison de se décrire physiquement, sauf de façon indirecte (arrêt devant un miroir —et complaisance coquette ou dégoût de soi...)— nécessité de se décrire à un autre personnage (si JE s'adresse très spécifiquement au lecteur considéré comme interlocuteur privilégié, par exemple; ou pour rendez-vous avec un personnage qui ne le connaît pas; ou encore parce qu'un personnage, aveugle ou au téléphone, ne peut pas le voir par ses propres moyens; ou même lecteur de sa propre fiche d'identité, ou d'un rapport de détective...). Sinon, on obtient quelque chose de ce genre:

> *Je passe ma main droite, longue, nerveuse et bronzée, dans mes fins cheveux blonds et bouclés, et, en fixant Patricia de mes yeux bleu-vert tout en agitant mes tentacules, je m'écrie avec un sourire incertain qui découvre mes trois dents en or, en haut et à gauche: "Que se passe-t-il? C'est bien moi, chérie!"* (La suite au prochain numéro.)

Si on ne veut pas obtenir un effet comique, il vaut mieux s'abstenir de ce genre de description... Évidemment, il n'est inscrit nulle part en lettres de feu: *«Ton personnage physiquement tu décriras»*. (Voir le chapitre IX sur «le personnage», dans la *Deuxième partie.)* Mais pour qui désire donner une présence physique à ses personnages, la narration en JE suscite ce petit problème particulier dont il faut avoir conscience, et qui ne se pose pas dans les mêmes termes avec les autres types de narrateurs.

Comment cela se passe avec les autres types de narrateurs? Essayez...

Un problème plus épineux: la présentation des informations

La narration en JE peut en effet rendre particulièrement difficile la présentation des informations nécessaires à la compréhension de l'histoire. Il y a des détails que, en «prise directe» (récit et histoire au présent), JE ne peut pas savoir. Inversement, il y a des détails que JE ne peut pas ne pas savoir. Tout le problème réside dans la plus ou moins grande vraisemblance (justification...) du savoir ou du silence étonnants de JE à tel ou tel moment donné de l'histoire.

> Exemple simple: la séquence commence avec JE entrant dans un bar louche. Il remarque aussitôt un homme que nous lecteurs n'avons jamais vu auparavant dans le texte et qui l'attaque sans dire un mot. Énigmes, énigmes! Qui est cet homme, pourquoi saute-t-il sur JE? Avec JE narrateur au présent d'une histoire passée, pas de problème: il peut prendre tout son temps pour faire une parenthèse explicative:
>
> *C'était Jack Horrible, que j'avais laissé pour mort en plein désert il y avait cinq ans de cela, en emportant sa part de butin, lors d'une aventure précédente.*

Mais avec JE narrateur en prise directe d'une histoire en train de se faire sous nos yeux, ne serait-il pas quelque peu suspect (et artificiel) de voir lancer une grande tirade du genre: *Ah, misérable!* (si c'est Jack qui parle) *Ah ciel!* (si c'est JE) *Tu m'as abandonné/je t'ai abandonné il y a cinq ans dans le désert en emportant ma part/ta part de butin, tu vas me payer ça/je vais payer ça!* L'explication, je vous l'accorde, arriverait à point pour le lecteur, mais justement, ce serait un peu trop à point, non? JE et Jack savent tous deux parfaitement bien à quoi s'en tenir et n'ont nullement besoin de se le dire. À qui le disent-ils, alors? Au lecteur, lui rappelant d'une façon maladroite qu'il est en train de lire une fiction, et non en train d'assister en direct à une (palpitante) action... L'effet de réalité s'en trouve affaibli d'autant.

Tout ce chapitre sur les questions de *temps* ne nous éloigne pas des problèmes du point de vue, en réalité.

-*Si le récit est présent et l'histoire passée (finie)*, le narrateur (JE ou autres) en est à une certaine *distance temporelle*, qui peut d'ailleurs être la bonne distance pour comprendre et organiser les faits.

-*Mais si récit et histoire coïncident au présent* (et surtout dans la narration en JE), le narrateur ne peut que faire des hypothèses —comme le lecteur, d'où un renforcement éventuel de l'identification/participation de celui-ci, ce qui peut être fort utile. Encore ne peut-on faire ces hypothèses qu'entre deux rebondissements de l'histoire (si c'est une histoire à rebondissements), dans un moment de répit. Par ailleurs, si le narrateur est trop près de l'histoire qui se passe en même temps qu'il la raconte, il peut s'hypnotiser sur certains détails et perdre l'ensemble de vue (s'il est trop loin, ce sera l'inverse...).

Tout cela dépend de *l'effet recherché.* Veut-on guider le lecteur tout le long (le sécuriser, et se sécuriser aussi, peut-être)? Veut-on au contraire le déboussoler, le secouer pour le sortir de ses habitudes (de sa somnolence...) habituelle et lui faire atteindre un autre niveau de conscience?

Aucun type de narration n'est intrinsèquement «bon» ou «mauvais»: aucun procédé d'écriture ne l'est. Chacun produit un certain effet, et c'est ce dont il convient d'avoir conscience. Oui, on peut parler de «procédés» lorsqu'on les utilise délibérément et en connaissance de cause, et ils sont d'un usage aussi légitime que celui consistant pour le peintre à se servir de toiles et de pinceaux, pour le joueur d'échecs à choisir telle ou telle «ouverture», ou pour l'athlète à choisir tel ou tel type d'entraînement spécifique. Pas plus que pour le peintre, le joueur d'échecs, ou l'athlète, ces procédés ne constituent des «trucs» infaillibles: ils ne garantissent pas à eux seuls le succès.

C. Rythme et vitesse d'un texte

1. Le rythme

La disjonction ou la coïncidence entre le moment du récit et celui de l'histoire n'ont pas seulement un effet certain sur le point de vue narratif; elles en ont également un, très important, sur ce qu'on appelle le *rythme général du texte.*

a) La pause du récit plus longue que la durée de l'histoire

Par exemple: en se rendant pour la énième fois à la Chambre de Désintégration, poussé (brutalement) par les Gardes (Noirs), Johnny entraperçoit brièvement le coucher de soleil.

Le coup d'oeil de Johnny (détail de l'histoire) dure une fraction de seconde. Mais la description (récit) de ce qu'il voit, le coucher de soleil, va prendre une page. Plus quatre pages décrivant les associations d'idées que cela suscite chez Johnny pendant qu'il poursuit son chemin fatal: les couchers de soleil de son enfance sur sa planète natale Schprountz XVII, son premier amour qui s'appelait Antoinette, et sa première paire de tentacules à éclipses qui lui poussa subitement lorsqu'il fut touché par un rayon de soleil couchant traversant la vitre polarisée du cockpit de sa moto synchrotronique.

Bref.

Eh bien, non, pas «bref» justement, mais «fort longuement»! L'action en cours s'arrête, se fige, et on passe à une parenthèse qu'on appellera **digression** si elle est «mal faite», et **pause** si elle est «bien faite», c'est-à-dire si le lecteur peut saisir sans trop de problèmes son utilité et sa nécessité en ce point particulier du récit, son rapport avec lui...

La pause est très, très utile lorsqu'on a des commentaires à faire, des explications/informations à donner (vous avez pu voir que je l'utilise quelquefois moi-même dans ce *Guide*...). Dans la fiction, c'est une des spécialités du narrateur omniscient ainsi que de JE narrateur au présent d'une histoire au passé. Le narrateur aligné n'y a recours que si le personnage point de vue s'y adonne lui-même (dans un monologue intérieur, par exemple —voir la *Deuxième partie).* Il n'est pas jusqu'au narrateur ignorant muet qui n'utilise la pause pour mettre en place ici ou là tel ou tel élément signifiant de sa mosaïque de faits «objectifs».

Pourquoi ne pas vous y essayer un peu, avec les différents types de narrateur?

b) La scène: durée du récit égale à la durée de l'histoire

C'est la «prise directe», quel que soit le temps choisi pour la narration, présent ou passé, la durée soi-disant théâtrale ou cinématographique. C'est censé être par exemple le cas du *dialogue*. (Voir le chapitre IX, 4 dans la *Deuxième partie.)* Mais c'est en fait par un vénérable consensus littéraire, une convention, qu'on suppose cette égalité des durées (ou *isochronie,* si on veut faire joli). Personne n'a jamais chronométré pour vérifier si le temps pris pour s'échapper d'une Chambre de Désintégration (en panne, comme d'habitude), descendre quatre à quatre mille deux centsoixante-dix-sept marches, sauter par la fenêtre du premier étage et atterrir sur le siège (pas trop dur, merci) d'une moto synchrotronique, est réellement égal au temps pris pour l'écrire...

En confidence, non, ça ne prend pas le même temps... C'est même l'incontestable supériorité de l'écriture sur le cinéma, celle qui cause l'inguérissable envie des arrangeurs d'effets spéciaux coûteux et longs à produire: dire que ces pouilleux d'écrivains de SF créent une galaxie entière en une seule phrase, avec un stylo-feutre à 1,25 $!

On peut d'ailleurs avoir des *scènes* qui durent beaucoup plus longtemps sur la page que dans la «réalité». Dans un dialogue, par exemple, on peut participer aux processus mentaux de chacun des interlocuteurs s'interrogeant sur les sous-entendus, allusions ou signaux divers éventuellement dissimulés dans les paroles des uns et des autres (cela se fait bien avec un narrateur omniscient ou, pour un seul personnage, un narrateur aligné). La scène s'allonge encore si un narrateur omniscient (ou un narrateur aligné bavard, ou un narrateur ignorant de même) fait des commentaires incessants:

"N'approchez pas!" s'écria Patricia.
Johnny s'immobilisa, stupéfait. Que voulait-elle dire? Pourquoi le vouvoyait-elle? Essayait-elle de lui signaler qu'ils étaient surveillés? Ou lui en voulait-elle de ne pas être à l'heure? Ou encore... Était-il possible qu'elle ne le reconnût pas, à cause des tentacules!? Il fit un pas vers elle en balbutiant: "Voyons, chérie, c'est moi, Johnny..." Patricia essaya de reculer davantage mais le mur l'en empêchait. "Quoi?!", s'écria-t-elle. Comment cet individu à tentacules pouvait-il s'imaginer qu'elle le croirait? Pensait-il que... ou que... etc.

Comme on le constate, cela peut considérablement allonger le plus bref des dialogues...

c) Le sommaire, ou résumé: durée du récit plus courte que celle de l'histoire

Johnny naquit le 4 juillet 1986 sur Schprountz XVII. Il eut vingt ans et six mois le 4 juillet 2026 sur Terre, rencontra Patricia le surlendemain, sortit définitivement de la Chambre de Désintégration trois ans plus tard, ne se maria pas parce que Patricia avait cessé de l'attendre, n'eut donc pas d'enfants et mourut étranglé par ses tentacules devenus autonomes.

Comme vous pouvez en juger, le *sommaire* ou *résumé* peut avoir de nombreuses applications, soit à des fins comiques soit pour introduire rapidement une information secondaire mais nécessaire (ou essentielle, mais qu'on avait oubliée! Généralement à éviter...) soit en général «pour faire courte une longue histoire», une histoire secondaire qui n'a pas grand-chose à voir avec la ligne principale de celle qu'on est en train de raconter (en cours d'action, par exemple).

d) L'ellipse: durée du récit beaucoup plus courte que la durée de l'histoire

C'est en quelque sorte l'inverse du cas précédent.

L'Univers se forma.

Trois milliards d'années plus tard, le 4 juillet 1986, Johnny naquit sur Schprountz XVII.

C'est un exemple un peu exagéré pour les besoins de la démonstration, mais vous m'accorderez sans doute que si l'on devait passer chronologiquement et en détail du début à la fin, ça prendrait un peu trop d'espace-temps, sans être réellement essentiel à l'histoire de Johnny-les-Tentacules...

Bivouac panoramique: l'ellipse

L'auteur et le lecteur: partie de cache-cache

L'ellipse, donc, est d'abord ce qu'on fait lorsque, court-circuitant l'ordre chronologique du récit (voir le chapitre VI dans la *Deuxième partie),* on saute par-dessus certains événements sans les raconter. Pourquoi faire cela? Pour diverses raisons: gagner du temps, comme dans mon exemple ci-dessus, resserrer le récit et donc donner plus de force d'impact à l'histoire ainsi débarrassée de ses détails superflus...

Et aussi pour, sournoisement, ne pas donner au lecteur toutes les informations au moment où il les attend trop: pour ménager le suspense, les surprises ultérieures, les rebondissements, révélations et autres points d'exclamation des découvertes, bref pour augmenter, en le retardant, le plaisir du lecteur.

*Johnny entra dans la salle de bain, ses quatre tentacules ondulant gracieusement autour de lui. Cinq minutes plus tard, il ressortit en agitant furieusement **trois** tentacules.*

Et ce n'est que 277 pages plus tard que vous apprendrez, la langue pendante, haletant d'une délicieusement intolérable curiosité, que pendant ces cinq minutes, en satisfaisant un besoin naturel, Johnny s'est coincé le quatrième tentacule dans sa fermeture-éclair-à-voyager-dans-le-temps, et que ledit tentacule est parti avant lui pour la Chambre de Désintégration du 42e siècle et demi!!!
Diantre et bigre!

C'est en général ainsi que fonctionne l'ellipse: le récit peut percer dans l'histoire tous les trous qu'on veut, à condition de les combler à un moment ou à un autre. Cela pose un certain nombre de problèmes techniques qui seront abordés plus en détail dans la *Deuxième partie.*

L'ellipse malgré elle

Selon la Loi Suprême: «*Il n'est pas de loi qu'on ne puisse enfreindre dans l'écriture de la fiction*», on peut aussi créer des ellipses qu'on ne comblera jamais, laisser des fils pendants qui ne se rattachent à rien, ou à pas assez.

Ce peut être par exemple le cas avec un narrateur omniscient créant son univers et se laissant emporter par le flot de cette générosité créatrice: il commence des choses qu'il ne finit pas parce qu'il les a tout simplement oubliées en route (aïe! la cohérence interne! À éviter...). Ce peut être le cas avec un narrateur aligné qui rate des morceaux de l'histoire parce que son personnage point de vue n'y était pas; ou avec un narrateur ignorant qui rate des morceaux de l'histoire parce que l'action s'est déplacée en dehors de son champ de perception.

Une ellipse non comblée peut terriblement frustrer un lecteur ordonné (du genre: «une place pour chaque chose et chaque chose à sa place»). Mais ce type de lecteur n'appréciera peut-être aucune sorte d'ellipse, de toute façon... Pour un lecteur plus tolérant, une ellipse non comblée risque de paraître ce qu'elle est le plus souvent: une erreur de l'auteur (un oubli). Pour lui, la cohérence de l'histoire en souffrira, affaiblissant corrélativement sa crédulité volontaire.

D'autres sortes de lecteurs adorent les ellipses, au contraire, parce qu'ils y trouvent des plages de rêve infini: ils se sentent plus libres d'inventer leurs propres histoires, leurs propres dérives, dans les trous de l'histoire qu'ils lisent (et qui devient alors franchement un «scénario interactif»...).

De ce point de vue, ce qu'on appelle une «fin ouverte» est un cas particulier de l'ellipse: c'est lorsque le lecteur sent que l'histoire et les personnages continuent après le mot FIN, mais n'a pas d'indications claires de ce qui se passe après la dernière page: quelle merveilleuse liberté de rêver!...

Macro et micro-ellipses

L'ellipse est donc utile pour jouer avec les attentes du lecteur (créer du suspense, etc.). Elle est aussi très utile pour arriver rapidement là où on veut en venir (comme le sommaire ou résumé, alors). En fait, à bien y penser, on pratique continuellement la *micro-ellipse* en écrivant: par exemple, on ne décrit pas tous les détails des mouvements dans l'espace, ou des manipulations d'objets (sauf si on veut obtenir un effet spécial, comme je l'ai remarqué plus haut)...

La *macro-ellipse*, elle, est assez délicate à manier, non seulement parce qu'on risque de frustrer le lecteur mais aussi parce qu'il faut juger avec exactitude de la place et du moment où combler une ellipse. Pas trop près du moment où on l'a faite (ça ferait trop arrangé-avec-le-gars-des-vues); mais pas trop loin, sinon le lecteur aura oublié. D'ailleurs, dans ce cas-là aussi, ça peut faire arrangé-avec-le-gars-des-vues, surtout avec un narrateur omniscient: *Vous vous rappelez, cher lecteur, ce tentacule qui manquait à Johnny au sortir de la salle de bain? Eh bien, justement...*

C'est un peu gros, non?

Ellipse et effet de réel

Cependant, on a tendance à beaucoup pardonner au narrateur omniscient: c'est le Magicien Officiel, on s'attend toujours un peu à ce qu'il sorte n'importe quoi de son chapeau. Il y a un trou dans l'histoire? Bah! il le remplira sûrement plus tard... Même chose avec le narrateur ignorant, qui est par définition... ignorant! Avec lui aussi, le lecteur connaît au départ la règle du jeu: on ne saura pas tout, ce sera expliqué ou non... on verra bien. La vraisemblance ne souffre donc pas trop, la bonne volonté du lecteur étant plus ou moins acquise à ces narrateurs.

Avec un narrateur aligné, ça devient plus délicat, surtout s'il est aligné sur un seul personnage point de vue; c'est un peu le même problème qu'avec le narrateur JE: peut-il passer sous silence, par exemple, une information que le personnage détient, au moment où cette donnée est éventuellement nécessaire?

Bien sûr que c'est possible. Mais d'un maniement très délicat: le lecteur ne doit pas se rendre compte qu'on donne des coups de pouce pour plus de suspense, ou plus de démonstrativité de l'histoire, sinon l'effet de réalité (et la crédulité volontaire du lecteur, rappel) se lézardera.

Encore plus délicate à manier, donc, l'ellipse, dans le cas du narrateur JE: s'il raconte après coup son histoire passée, il en est l'organisateur un peu comme le

N.O. et bénéficie du même préjugé favorable: «on nous expliquera plus tard». Mais s'il est en «prise directe» au présent, les difficultés commencent. Pas plus qu'il ne peut dire ce qu'il ne sait pas, il ne peut taire ce qu'il sait...

Théoriquement. En stricte observance de l'exigence de vraisemblance. Mais, comme les autres, cette exigence est faite pour ne pas être observée strictement. Attention, cependant: si on tombe sur un lecteur particulièrement exigeant du côté de la logique, toute l'histoire risque de s'effondrer à partir d'une ellipse malencontreuse... Mais en fait, ici comme ailleurs c'est une question de *dosage*: il y a un *seuil de cohérence interne* qu'on ne peut pas dépasser dans une fiction moyenne.

> Mais la *fiction moyenne* est une vue de l'esprit: elle n'existe pas. On peut dépasser ce seuil de cohérence interne, et on constate alors, très curieusement, qu'on change de genre littéraire. Pierre qui dit ou pense ou sait une chose qu'il ne devrait pas pouvoir dire, penser, ni savoir, le fait vraisemblablement s'il est la réincarnation de Paul, ou possédé du diable (dans le genre fantastique). Et dans la SF? Il est télépathe, bien entendu. Dans le roman d'espionnage, ce sera le signal qu'il se livre à des écoutes clandestines; dans le policier, que c'est peut-être lui, le coupable! La conclusion de «Toute loi d'écriture est faite pour être enfreinte» semble bien être: «Et on change alors de registre, en changeant d'effet». Le tout, là encore, est de savoir *quel effet* on veut obtenir.

Toujours en pratique, il existe quantité de façons de détourner/pervertir cette règle de la cohérence interne menacée par l'ellipse. De ce qui est une «faiblesse» (non-cohérence de JE qui sait mais ne dit pas, considérée comme une erreur de l'auteur par le lecteur), on peut fort bien faire une «force»: ce silence, ou ce non-usage d'une donnée pourtant connue, peut servir à la *caractérisation du personnage* (voir le chapitre IX, B en *Deuxième partie):* il donne au personnage des profondeurs insoupçonnées, une plus grande complexité, le cas échéant; c'est ainsi par exemple qu'il pourra se trahir...

Pour conclure sur l'ellipse, je dirai qu'elle constitue un procédé fascinant dans la mesure où elle permet de faire paradoxalement exister quelque chose par le creux et non par le plein: non en la disant, mais en ne la disant pas, ou du moins pas tout de suite... C'est cependant aussi un procédé périlleux, non seulement pour les raisons exposées ci-dessus, mais encore parce qu'utilisé avec trop d'enthousiasme, il bouleverse considérablement l'ordre chronologique, l'un des piliers de la vraisemblance, et l'une des *habitudes de lecture* les plus enracinées chez le lecteur.

L'ordre chronologique

Nous l'avons rencontré tout au début à propos de l'histoire type, lorsque je vous faisais remarquer que *forme* et *fond* sont étroitement liés: commencement, déroulement, fin.

> *Johnny est né. Il a vécu. Il est mort.*

Histoire minimale qui est celle de tout le monde... Mais ce bel ordre chronologique, l'ordre de la *logique temporelle*, qui est aussi habituellement considéré comme celui des *causes et des effets*, ce bel ordre n'existe en fait que pour l'esprit. Dans la pratique cela se passe d'une façon légèrement différente, comme vous pourrez le constater en écoutant n'importe quelle conversation surprise dans la rue:

> *''Alors Johnny venait d'arriver de Schprountz XVII quand il a rencontré Patricia. En fait, il ne l'a pas rencontrée tout de suite; avant il y a eu Julie, celle pour qui Jules avait assassiné leur Patron l'ordinateur HAL 2012. Julie, Johnny l'avait rencontrée à cause de son nez. Oui, il s'était fait couper le nez, c'était la mode sur Schprountz XVII quand il était adolescent. Il s'était fait greffer un nez cybernétique en cours de route, dans la navette Schprountz-Terra. Et alors, justement, le nez était tombé en panne à l'atterrissage de la navette et Johnny était allé au magasin où travaillait Julie. Bon, alors, Patricia, quand Johnny l'a rencontrée...''*

Vous avez toutes et tous entendu ce genre de tirade —vous en faites vous-même, nous le faisons tous du matin au soir. Essayez de schématiser l'ordre chronologique des informations dans cet extrait de conversation, et vous constaterez qu'il est pour le moins biscornu.

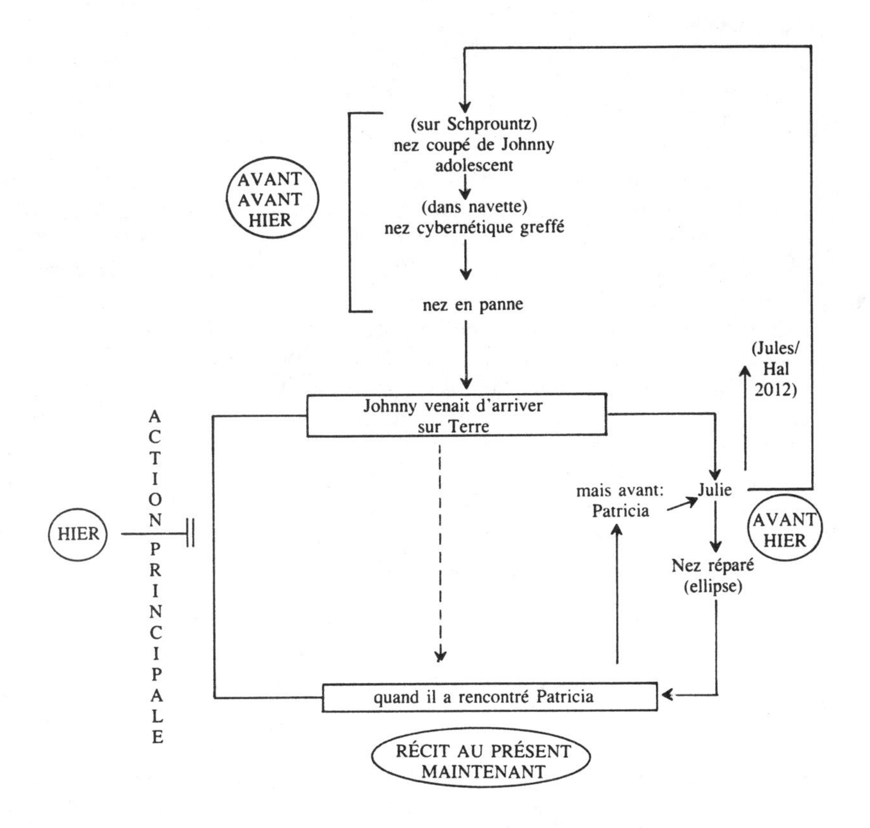

SCHÉMA DES LIGNES TEMPORELLES

Oui, c'est un peu compliqué... Mais c'est qu'on a là en même temps une *pause* dans l'action principale (rencontre Johnny-Patricia), une *pause dans cette pause* (l'évocation de Jules/Julie/Hal 2012), et un *résumé*, avec *ellipses*, d'un morceau de la vie antérieure de Johnny (son nez) pour expliquer la première pause (la rencontre avec Julie, précédant celle avec Patricia). Vous remarquerez en passant le jeu des temps de verbes, pour situer ces différentes époques, ces différents stades du passé: passé composé et plus-que-parfait...

2. La vitesse

Comme pour un morceau de musique, on peut parler de «la vitesse d'exécution» d'un texte. Comme le rythme, elle dépend autant des divers croisements possibles entre durée du récit et durée de l'histoire que du temps choisi pour l'histoire et pour le récit. Et elle entretient elle aussi des relations particulières avec l'ordre chronologique.

On peut se livrer à des contorsions proprement vertigineuses en jouant avec la logique temporelle des événements grâce aux effets rythmiques: pause, sommaire/résumé, ellipse... Mais l'ellipse permet des jeux vraiment très particuliers avec le *temps*. Pourquoi? Parce que les informations qu'on passe sous silence ici, ce sont aussi des morceaux de temps qu'on va remettre en place là en comblant l'ellipse. En effet, à quoi servent dans l'exemple cité plus haut les ruptures de l'ordre chronologique vers le passé (ou rétrospectives)? À fournir sur l'état présent de l'histoire des informations qu'on n'a pas données en temps et lieux, et qu'on croit à tort ou à raison nécessaires à la poursuite de l'histoire.

a) Le retour en arrière

Dans la citation, cette échappée rétrospective ne prend que quelques lignes, mais elle pourrait occuper plusieurs paragraphes, des pages, voire tout un chapitre. Elle deviendrait alors un retour en arrière (en français: *flash-back...),* variété particulière de la rétrospective, elle-même variété particulière de la pause ou du résumé.

Mais toutes les pauses et tous les résumés ne sont pas automatiquement des rétrospectives. Par exemple, si le narrateur omniscient, ou le narrateur aligné, mais surtout des narrateurs bavards, interrompent l'action pour nous donner leur avis ou leurs hypothèses sur ce qui se passe (pause morale, philosophique, politique...), ou s'ils arrêtent le voyage montagnard du héros pour de longues considérations géologiques (pause éducative...), il ne s'agit plus d'échappées hors de l'ordre chronologique, mais bien de simples pauses normales —dont l'utilité pourra d'ailleurs être contestée...

b) L'anticipation

Le retour en arrière ou rétrospective n'est pas la seule sorte de bouleversement possible dans l'ordre chronologique. Il y a son inverse, la rupture anticipative ou... *anticipation:*

> *Il ne se doutait pas que ce nez allait le jeter dans la plus terrifiante aventure de sa vie!* Et autres: *Comment pouvait-il savoir qu'en essayant de rattraper son nez qui se détachait encore une fois, il allait coincer un de ses tentacules dans sa fermeture-éclair-à-voyager-dans-le-temps et que ce tentacule allait partir avant lui pour le 42ᵉ siècle et demi?!*

Comment, en vérité, cher lecteur? Eh bien, Johnny ne le sait pas, mais vous, grâce à l'omniscience si pratique du narrateur, vous le savez. Et alors: ou bien, haletant, vous attendez que s'accomplisse le destin fatal —plein de commisération un peu condescendante, il faut bien le reconnaître, pour ce pauvre Johnny qui ne sait rien alors que vous, vous savez...; ou bien vous envoyez le narrateur omniscient en Enfer, dans le Cercle de Vinaigre où il tiendra compagnie à l'Odieux-qui-vous-raconte-le-film-pendant-que-vous-le-regardez, et à tous les "Moi-je-commence-toujours-par-la-fin-du-livre".

Ces deux réactions possibles vous indiquent assez clairement, je pense, les avantages et les inconvénients des ruptures anticipatives pour que je ne m'y étende pas davantage. Si vous voulez ménager un effet de suspense, de surprise, peut-être vaudrait-il mieux éviter d'écrire ceci:

> *Il ne savait pas que Patricia (l'Étrangleur Fou/le Monstre Aux Yeux Pédonculés:* barrer la mention inutile) *l'attendait au coin de la rue.* Et autres: *Il ne savait pas qu'il allait se passer quelque chose de terrible.*

On est toujours tenté de conclure ce genre de phrase par des points d'exclamation, ou pire: par des points de suspension. J'imagine quant à moi toujours un "hé hé" sardonique du narrateur-manipulateur... Pour en finir avec ce procédé, sachez qu'en jargon du métier cela s'appelle «télégraphier», ou «téléphoner» ses effets... Si on veut ménager le coeur fragile de ses lecteurs, on peut ainsi les prévenir sans cesse à l'avance que *Attention*, tenez-vous bien, il va *bientôt* y avoir une *surprise*!

c) Avantages et inconvénients de l'ordre chronologique

Mais, allez-vous peut-être murmurer timidement, pourquoi ne pas tout simplement suivre l'ordre chronologique? Certes. Comme tout le reste, fendu et défendu, on peut le faire. Mais à moins de raconter une histoire simple et courte ne demandant pas trop d'explications, vous constaterez que le «tout simplement» pose quand même quelques problèmes techniques...

Un des avantages de l'ordre chronologique est en premier d'être une habitude du lecteur, une de ses *attentes*, et on a vu tout le parti qu'on peut tirer de celles-ci. Pour le lecteur qui n'aime pas être déçu dans ses attentes, la narration chronologique semble d'une satisfaisante cohérence: les causes précèdent toujours les effets, par exemple. On peut aussi en tirer des effets intéressants dans le genre «mécanique inexorable des événements», ou «morne déroulement du quotidien» —l'inconvénient du procédé se révélant si vous ne voulez pas obtenir ce genre d'effet...

Mais vous vous rendrez très vite compte que le bouleversement de l'ordre chronologique, dans des limites raisonnables, produit des histoires infiniment plus complexes, plus variées, et souvent plus intéressantes (quoique plus difficiles à manier pour l'écrivain). En effet, c'est le non-respect de la chronologie qui permet le suspense, les coups de théâtre, les contrastes, un récit «musclé» qui donnera du «swing», du mordant, du mouvement, du *rythme* même à une histoire relativement banale.

Et souvent aussi un supplément de sens. J'ai dit plus haut qu'un des plaisirs de l'écriture comme de la lecture de la fiction peut être de créer/découvrir des univers complets, achevés, où toutes les causes et tous les effets sont noués par des fils solides, au contraire de ce qui se passe dans notre existence. Jouer avec l'ordre chronologique nous donne ce pouvoir de nouer les fils normalement distendus par le temps et l'espace, de rapprocher les causes de leurs effets (ou vice versa), et même d'en inventer de nouvelles par des rapprochements arbitraires. Le jeu avec les rythmes et les vitesses par la manipulation de la *durée* des moments ou de leur *ordre*, donne à l'écrivain, et par procuration au lecteur, le plaisir *d'être la cause des effets* —comme Dieu...

d) Fréquence des événements

Une autre catégorie de jeux avec le temps peut contribuer à nous faire définitivement monter la divinité à la tête. Il ne s'agit plus de raconter des événements plus ou moins vite ou plus ou moins à leur place logique, mais plus ou moins *souvent:*

- on peut raconter un événement *une fois*, bien entendu —et donc raconter dix événements différents en leur consacrant à chaque fois un récit différent;
- mais on peut aussi raconter *dix fois un même événement* (en français: «replay»);
- et on peut enfin raconter *en une seule fois dix événements semblables*:

Tous les jours, je me levais de bonne heure, je prenais mon petit déjeuner, j'embrassais Maman et j'allais prendre l'avion-fusée pour le satellite-école...

Cet imparfait constitue ce qu'on appelle fort adéquatement «l'imparfait d'habitude»; on l'utilise en général avec un certain nombre de mots clés: quelquefois... souvent... Essayez-vous à écrire un petit texte de ce genre, et faites la liste de tous les mots clés que vous êtes amené à utiliser.

- on peut enfin raconter *plusieurs fois un seul et même événement...* en changeant de point de vue. C'est un peu ce qui se passe dans une enquête policière: le crime est vu par les divers témoins et reconstitué par l'enquêteur. Ou, plus sophistiqué: vu par l'assassin. Ou par la victime, au fait. Et pourquoi pas par un chat qui passait par là? Bref, c'est un procédé extraordinaire pour traduire la multiplicité des significations possibles d'un événement, «les mille facettes de la réalité», la relativité des notions de vérité et de mensonge...

e) Narrateurs et fréquence des événements

Le procédé est d'usage facile, voire agaçant, avec un narrateur omniscient. D'usage plus délicat avec un narrateur aligné tour à tour sur chaque personnage point de vue: il faut changer de point de vue, et il faut que chaque personnalité soit suffisamment différente (pour la vraisemblance). Mais le procédé redevient d'usage facile avec un narrateur ignorant, surtout s'il «laisse parler les faits» sans les commenter. Et finalement, le procédé est très difficile d'usage, voire impossible avec un narrateur JE.

«Impossible»? J'ai dit «impossible»? «Impossible» n'est pas littéraire, ou presque! Essayez donc de me démontrer que je me trompe...

Votre essai devrait vous avoir amené aux constatations suivantes:

-Si JE vit/raconte vraiment le *même* événement de *plusieurs* façons différentes, c'est qu'il fait usage d'une machine-à-voyager-dans-les-univers-parallèles (c'est-à-dire exactement semblables au nôtre, sauf un nombre variable de détails plus ou moins importants); l'usage de cette machine est illégal dans la littérature «traditionnelle».

-JE non-SF ne peut raconter/vivre le même événement de plusieurs façons différentes que par des détournements du type "JE rêve", ou "JE est un menteur compulsif, un mythomane, un fou"; ou bien "JE lit des lettres, des journaux, etc., dont il n'est pas l'auteur et qui lui présentent sous un autre jour un événement qu'il a déjà vécu." JE raconte alors dans le présent cette autre version de son histoire passée, devenant en quelque sorte lui-même une variante du narrateur aligné: JE s'oriente sur la vision différente que les autres lui offrent de sa propre vie.

> Ce qui me permet de revenir une fois de plus sur les notions de «possible/impossible» dans l'écriture de la fiction: rien n'est vraiment impossible, parce qu'on peut toujours tourner la difficulté. C'est l'intérêt des Règles-et-Lois, des *contraintes*: elles stimulent notre ingéniosité perverse à nous en débarrasser, elles nous forcent à inventer. Quelle meilleure assurance de bien toujours rester dans la fiction?

ENTRACTE
Menu ludique

Cette partie est tout à la fois un «self-service», un magasin des accessoires, un hôpital, une aire de repos ou de divertissement... On peut y venir quand on veut, avec qui on veut, et aussi souvent qu'on veut. *Ce n'est absolument pas un «préalable» aux autres parties.* Chacun est invité à venir y chercher ce dont il a besoin, aussi bien les participants à des groupes/cours/ateliers de création que les animateurs de ces groupes/cours/ateliers, ou les aspirants solitaires à l'écriture de la fiction.

J'ai rassemblé dans cet *Entracte* le plus grand nombre possible de ce que j'appelle des «jeux-exercices». Ils ont un point commun: non seulement ils permettent de se familiariser avec les figures de gymnastique littéraire propres à l'écriture de la fiction, mais ils peuvent aussi contribuer à favoriser le mouvement initial de l'écriture «en général».

Plutôt que de dresser des listes exhaustives de jeux-exercices (j'en aurais sûrement oublié...), j'ai essayé de constituer des catégories qui en soulignent les structures de base: ainsi chacun pourra s'il le désire inventer ses propres variantes.

Je les ai cependant organisés selon une certaine progression, dans l'idée que certains utilisateurs du présent *Guide* pourraient fort bien n'avoir *jamais* écrit, ou pourraient rencontrer divers blocages que j'ai évoqués dans mon *Introduction générale.*

Les jeux de catégorie A visent plus spécifiquement *l'éveil à l'écriture,* en faisant du mot (du sens) le matériau de jeux ne demandant pas une «intense implication personnelle» qui pourrait inquiéter ou rebuter certains participants. Ils permettent de mettre la curiosité en branle, d'assouplir et de perfectionner les capacités d'expression existantes, d'en mettre éventuellement en place de nouvelles... Ce sont en quelque sorte des gammes ou des exercices de réchauffement...

Les jeux de catégorie B sont plutôt destinés à faire prendre conscience de *l'implication personnelle dans l'écriture.* Ils voudraient susciter une réflexion plus approfondie sur la nature et les modalités de cette implication. Ils supposent que le *mouvement d'écrire* soit déjà en grande partie acquis.

Mais il serait peut-être bon qu'on ne se lance pas «à froid» dans tous ces jeux, quelle qu'en soit la catégorie. Une certaine mise en condition est nécessaire, en particulier pour les personnes qui utilisent ce *Guide* dans le cadre d'une institution d'enseignement. Étant donné les conditions de vie en milieu scolaire, au secondaire ou au collégial, il faudrait essayer de ménager une sorte de coupure pour séparer les ateliers de création des autres activités. Une plage de calme, exercices de respiration et de détente, cinq minutes de silence et de relaxation, éventuellement sur fond musical... On peut d'ailleurs rendre plus conscientes ces séances de relaxation et en poursuivre les enseignements *par écrit,* le cas échéant: la présence du corps dans la création littéraire n'est pas à négliger, comme on pourra le constater dans les Jeux B. De telles activités collectives ne peuvent qu'être bénéfiques, d'ailleurs. L'audition en commun d'un morceau de musique, en particulier, peut efficacement rassembler les diverses individualités qui constituent un groupe, et assurer ultérieurement une réponse plus cohérente et plus approfondie aux jeux-exercices proposés.

CHAPITRE IV
Jeux de catégorie A

1. Le «cadavre exquis» et ses variantes

C'est là un jeu qui a été inventé par les poètes surréalistes au début du siècle. À la base de ce jeu, se trouve évidemment la conception de la poésie propre aux surréalistes: pour eux, la beauté (et la beauté poétique) naît essentiellement de *rencontres inattendues.* De ces rencontres, comme de la rencontre de deux silex, jaillit une étincelle nouvelle, qui est la beauté. Cela s'applique aussi bien aux formes et aux couleurs (pour les peintres) qu'aux mots. En effet, ceux-ci sont comme encrassés par un usage trop ancien et trop quotidien: le rapprochement inattendu de mots connus, en les sortant de leur usage familier, leur redonne un sens neuf. Tout le problème consiste à aménager ces rencontres inattendues. C'est entre autres le rôle du «cadavre exquis» et de ses diverses variantes.

a. «Cache-passe» (technique de la feuille pliée)

On écrit une phrase et on passe la feuille à son voisin, en l'ayant pliée de façon à cacher toute la phrase sauf le dernier mot ou groupe de mots. Le voisin écrit sa propre phrase à partir de ce mot ou groupe de mots, plie la feuille, la fait passer, et ainsi de suite.

Voici un texte produit de cette façon en atelier. La ligne en italiques est celle qui restait visible pour le joueur suivant —et déclenchait son «inspiration». Le dernier joueur a écrit les trois dernières lignes.

Me glacer les os devenait primordial
Quand je prenais le mors aux dents
Sur ma main écarlate sont gravées les dents agitées du mort
Qu'une triste incandescence
Raillait sur les rives de ma prison
Dans la cellule mes dents grinçaient
Et mes doigts craquaient pendant
Qu'un doux grattement me venait
Des rats qui partageaient ma demeure
Les sales bêtes à la queu-leu-leu se mordaient la queue
Par les yeux hideux
Quelle saloperie cette tâche qui s'enlise désespérément
Mais le pied au fond du puits trouve la dure vie et rebondit
Vers le soleil
Là furent captées la vitesse et la tonalité
De vos ailes vénitiennes
Tout le jeu du bolo dépend du lastique
Et puis ça casse
Un lastique

Ce qui fascinait les surréalistes, dans le jeu du «cadavre exquis», c'étaient les réseaux de correspondances qui semblaient parfois s'établir entre les joueurs, malgré la part de hasard qui entre dans la rédaction et l'assemblage des phrases. Il y en a plusieurs exemples ici: la thématique de l'enfermement et de la libération (prendre le mors aux dents, la prison/ cellule, les rats, la tâche qui s'enlise/le fond du puits), le mouvement du bas vers le haut, de la noirceur vers la lumière, des profondeurs vers le ciel (''triste incandescence'', ''fond du puits'' ''vers le soleil'', le pied qui ''rebondit'', les ''ailes vénitiennes'' et le ''jeu de bolo''); toute la thématique du corps et de la mort (glacer les os, les ''dents agitées du mort'', le jeu de mot mors/mort/mor(daient), et enfin le ''lastique'' du bolo qui ''casse'', comme le fil trop tendu de la vie se rompt; les os, les dents, la main, les doigts, les yeux, le pied, les ailes... Trois autres textes de la même qualité ont été produits lors de cet atelier, qui rassemblait un groupe restreint (neuf personnes) et qui avait été précédé d'une «mise en condition» (relaxation de cinq minutes). On retrouvait dans tous les textes ces «réseaux de correspondance» produits par le hasard.

Remarque: après les jeux-exercices de ce genre, il est bon d'inviter les joueurs à reprendre individuellement la création collective pour produire chacun *son propre texte.*

b. Production sur demande syntaxique déterminée

Selon un cadre syntaxique déterminé à l'avance par les animateurs ou les participants, et comprenant genre et nombre des noms et adjectifs, temps des verbes, mode de liaison des phrases (coordination ou juxtaposition), voire la ponctuation, chaque participant remplit à son tour la case vide du mot de son choix.

Deux possibilités: ou bien le jeu se fait «à l'aveuglette», seul le meneur de jeu voyant la phrase en train de se faire; ou bien tous les joueurs voient les cases vides se remplir au fur et à mesure. Dans ce dernier cas, on constatera peut-être qu'il y a moins de hasard dans les mots choisis: les *réflexes linguistiques* jouent plus nettement. C'est dans ce jeu par exemple qu'on peut prendre clairement conscience des *clichés*: des expressions toutes faites, des alliances de mots qui sont devenues des réflexes conditionnés.

On peut également faire ce jeu en sens inverse: à partir d'un matériau verbal déjà existant (listes de mots proposés par les participants ou piqués dans un dictionnaire, au hasard ou non), on demande aux joueurs de proposer des structures syntaxiques où intégrer tel ou tel mot/groupe de mots.

L'utilité de ce genre de jeu est multiple: d'une part il fait prendre conscience du fonctionnement «poétique» du langage (Jeu a); d'autre part il fait prendre conscience des *contraintes linguistiques:* les fonctionnements inhérents au langage (par exemple la syntaxe) restreignent peu à peu l'éventail des choix créateurs possibles (Jeu b).

2. Techniques dites «de la nébuleuse»

À partir d'un mot de départ ou *mot inducteur*, on dispose tout autour d'autres mots, par *associations d'idées*. Cela doit se faire le plus vite possible, sans longue réflexion.

- *Oralement et collectivement:* les animateurs inscrivent (au tableau...) les mots suggérés à tous les participants par le(s) mot(s) inducteur(s).

- *Par collage et individuellement:* chaque participant tire individuellement des mots au hasard et les dispose à son gré en «nuages associatifs».

Les animateurs peuvent contrôler plus ou moins le jeu en choisissant le matériau de base. Celui-ci est par exemple pré-découpé dans des textes déjà existants, ou déterminé à l'avance (mots concrets, abstraits, etc.). Mais on peut évidemment aussi laisser les participants associer librement à partir du matériau de leur choix. Ce jeu peut en fait être aussi systématique ou aussi libre qu'on le désire.

Mon premier exemple illustrant ce jeu en explique le nom de «nébuleuse», ou «nuage associatif».

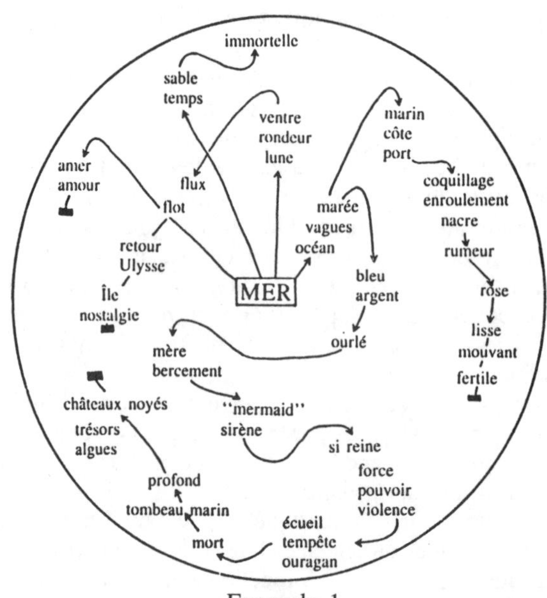

Exemple 1
NÉBULEUSE SUR MOT INDUCTEUR

Mon deuxième exemple montre des étapes successives d'un texte poétique dont la méthode de production s'apparente à la technique de la nébuleuse: soit un ensemble de mots ou groupes de mots prédécoupés, on les rapproche ou on les écarte, on les regroupe selon les associations suscitées, puis on rétablit la correction grammaticale (si on le désire, et quand c'est nécessaire).

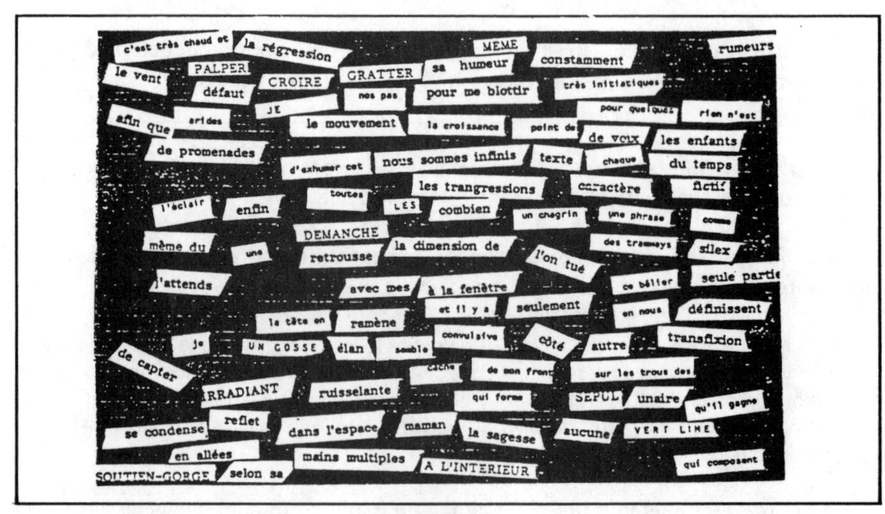

Exemple 2
PHASE A

nous sommes infinis chaud s et IRRADIANT S
les enfants arides du temps avec mes ce ruisse a U
fictif mains multiples une phrase
comme
DEMA IN se cacne qui composent dans l'espace
le vent
JE TE l'on ME tué les trangressions très constamment
caractère initiatiques le mouvement
en allée
en défaut enfin reflet pour me blottir
j'attends de gagner l'éclair même du silex maman à la fenêtre
L'INTERIEUR transfixion L unaire point de chagrin
rien n'est une seule part de mon front aucune humeur convulsive ce SOUTIEN
exhumer toutes se condense nt
c'est CROIRE en nous sur les trous des promenades
pour quelques rumeurs qu'il mène la tête des tramways
seulement un bélier VERT texte élan
de chaque côté il y a combien de capter selon sa voix
la croissance la régression semble autre
qui forme la dimension dU MEME
afin que nos pas définissent la sagesse de PALPER sa GORGE
je

Exemple 2
PHASE B

texte élan
une phrase
pour me blottir dans l'espace
constamment en allée
comme le vent
capter de ce ruisse au
le mouvement
la croissance
selon que sa voix ME semble autre
qui mène la forme
combien de régressions
DEMAIN
rien n'est à nous
CROIRE c'est exhumer les trous
pour quelques rumeurs seulement
JE tue LES caractères
de la tête en défaut
une seule part se cacne
de chaque côté de mon front
il y a la dimension dU MEME
sa transfixion lunaire
initiatique
j'attends de gagner L'INTERIEUR
je PALPE la fenêtre de mes mains multiples
qui composent les trangressions promenades
enfin l'éclair
reflet même du silex
tout se condense
point de chagrin aucune humeur convulsive
nos pas définissent la sagesse
enfants du temps fictif
nous sommes infinis chauds et IRRADIANTS

Exemple 2
PHASE C

Quel est l'intérêt de ce genre de jeu? C'est d'abord d'aider à la constitution d'un précieux *vocabulaire*, si par exemple on systématise la technique de la nébuleuse en l'appliquant à des ensembles de mots (mots décrivant les sensations, les émotions, les saisons, etc.). Et ce vocabulaire devient rapidement un *vocabulaire personnalisé*. Le jeu permet en effet de prendre assez clairement conscience des phénomènes de *connotation* —cette résonnance multiple et très personnelle des mots en chacun de nous, leur(s) sens figuré(s) en plus et au-delà de leur sens propre. On repère assez vite, par exemple, les mots «qu'on aime» et les mots «qu'on n'aime pas»: les *réseaux personnels* de mots/images/sens. Ces prises de conscience, recreusées par l'intermédiaire d'autres jeux-exercices, pourront donner accès à tout un *matériau imaginaire personnel*.

Remarque: au plan strictement matériel, il est plus intéressant et plus pratique de se livrer au collage en disposant du matériel adéquat, c'est-à-dire: papier ciré, mots prédécoupés, collables/décollables (c'est-à-dire mobiles). On peut ainsi percevoir beaucoup plus nettement les processus en oeuvre —quand on «casse» un cliché ou une expression toute faite, par exemple, en défaisant matériellement l'alliance de mots qui les constitue.

3. Les jeux de mots

Ce sont les jeux où on se livre à divers *détournements* dont le résultat est en général de faire glisser un ou plusieurs autre(s) mot(s) (sens), sur le mot initial.

a. Homophones: ce sont des mots qui ont le même *son* mais pas le même *sens*. On avait ainsi, dans le «cadavre exquis» cité plus haut, le glissement de «mors» (aux dents) sur «mort» et sur «mor(daient)».

Vous pouvez vous essayer à en trouver d'autres exemples.

b. Déformations phoniques: il y a par exemple les contrepèteries, qui sont des réarrangements par inversion des syllabes d'un même mot, ou entre plusieurs mots. Ainsi on aura *la Vénus de Milo* dans *le vélo du minus*...

c. Anagrammes: c'est une variante au nom plus digne... Dans les lettres d'un mot peuvent s'en cacher plusieurs autres, qu'on découvrira en recombinant les lettres. Ainsi, dans le simple mot *vampires*, on a une *vraie paire* de *maires* qui sont aussi des *maris*, et qui font un *pari*, qui *varie* selon les jours, sur la chaussure de *vair* que cette *vamp* de Cendrillon a perdue en passant dans un *pré près* de *Paris*. (Je triche un peu avec les accents et la majuscule, mais cela fait partie de l'ingéniosité créatrice...)

Ainsi, dans le «cadavre exquis» présenté tout à l'heure, la ligne «De vos ailes vénitiennes» a certainement été en partie le produit d'une perception anagrammatique de la ligne précédente: "Là furent captées la vitesse et la tonalité"; comparez en comptant le nombre des lettres communes... (En comptant le son, entre autres). Je constate même que l'anagramme s'est fait par croisement: «ailes» dans «tonalité» et «vénitiennes» dans «vitesse»

(...) la v-itesse et la to-n-a-l-i-t-é
de v-os a-i-l-es v-é-n-i-t-i-e-nnes.

Je suggère cette interprétation anagrammatique avec une certaine assurance: la participante qui avait écrit "De vos ailes vénitiennes", c'était moi...

d. Mots-valises et mots-chimères: les détournements et transformations ne sont pas limités aux effets sonores; on peut avoir l'image avec... Je vais en prendre une illustration chez Boris Vian, dans *L'écume des jours* (Paris, Pauvert, 1963: «10/18» n° 115, p. 13). Un de ses personnages a inventé le "Pianocktail":

À chaque note, je fais correspondre une liqueur ou une aromate. La pédale forte correspond à l'oeuf battu et la pédale faible à la glace. Pour l'eau de Seltz, il faut un trille dans les aigus. Les quantités sont en raison directe de la durée: à la quadruple croche équivaut le seizième d'unité. (...)

L'ennui de ce "piano(-co)cktail", c'est que, très logiquement, l'oeuf battu sort sous forme de morceaux d'omelette quand on joue des morceaux de jazz trop rapides, trop «hot»...

Les mots-chimères sont simplement une autre façon de désigner le même phénomène de télescopage d'un mot dans un autre. La chimère est un animal mythologique ayant la particularité d'être composée de morceaux bien reconnaissables d'autres animaux —d'où l'expression «mots-chimères», que j'illustrerai justement par des exemples renvoyant au monde animal. Le «chaméléon» peut être, selon la fantaisie explicatrice de son inventeur, un *caméléon* à deux bosses, ou (c'est ma préférence) un *chat* qui change de couleur selon le coussin sur lequel il dort. Un «tapillon» sera un *tapis* qui vole en battant des ailes, ou un *papillon* suffisamment large et solide pour servir de carpette...

e. Mots croisés et charades

On connaît sans doute les mots croisés (ou le jeu de Scrabble, qui fonctionne sur le même principe). Quant aux charades...

Les empereurs romains défilaient en triomphe sur mon premier
Mon deuxième est l'année du Seigneur en latin
Si vous avez trouvé mon tout, vous savez de quoi on parle
CHARADE

f. Mots pris au pied de la lettre: on en fait ainsi trébucher le sens... J'emprunterai encore mon exemple à Boris Vian, dans l'ouvrage déjà cité (lecture recommandée aux curieux de jeux de mots, et aux autres aussi d'ailleurs):

Il donna à l'homme un pourboire que celui-ci irait sûrement dépenser pour manger, car il avait l'air d'un menteur.

Ou encore cette immortelle réplique d'un élève chahuteur inconnu à son professeur qui l'invitait, furieux, à "prendre la porte": *"Et je la mets où?"*

L'intérêt de ces jeux de mots est lui aussi multiple. D'abord, ils permettent de *désacraliser le langage*, de retrouver devant les mots l'émerveillement, la fantaisie et l'irrespect créateur des enfants. Ensuite, et de nouveau, ils font prendre conscience de l'énorme *pouvoir créateur* des mots en quelque sorte livrés à eux-mêmes. Enfin, si on veut/peut pousser jusque-là à ce stade, ils mettent en lumière le *pouvoir révélateur* des mots dans leur rapport avec l'inconscient —ou au moins le subconscient.

C'est ce qu'indiquent par exemple ces jeux de mots involontaires que sont les *lapsus*: lorsqu'on utilise un mot pour un autre, souvent à cause de leur proximité sonore (mais pas forcément), et que le mot erroné peut trahir une préoccupation secrète... Ainsi «l'analyse sexuelle» pour «l'analyse textuelle» que laissa un jour échapper un professeur de littérature un peu distrait, ou obsédé...

Bivouac panoramique: l'Ouvroir de littérature potentielle (Oulipo)

Toutes les manipulations auxquelles on se livre sur des mots isolés, on peut également s'y livrer sur des *phrases* voire des *textes entiers*.

Je vais m'aider ici d'un ouvrage intitulé *OULIPO, la Littérature Potentielle, ouvrage collectif du Collège de pataphysique* (Paris, Gallimard, coll. «Idées» n° 289, pp. 154, 157, 158, 239, 242) (Boris Vian en faisait partie...), d'où j'extrais les suggestions les plus directement utilisables comme jeux-exercices de catégorie A.

Et d'abord, pour donner une idée du ton général de l'ouvrage, plutôt guilleret —ce qui est fort approprié à des jeux... — voici un exemple bilingue de *déformation phonique* à tiroirs. Se promenant au zoo et songeant à un vers célèbre du poète anglais Keats, le mathématicien et pataphysicien François Le Lionnais a cette inspiration:

A thing of beauty is a joy forever. (Keats)

Un singe de beauté est un jouet pour l'hiver. (Le Lionnais).

Ce qui inspira d'ailleurs par la suite à un collègue pataphysicien de Le Lionnais, et en hommage à celui-ci:

Ah, singe débotté, hisse un jouet fort et vert! (Marcel Bénabou).

Des erreurs de frappe m'avaient quant à moi fait dire initialement à Le Lionnais:

Un signe de beauté est un fouet pour l'hiver.

Si on écrit toutes ces phrases en-dessous les unes des autres, on peut facilement repérer les processus de déformation mis en oeuvre:

A thing of beauty is a joy forever.
Un singe de beauté est un jouet pour l'hiver.
Un signe de beauté est un fouet pour l'hiver.
Ah, singe débotté, hisse un jouet fort et vert.

Les pataphysicisiens ont quelques autres jeux intéressants dans leurs manches.

4. «Oulipismes» divers

a. Lipogrammes

Je n'indique les noms savants, comme le font d'ailleurs leurs utilisateurs pataphysiciens eux-mêmes, que pour faire sérieux...

On essaie d'écrire une phrase, ou plusieurs, en excluant une lettre donnée (ou plusieurs), ce qui oblige à chercher d'autres mots ne contenant pas la lettre exclue...

Ainsi, Georges Pérec a écrit les 312 pages de *La disparition* sans la lettre E. Voici un paragraphe extrait de la postface (Paris, Denoël, 1969; reproduit dans *Oulipo, op. cit,* p. 95). Surveillez les E (ou plutôt leur absence...)

Ainsi naquit, mot à mot, "noir sur blanc", surgissant d'un canon d'autant plus ardu qu'il apparaît d'abord insignifiant pour qui lit sans avoir la solution, un roman qui, pour biscornu qu'il fût, aussitôt lui parut (à l'Écrivain, à l'autEur, rebaptisé en l'occurrence et en latin «Scriptor» NDLA) *plutôt satisfaisant: d'abord, lui qui n'avait pas pour un carat d'inspiration (il n'y croyait pas, par surcroît, à l'inspiration!) il s'y montrait au moins aussi imaginatif qu'un Ponson* (Ponson du TErrail, feuilletonniste délirant du 19ème siècle, NDLA) *ou qu'un Paulhan* (JEan Pauhlan, respectable romancier du 20ème siècle, NDLA); *puis, surtout, il y assouvissait, jusqu'à plus soif, un instinct aussi constant qu'infantin (ou qu'infantil): son goût, son amour, sa passion pour l'accumulation, pour la saturation, pour l'imitation, pour la citation, pour la traduction, pour l'automatisation.*

Quel est l'intérêt de ce jeu? Comme beaucoup d'autres Jeux A, il est dans l'effort demandé au joueur pour s'accommoder d'une règle du jeu plus ou moins contraignante: celle-ci oblige à un certain nombre de détours, et ces détours peuvent faire rencontrer en route des façons inhabituelles, originales ou pittoresques de s'exprimer, qu'on n'aurait presque certainement jamais imaginées sans eux.

b. Littérature définitionnelle (ou «technique de la boule de neige»)

Dans une phrase donnée, on substitue à chaque mot sa définition dans un dictionnaire. On fait subir le même traitement à la phrase ainsi obtenue, et ainsi de suite.

En illustration, voici la version, faite par Raymond Queneau (autre illustre pataphysicien, et de surcroît écrivain), du célèbre sonnet de Gérard de Nerval, "El Desdichado", dont je rappellerai seulement le premier quatrain:

Je suis le ténébreux, le veuf, l'inconsolé,
Le Prince d'Aquitaine à la tour abolie;
Ma seule étoile est morte, et mon luth constellé
Porte le soleil noir de la mélancolie.

Et voici la traduction de Queneau, aidé d'un dictionnaire:

Je suis celui qui est plongé dans les ténèbres, celui qui a perdu sa femme et n'a pas été consolé, celui qui possède une souveraineté sur une contrée de l'ancienne Gaule cor-

respondant à peu près au bassin de la Garonne, et dont sa sorte de bâtiment de forme ronde ou carrée est supprimée; mon astre fixe qui brille par sa lumière propre et qui est sans compagnie a cessé de vivre, et mon ancien instrument de musique à cordes parsemé d'étoiles soutient le poids, la charge, de l'astre lumineux au centre des orbites de la Terre et des planètes, (astre) de l'état morbide de tristesse et de dépression.

L'intérêt de ce jeu-là ne réside pas seulement dans le traitement quelque peu irrespectueux qu'il permet de faire subir à des textes possiblement momifiés par la vénération de générations de critiques littéraires. Il réside aussi dans le fait qu'il *produit du texte* sans intervention d'une quelconque inspiration, ce qui est bien pratique pour *débloquer* les aspirants-écrivains en proie à la fameuse «angoisse de la page blanche», aux «pannes d'inspiration». C'est aussi une ressource intéressante lorsqu'on se demande comment «étoffer» un texte trop sec, trop pauvre ou trop court. Bien évidemment, on ne peut pas toujours utiliser *intégralement* les définitions du dictionnaire —comme on a pu le constater plus haut, cela donne un «style» assez particulier... Mais c'est un *outil de production* à ne pas négliger.

c. Technique «M + ou − n»

Toujours dans une phrase donnée (ou des phrases), on remplace les mots (M) par d'autres mots de même genre et nombre relevés dans un dictionnaire, à une distance variable (n) du mot de départ. On peut remplacer seulement les substantifs: on aura alors «S + ou − n», ou les adjectifs («A + ou − n»), ou les verbes («V + ou − n»). Si on a par exemple choisi un «S + 7», on va aller chercher le septième mot après (S) dans un dictionnaire; si ce mot n'est pas un substantif, ou si c'est un substantif de genre différent de (S), on ira chercher le premier mot adéquat après ce septième mot.

Qu'on ne se laisse pas rebuter ou intimider par l'apparence mathématique du procédé: il s'agit pour les Oulipistes de démystifier quelque peu la «Littérature Création Subjective et Inspirée Nécessitant des Êtres Exceptionnellement Doués» —les écrivains, poètes et autres professionnels-spécialistes. Avec les méthodes de l'Oulipo, l'écriture devient accessible à tous, la littérature se démocratise...

En première illustration, un autre passage à la moulinette du même sonnet de Nerval (qui a décidément beaucoup inspiré Queneau). En se donnant la contrainte supplémentaire de respecter les sonorités et le mètre alexandrin de ces vers, Queneau obtient ceci:

El Desdonado
Je suis le tensoriel, le vieux, l'inconsommé,
Le printemps d'Arabie à la tourbe abonnie;
Ma simple étole est molle, et mon lynx consterné
Pose le solen noué de la mélanémie.

On peut aller vérifier dans un dictionnaire; mais Queneau n'indique pas celui dont il s'est servi; les résultats peuvent être assez différents avec un dictionnaire en sept volumes et le *Petit Robert*...

En deuxième illustration, voici les étapes successives d'un jeu de ce type en atelier. La phrase de départ était tirée de Marcel Proust, *À la recherche du temps perdu,* Tome I, *Du côté de chez Swann:*

> *Parfois ce morceau de paysage amené ainsi jusqu'à aujourd'hui se détache si isolé de tout, qu'il flotte incertain dans ma pensée (...) sans que je puisse dire de quel pays, de quel temps —peut-être tout simplement de quel rêve— il vient.*

On s'est d'abord livré à un «V - 6». Le dictionnaire utilisé était le *Petit Robert.*

> *Parfois ce morceau de paysage aménagé ainsi jusqu'à aujourd'hui se désunit si irrité de tout, qu'il flocule incertain dans ma pensée, sans que je pousse diplômer de quel pays, de quel temps —peut-être tout simplement de quel rêve— il venge.*

On voit la difficulté rencontrée: "je pousse diplômer" rend la fin quelque peu incohérente. Les participants ont alors choisi différentes solutions: garder "pouvoir dire", ou se livrer à quelques modifications créatrices de la règle du jeu; par exemple: "...sans que je pousse. Diplômé de quel pays, de quel temps —peut-être simplement de quel rêve— il se venge."

Mis en appétit, on a alors décidé de faire subir au texte second une autre opération, de type «S + 8», ce qui a donné ceci (je transcris tout de suite la version «arrangée»):

> *Ce mordillage de péan aménagé ainsi jusqu'à aujourd'hui se désunit, si irrité de tout, qu'il flocule incertain dans ma pentapole sans que je puisse dire de quel péage, de quel tendoir —peut-être tout simplement de quel réveillonneur— il se venge.*

Nous nous sommes laissé ensuite toute latitude individuelle de déformer phoniquement le passage collectivement obtenu, et j'ai d'abord, quant à moi, produit le texte intermédiaire suivant:

> *Ce mort, coquillage de néant à peine âgé, un si juste atour luit, se dessine, cire ratée de tout ce qui cumule, un cerf teint dans ma pente à épaule, sans queue. Puis darder, callypige, caltemboire —fenêtre où s'emploie mon coeur, éveil, honneur —île sauvage.*

Ce qui a donné en texte final:

> *Cette mort, coquillage de néant à peine âgé, s'ajuste autour de lui, se dessine, cible ratée de ce qui s'accumule, se serre, sent le temps dans la pente. Ah! épauler, sans jeu! Puis s'attarder (le tigre a le temps de boire), à la fenêtre où s'emploie mon coeur, et veille —honneur, île sauvage.*

On peut comparer ce résultat et les processus mis en oeuvre avec ceux de la deuxième illustration de la «nébuleuse».

Comme on peut en juger, l'intérêt de ce jeu (comme de presque tous les autres), c'est de fournir un matériau de départ qui peut servir de *déclencheur* à l'imaginaire. Ceux que paralyse la feuille blanche, ou l'injonction d'écrire «n'importe quoi, ce qui vous passe par la tête» sont assurés de retrouver ainsi le mouvement d'écrire. Cela commence par un jeu assez «mécanique» sur des matériaux qu'on n'a heureusement pas à fournir soi-même (évitant ainsi la page blanche et son angoisse); puis, très vite, à mesure justement qu'on se prend au jeu, les capacités créatrices se débloquent; on peut bientôt se mettre (ou se remettre) à écrire, soit à partir du matériau transformé soit sur autre chose, un matériau personnel auquel ce matériau premier aura donné, (ou redonné) accès.

d. Permutations

Dans un texte donné, on intervertit de façon plus ou moins complexe les substantifs et les adjectifs.

Les illustrations suivantes ont été composées à partir d'un quatrain de Racine (ce procédé fonctionne particulièrement bien avec la poésie régulière). Voici d'abord le quatrain original:

Tandis que le sommeil réparant la nature
Tient enchaînés le travail et le bruit,
Nous rompons ses liens, ô clarté toujours pure,
Pour te louer dans la profonde nuit.

Ce qui donne, en *permutations plates:*

Tandis que la nature réparant le sommeil
tient enchaînés le bruit et le travail,
nous rompons ses clartés, ô lien toujours pur,
pour te louer dans les profonds liens,

Puis, en *permutations alternées:*

Tandis que le travail réparant le bruit
tient enchaînés le sommeil et la nature,
nous rompons sa nuit, ô clarté toujours pure,
pour te louer dans les profonds liens.

En *permutations embrassées:*

Tandis que le bruit réparant le travail
tient enchaînés la nature et le sommeil,
nous rompons sa nuit, ô clarté toujours pure,
pour te louer dans les profonds liens.

En *permutations par les extrêmes* (ou «permutations rousselliennes», du nom de Raymond Roussel, auteur du début du 20e siècle et honoré par les Oulipistes comme un précurseur):

Tandis que la nuit réparant la clarté tient enchaînés nous-mêmes et nos liens, nous rompons le bruit, ô travail toujours pur, pour louer la nature dans le profond sommeil.

Et enfin en *permutations (S)ubstantifs-(V)erbes:*

Tandis que le réparateur sommeillant du tenon naturaliste travaille et ébruite les chaînes, nous aliénons sa rupture, ô clarté toujours pure, pour l'approfondir dans la louange nocturne.

On voit comment des *sens nouveaux* sont générés par les manipulations relativement simples mais systématiques des textes. Faire prendre conscience de ces possibilités, c'est une des utilités de ce jeu. Même les textes apparemment les plus banals, peuvent, ainsi travaillés, révéler des trésors cachés...

e. Manipulations lexicographiques (vocabulaire) et syntaxiques (grammaire)

-«*Inventaire*»

On extrait d'un texte source tous ses substantifs (et/ou tous ses adjectifs) et on reconstitue avec eux un texte dérivé. Voyons ce que cela donne avec un sonnet de Baudelaire, ''L'ennemi'' (dans *Les fleurs du mal*, Paris, «Garnier - Flammarion» n° 7, p. 44), dont voici d'abord le texte original:

Ma jeunesse ne fut qu'un ténébreux orage,
Traversé çà et là par de brillants soleils;
Le tonnerre et la pluie ont fait un tel ravage
Qu'il reste en mon jardin bien peu de fruits vermeils.

Voici que j'ai touché l'automne des idées,
Et qu'il faut employer la pelle et les rateaux
Pour rassembler à neuf les terres inondées
Où l'eau creuse des trous grands comme des tombeaux.

Et qui sait si les fleurs nouvelles dont je rêve
Trouveront dans ce sol lavé comme une grève
Le mystique aliment qui ferait leur vigueur?

—Ô douleur! Ô douleur! Le Temps mange la vie,
Et l'obscur Ennemi qui nous ronge le coeur
Du sang que nous perdons croît et se fortifie!

On a extrait les groupes nominaux; le résultat est un poème... impressionniste:

Ma jeunesse, un orage
De(s) soleils,
Le tonnerre, la pluie, les ravages,
Mon jardin, de(s) fruits,
L'automne, des idées,
La pelle, les rateaux,
Les terres,
L'eau, les trous, les tombeaux,
Les fleurs,
Ce sol, une grève,
L'aliment, la vigueur,
Douleur, douleur, le Temps, la vie,
L'Ennemi, le coeur,
Du sang.

Un «inventaire» peut servir à des manipulations ultérieures, bien entendu. On peut en inclure plusieurs dans le jeu-exercice suivant.

-«*Homosyntaxisme*»

C'est la version «oulipiste» d'un jeu-exercice déjà décrit. On se donne une structure syntaxique relevée dans une phrase choisie au hasard dans un texte. Par, exemple, dans la phrase de Proust citée plus haut: *Parfois ce morceau de paysage amené jusqu'à aujourd'hui se détache si isolé de tout, qu'il flotte incertain dans ma pensée sans que je puisse dire de quel pays, de quel temps —peut-être tout simplement de quel rêve— il vient.;* on a la structure suivante (S étant les substantifs, A les adjectifs et V les verbes):

S S V V V V A S V V S S S V

On est évidemment libre d'introduire les mots-outils de son choix (prépositions, conjonctions, négations...) ainsi que les pronoms, genres et nombres dans les groupes nominaux, temps des verbes et ponctuations qu'on désire.

Si donc nous allons chercher nos substantifs, nos adjectifs et nos verbes dans l'ordre où nous les présentait le poème de Baudelaire (sortis à l'aide d'un «inventaire» complet), et si on se limite au matériau issu seulement des deux premiers quatrains (S: jeunesse, orage, soleils, tonnerre, pluie, ravage, jardin, fruits, automne, idées, pelle, rateaux, eau, trous, tombeaux; A: ténébreux, brillants, vermeils, grands; V: être, traverser, faire, rester, toucher, employer, rassembler, inonder, creuser), on obtient ceci:

La jeunesse, comme l'orage, est traversée; on ne la fait pas rester ténébreuse: les soleils, bien que touchés par le tonnerre et la pluie, s'y emploient.

On n'est nullement obligé de suivre comme je l'ai fait l'ordre dans lequel un texte présente son matériau. J'aurais tout aussi bien pu produire cet autre «homosyntaxisme»:

Le tonnerre de l'idée s'est rassemblé; il croît et rêve, ténébreusement mystique; le temps le traverse et le ronge, mais le sang de la douleur le fortifiera.

Ou encore:

Les fruits du tonnerre se sont rassemblés; ils croissent en rêvant, obscurs. Le soleil les touchera sans les trouver, et les pluies du temps les traverseront.

-«*Textes-chimères*»

On a vu plus haut le principe de base de la «chimère»: télescopages d'éléments entre eux. Ici, on va chercher trois textes de genres différents (par exemple: extrait de fiction, extrait d'éditorial politique, extrait de manuel scientifique). On tire du texte A tous ses substantifs, du texte B tous ses adjectifs, du texte C tous ses verbes et adverbes. On reconstitue ensuite un texte D en recombinant ces matériaux (avec les mêmes libertés et/ou contraintes que précédemment).

Je ne donne pas d'illustration de ce procédé; il est assez évidemment une variante de l'inventaire. Il a le même intérêt et la même utilité que tous les autres jeux A:

il aide à *produire du texte*, et il le fait en obligeant à un *effort* et à une *recherche* qui sont autant de salutaires gymnastiques pour les muscles de la création verbale.

Pour terminer en beauté, et toujours dans le ton guilleret qui s'impose, cette partie consacrée aux recherches systématiques des Oulipistes (je n'en ai présenté qu'une infime partie; se reporter à l'ouvrage cité), voici quelques extraits du *Petit abécédaire illustré* de Georges Pérec:

> *Devant les vitrines de Noël d'un grand magasin, un bambin manifeste son scepticisme ou son dégoût pour la plupart des jouets, et montre que ce qu'il a l'intention de se faire offrir, c'est une magnifique bicyclette dont la forme rappelle curieusement celle des premiers véhicules de ce genre: "Bah! Beh! Bi beau: but."*
>
> *Dans un salon, les dames papotent au sujet de l'adultère: caquet:* qui cocu?

Ou encore:

> *Un passant remarque qu'il est tout à fait exceptionnel d'entendre des gens rigoler dans la rue: "Rare est rire aux rues".*

Il y a vingt-six lettres dans l'alphabet. On peut exercer sa propre ingéniosité tout à loisir...

Conclusion: contraintes et liberté créatrice

J'ai essayé d'indiquer l'intérêt général des jeux-exercices présentés dans cette partie, mais je tiens à souligner de nouveau que, s'ils peuvent servir éventuellement *d'introduction à l'écriture*, ils peuvent aussi servir comme *outils d'appoint* à une étape ou à une autre du présent *Guide*, au cours de l'exploration de la fiction — c'est-à-dire pendant la rédaction de textes plus longs et d'une autre nature que les productions (généralement dans le genre poétique) qui illustrent les procédures proposées.

Ainsi, la technique de la «nébuleuse» peut aider à la création d'un personnage, d'un décor, voire d'une histoire toute entière, individuellement ou collectivement. La technique des jeux de mots et les divers oulipismes sont utiles pour donner de la texture à un paragraphe ou à une histoire complète, plutôt dans son écriture (au plan de la phrase), que dans la structure du récit lui-même, cependant.

> Mais se livrer à des permutations dans l'agencement projeté du récit, à l'étape du «scénario», peut ouvrir des horizons inattendus et intéressants. On peut même écrire une histoire entière à partir d'un simple jeu de mot: par exemple, une histoire de SF à partir d'une «prise au pied de la lettre» de l'expression *C'est un passe-temps...*

On peut se servir des découpages suivis de (re)collages pour réécrire des passages jugés non satisfaisants parce que «clichés» ou «banals»; de mots inducteurs ou d'oulipismes encore pour donner de la substance, de la couleur, de la «personnalité» à un passage ou à un texte tout entier... J'ai donc essayé de renvoyer à tel ou tel jeu au fil des autres parties du *Guide*.

Tous ces jeux-exercices de catégorie A devraient de surcroît amener à deux importantes prises de conscience. La première, c'est qu'il n'est nullement besoin d'être un Écrivain Patenté pour produire du texte/du sens. *Il existe, à l'intérieur même du langage, des ressources de création pour ainsi dire automatiques.*

La deuxième, c'est que, simultanément, le langage comporte des *contraintes*, et que *ses ressources et ses contraintes sont indissolublement liées*. «L'incapacité totale à écrire», comme «la liberté totale de l'écriture» sont donc deux mythes, voire deux mystifications qu'il faudrait peut-être dénoncer. (On peut s'en rendre aisément compte avec les jeux de catégorie A.) C'est en effet lorsqu'on n'a pas conscience d'une contrainte qu'on risque le plus d'en demeurer prisonnier, alors que l'effort fait pour s'en libérer peut être extraordinairement fécond. Bien entendu, là comme ailleurs, c'est une question de dosage: il y a pour chacun un seuil de contraintes à ne pas dépasser...

Je terminerai en proposant à la réflexion cette hypothèse adaptée d'une déclaration de Paul Valéry: *Est artiste celui que les contraintes dynamisent; ne l'est pas celui que les contraintes paralysent.*

Post-scriptum pratique: la machine à récits

Pour en terminer avec les jeux-exercices qui font pour ainsi dire produire automatiquement du texte, je voudrais vous en présenter un qui peut très spécifiquement aider à produire de la fiction, c'est-à-dire des «histoires en prose» (c'est après tout le but premier de ce *Guide*...).

Il s'agit d'un procédé encore expérimental élaboré par P.-A. Arcand, poète et professeur à Québec. Il est déjà l'inventeur d'une «machine à mots» à l'aide de laquelle il est en train de faire composer «Le Plus Grand Livre de Poésie du Monde», par des centaines de gens appelés à collaborer à ce projet dans les centres commerciaux, les salons du livre, les halls de gare, les rues... (Si on veut participer, écrire aux éditeurs de ce *Guide*, qui feront suivre.) Le texte illustrant une variante de la «nébuleuse» a été produit par exemple grâce à sa «machine à mots» (le matériau avait été découpé dans la revue *La Nouvelle Barre du Jour*). Ce qui intéresse ici, c'est l'adaptation que P.-A. Arcand a essayé de faire de sa «machine à poésie» en machine à récits.

On commence par choisir un certain nombre de livres dans des genres divers (P.-A. Arcand suggère 60% de fiction, 20% de journaux et revues, 20% d'essais littéraires, philosophiques, scientifiques, politiques, etc.). On ouvre ces livres au hasard et on pique *une ligne* par page (pas «une phrase», mais une ligne, telle que la présente la typographie du livre). On transcrit ces phrases telles quelles les unes sous les autres.

Lorsqu'on a ainsi transcrit environ une centaine de lignes, on les découpe en languettes, afin de les rendre plus aisément manipulables (important, la mobilité, pour le jeu...).

Et alors on *joue* avec elles: on les étale sur un plan de travail, on les lit en vrac comme elles se présentent, à la suite les unes des autres, de haut en bas ou de gauche à droite; ou bien on commence tout de suite à les organiser comme on en a envie: on se livre à des permutations par déplacement physique des languettes de papier, on sélectionne en retenant ou en écartant telle ou telle ligne... On peut aussi décider de retenir telle partie de telle ligne avec telle partie de telle autre ligne... On détermine soi-même, en fait, ses propres règles du jeu.

On obtient finalement une sorte de texte lacunaire, dont on va essayer de remplir les trous en rétablissant d'abord la simple cohérence des phrases (homogénéisation des genres, nombres, temps, personnes des verbes, (r)établissement de liaisons syntaxiques entre les phrases, ponctuation, etc.)

Et on essaie de le faire en construisant une *histoire* dans ces trous entre les phrases: descriptions, personnages, événements, une *intrigue* en somme, qui est en quelque sorte la partie cachée d'un iceberg dont les phrases reconstituées à partir des lignes seraient la partie émergente.

On peut se fixer soi-même la longueur de texte à produire en déterminant le pourcentage de lignes à finalement utiliser dans le texte final. Avec une centaine de lignes au départ, on peut obtenir un texte d'une demi-douzaine de pages —ou de bien plus: tout dépend de la quantité de texte pour relier les phrases entre elles. Le texte n'a cependant pas absolument à être une histoire complète. Il peut constituer un chapitre, ou un extrait de chapitre, dans une histoire potentielle... qu'il resterait ensuite à écrire!

CHAPITRE V
Jeux de catégorie B

Rappel: il ne s'agit nullement d'une progression obligatoire.

Ces jeux-exercices visent plus spécifiquement à susciter une réflexion personnelle ou collective sur l'implication de l'écrivain dans son écriture. Ils demandent une concentration plus poussée que les jeux de la catégorie précédente, et la phase importante de l'expérience, ici encore, et plus peut-être que précédemment, est celle de la *mise en commun* et de la *discussion* des textes produits. Les textes sont produits sur place, en un temps limité que j'indiquerai pour chaque jeu —mais les animateurs sont invités à adapter ces durées à leur groupe.

Rappel: et ici encore, il est essentiel que les animateurs jouent le jeu comme les autres participants des groupes, chaque fois que c'est possible. Le lecteur est invité à se livrer au jeu avant d'aller lire l'encadré qui lui fait suite.

Jeu 1

Après l'expérience d'une sensation (voir, entendre, toucher, goûter, sentir), (d)écrire immédiatement cette sensation pendant dix minutes, avec toutes les associations de mots/idées/images/émotions qu'elle aura éventuellement suscitées. (C'est un peu comme avec les «mots inducteurs», mais on essaie de produire *un texte continu* et non des listes de mots.)

On prendra rapidement conscience du fait que chaque participant tend à privilégier tel ou tel sens, c'est-à-dire à percevoir son environnement à travers telles ou telles sensations, et à utiliser de façon privilégiée le vocabulaire et le dynamisme propre à tel ou tel sens (la vue peut être par exemple moins «active» que le toucher ou le goût...). Chaque participant prendra sans doute également conscience de ses préférences ou aversions (ou indifférences) en matière de sensations.

Jeu 2

Écrire pendant cinq ou dix minutes («ce qui passe par la tête», ou un passage recopié dans un livre, selon les participants), en essayant d'avoir conscience des *sensations physiques provoquées par l'acte d'écrire.* Ceci constitue la première phase du jeu.

Immédiatement après, la deuxième phase consiste à (d)écrire ces sensations avec toutes les associations de mots/idées/images/émotions qu'elles suscitent.

On peut alors prendre conscience de la *présence du corps dans l'écriture*, présence d'autant plus importante qu'elle est secrète, masquée, voire ignorée: la création littéraire est généralement considérée comme une activité «purement intellectuelle», et comme telle non soumise aux humeurs, aux caprices, aux contraintes physiques. Mais elle se situe en réalité à l'interface corps/esprit, et le corps en tant que tel intervient donc comme matière autant que comme agent de l'écriture, d'une façon qu'il appartient à chaque participant d'explorer.

Jeu 3

Écrire pendant dix minutes, de la main gauche si on est droitier, de la main droite si on est gaucher, toujours «n'importe quoi», ou un texte qu'on recopie.

Ensuite, pendant quinze minutes, on essaiera de (d)écrire les associations de mots/idées/émotions qui ont accompagné la rédaction.

Le corps, on s'en rendra alors sans doute compte, a une mémoire, et cette mémoire du corps est le fil conducteur, ou inducteur, qui relie la conscience aux couches sous-jacentes de l'imaginaire. Proust (encore lui...) a écrit des pages célèbres sur les souvenirs d'enfance que lui restitue, avec une précision presque magique, la sensation gustative d'un biscuit trempé dans du thé.

Mais pas besoin d'être Proust. Lors d'un jeu-exercice de ce genre, dans un atelier auquel je participais, certains droitiers avaient éprouvé un intense plaisir à écrire de la main gauche. Pour moi, l'effort physique, la contrainte de la posture elle-même, m'avaient agréablement ramenée à mon premier apprentissage de l'écriture (qui avait été pour moi une expérience merveilleuse, très positive). Et aussi le simple fait de voir les lignes produites, identiques justement à l'écriture enfantine: lettres mal formées, lignes qui se tortillent... D'autres participants, au contraire, ont terminé l'exercice dans un état de malaise ou de mécontentement, parce qu'il les renvoyait à un apprentissage pénible, en particulier ceux qui avaient été des gauchers contrariés...

C'est évidemment le point commun de ces trois jeux-exercices: apprendre à prêter attention aux signaux du corps —ce qui a une portée générale dans la vie, mais aussi une portée toute particulière dans l'écriture, sinon pour son usage personnel du moins pour un usage littéraire, quand on désire donner un *corps à ses personnages...*

On se rend sans doute compte que de «jeux-exercices», on est en train de passer à des «expériences personnelles.» Il peut parfois être difficile de les partager avec autrui dans le cadre d'un groupe. Je rappelle à ce propos que si le partage pour discussion en commun est vivement souhaitable, il ne doit pas devenir une tyrannie ni une inquisition...

Les contraintes

Les trois «expériences» précédentes, donc, commençaient à explorer la part des contraintes dans le processus d'écriture. Contraintes *physiques*, d'abord, soit d'origine *externe* (les sensations), soit *intériorisées* (la mémoire du corps). L'expérience qui va suivre peut permettre d'approfondir ce concept des contraintes.

Jeu 4

Imaginer un obstacle, et le décrire (vingt à trente minutes).

Deuxième phase: on vient à bout de l'obstacle. (D)écrire comment (vingt à trente minutes).

Toujours dans cet atelier auquel j'assistais comme participante, certains se sont alors rendu compte qu'ils ne parvenaient pas à obéir à cette règle du jeu. Ils imaginaient des solutions qui étaient des détournements de l'obstacle, ou une négation de sa nature d'obstacle, ou même, très explicitement, ils échouaient à vaincre l'obstacle. Mais très peu s'en étaient rendu compte en écrivant. C'est seulement lors de la discussion en commun qu'ils en ont pris conscience. Chacun s'est alors interrogé sur la signification symbolique de l'obstacle qu'il ou elle avait choisi de décrire, et sur la possible portée de leur difficulté à en venir à bout.

Nous sommes finalement arrivés à la conclusion suivante: ce qui était en jeu, c'étaient encore des contraintes. Non plus des contraintes physiques, mais des contraintes *morales*. En effet, aucun de nous n'avait utilisé la violence pour vaincre son obstacle, alors même que celle-ci aurait pu paraître légitime (un des participants s'était imaginé enfermé par hasard dans une pièce...).

C'était donc qu'il existait en chacun de nous des contraintes proscrivant la violence, des *inhibitions*, des *tabous*.

Une autre expérience peut encore faire prendre conscience des contraintes *internes*.

Jeu 5

Écrire n'importe quoi n'importe comment, pendant quinze minutes.

À ce moment-là, dans notre atelier, ce fut la panique. Seuls un ou deux participants, un grand sourire ravi sur les lèvres, se mirent à écrire tout de suite. Les autres demandèrent: ''Comment, n'importe quoi?!''

Vous aurez peut-être déjà rencontré le problème suscité par le «n'importe quoi, ce qui vous passe par la tête»: la «panne d'inspiration» —les jeux A sont là en partie pour aider à surmonter ce problème. Mais ce qui préoccupait mes camarades, dans cet atelier, c'était le «n'importe *comment*» bien plus que le «n'importe *quoi*»... Pas de ponctuation? Pas de lien logique entre les phrases? Des gros mots? Des dessins? Pas de suite dans les lignes, on écrit n'importe où? Voilà quelques-unes des questions qui furent posées. L'animateur répondit en souriant: «Tout ça. N'importe quoi. Vous pouvez faire absolument *tout* ce que vous voulez, démantibuler le langage et l'écriture, piquer une grosse colère contre eux si vous le voulez, N'IMPORTE QUOI.»

Quelle enivrante liberté, n'est-ce pas?

Eh bien, non! Lorsque nous avons comparé nos textes, ensuite, nous avons réalisé que personne —absolument personne— n'avait fait subir au langage et à l'écriture la «démantibulation» définitive, celle qui consiste à ne rien écrire, à laisser la page blanche. Personne non plus n'avait écrit l'alphabet au hasard sur sa feuille, ou quelques lettres, ou une seule lettre. La consigne «Écrivez n'importe quoi n'importe comment» avait d'abord été perçue comme un *ordre incontournable d'écrire*, appuyé par l'autorité de l'animateur... Oh! presque tout le monde s'était bien amusé, avec une allégresse parfois vengeresse, à mêler texte et dessins, à faire des «fôts d'aurteaugrafe», à écrire des sacres (soigneusement calligraphiés en lettres majuscules...), à écrire de travers, à l'envers, ou dans tous les sens. On s'était libéré, défoulé, par rapport à *certai-*

nes contraintes sociales de correction du langage et de l'écriture, mais tout le monde avait obéi à la contrainte *morale* la plus profonde: *le respect de la figure de l'Autorité, l'obéissance à la manifestation directe de l'Autorité,* à l'ordre du Prof...

Et moi? Moi, je n'étais vraiment pas contente. L'idée de «démantibuler le langage» m'avait tout simplement rendue furieuse: j'ai commencé par refuser d'écrire... non pas parce que j'avais compris que ce serait là la façon la plus radicale de suivre la consigne, mais tout simplement parce que j'étais furieuse! Cependant, au bout de quelques minutes, la pression devenant trop forte, je me suis mise à écrire, et... même furieuse, j'ai essayé *d'obéir à la consigne*! J'ai essayé de jouer le jeu, d'écrire «n'importe comment»... Ce qui a donné le texte suivant:

> *Massacre, Masse âcre, sacrament! je peux même pas saintboliquement priez pour nous quelle masse à remuer code dit-il usages contraintes faites une grosse colère contre le langage? Contre l'écriture contre papamaman la langue? Je peux pas. Je veux pas. Comment écrire sans signifier. Sensordre Sans Ordre? Toujours un ordre envie de pleurer l'a raison ça débloque ou ça bloque mais quelque chose là —patate comme si je le savais pas! Oh durdur ras de l'expression. Suis-je tu si organisée? L'esprit du Seigneur flottait sur les eaux les copains, que le verbe soit: la lumière ma lumière et tu veux que je l'éteigne? Mais mec le sens c'est comme la flamme tant qu'il y aura du cerveau tu peux le diviser morceler disperser à mort le sens il reste, il reste. Bref JE PEUX PAS; je peux faire dans la grammaire vaguement approximative le jeu de mot et la ponctuation à éclipse mais pas dans le non sens Je ne peux pas je ne veux pas trop important pour moi les mots nom de dieu pas me retirer ça ou je mors. écrire vingt minutes la vache! Agressivité primaire, bon et so what, what else is new et toute cette sorte de chose. Pas de langage pas de mot pas de sens pas de moi c'est tout: c'est TOUT. Pas vraiment vrai, mais scandale excessivisant, m'enfin. Ben oui je peux faire autre chose que causer les bêtes aussi eh les copains vous entendez ça c'est le langage qui met l'humain au-dessus des. Au-dessous des, sans blagues, ils causent aussi à leur façon ah ah la poésie sublime de la danse des abeilles et tout ça mais justement ÇA CAUSE tout cause. Tout cause et je cause tout, Plus noblement quand même tout parle et je parle tout. Tout me parle ah variante, pas vu, et je cause à tout! me sevrer de la communication merde alors —Sevrer, dit-elle, maman reviens! maman Papa, nourriciers en tout cas Ha ha! Intéressant: la nourriture la parole, vachement original les gars, avidité de mots lecture écriture parole avidité de nourriture. Mais nourriture égale circulation ouverture sur circuit intégration which one is first —Pas de virgule attention à la règle ça donne ouverture sur circuit pas mal non plus participer Alle veut participer la pauvre petite bête et derechef cher maître what else is new mon rapport au langage c'est mon rapport au monde le rapport du monde à moi ma mise au monde et tu veux me le faire démantibuler à mort ce que je n'arrive pas à faire, mec, je ne peux pas est-ce le sur-moi qui cause ouh ouh esprit es-tu là ou bien me suis-je faite de mot et tirer sur une maille ça défait la chaussette eh eh symbole phallique évident disent-ils bé non c'est toi qui dis ça patate et finalement tu tiendras les vingt minutes, t'as même pas l'impression de faire vraiment autre chose que d'habitude, juste*

un peu plus pâteuse la langue un peu plus fermentante pas fermante fermée: tentante? Bof dans un exercice OK, mais ne pas abuser SVP et je l'ai déjà fait anyway ce truc dans mes carnets-zintimes et je le fais dans mes lettres et je suis fâchée fâchée mais contre toi pervers (mieux vaut un pervers qu'une mère indigo ah elle est bonne) pas contre mes mots contre mon beau petit langage porteur de feu sans blague Une masse âcre oui mais pas de massacre.

À la suite de cette expérience, l'animateur de notre atelier nous a fait écrire pendant cinq minutes sur «votre figure d'Autorité». C'est-à-dire qu'il nous a fait écrire *consciemment* sur ce qui s'était révélé à nous pendant la discussion de l'expérience précédente, laquelle avait elle-même déjà révélé à chacun une masse de contraintes personnelles internes, sinon inconscientes du moins assez subconscientes pour qu'il ou elle n'en ait pas eu jusque-là une conscience bien claire.

Et toutes ces contraintes, extérieures ou intériorisées, sociales ou personnelles, interviennent constamment à tous les niveaux de l'écriture, comme elles interviennent sans cesse à chaque instant de notre existence. C'est par exemple le phénomène de la *censure*, qui est à double détente: on peut prendre conscience de la censure sociale (les choses qui se disent/se font, ne se disent/font pas, —s'écrivent/ne s'écrivent pas—), mais cette censure sociale (extérieure) est parfois tellement intériorisée que nous distinguons mal ces choses de celles que nous voulons/ne voulons pas dire/faire/écrire... L'écriture (la création en général) peut éventuellement faire percevoir ces multiples contraintes internes et mettre en branle un (lent et difficile) processus de libération.

Une autre expérience encore pour explorer le domaine multiforme et multifond des contraintes.

Jeu 6

Imaginer une maison. Y entrer ou non. L'explorer ou non. En ressortir ou non. (D)écrire (trente minutes).

Le texte que j'avais écrit étant vraiment trop long, voici celui produit par une des participantes à un atelier que j'animais. Il s'agit évidemment d'un texte non retouché.

Un sentier, tout petit sentier bordé de myosotis, d'épervières orangées ou piloselles, de groseillers même, petit sentier serpentant entre les saules qui suent, qui tremblent, à la manière des peupliers, petit sentier à l'orée d'un ruisseau dont les bords, marqués par le passage hivernal d'un verglas persistant, ont courbé les branches de leurs arbres et formé un tunnel où il fait bon se laisser glisser, doucement, en canot. Éclaircie. Les arbres se changent en arbustes, puis en arbrisseaux et enfin en verdure douce et soyeuse mais le petit sentier, lui, prend du ventre. Il élargit ses hanches mais la terre que l'on foule se refuse à changer ses couleurs ou sa texture. Le sentier s'étire tout du long avec sur son dos une ribambelle de petits quartz qu'on croirait taillés au couteau, diamants bruts diffusant des pieds-de-nez au soleil. L'éclaircie se métamorphose en clairière au centre de laquelle une cabane en rondins d'érable, sans cave ni grenier, fait office de relais, accueillante à première vue, invitante semble-t-il, car elle sent bon la petite maison. Le mur du nord est presque enseveli par une corde de pin qui se dore sous les chauds rayons de juillet. Elle attend l'hiver, elle aussi. Personne, pas de vie apparente à l'intérieur. Ils ne doivent sûrement pas dormir, ou alors ils ont choisi la pêche ou la cueillette de quelque plante, aromatisante ou médecinale. J'approche. Je fais le tour et remarque deux toiles d'araignée dont l'une, tout près du sol, est encore brodée de larmes du matin. L'autre, suspendue à la fenêtre du perron, se gave de moustiques, mais l'araignée n'est pas là. Non. Je n'entrerai pas. Je ne frapperai pas à la porte non plus. Si quelqu'un sort et m'invite, je verrai. Il fait tellement beau dehors. Une hirondelle, non, deux hirondelles ont élu domicile sur une poutre esseulée sous le prolongement du toit. Elles vont et viennent, deux ombres noires sur fond gris me font image de leur vie. Que diraient-elles de la mienne... Je m'assieds, me relève et refais le tour de la cabane. Je risque un coup d'oeil par une fenêtre qui doit être celle de la cuisine, car un rideau blanc entrecoupé de carreaux rouges se laisse mollement tomber de chaque côté. Sur le rebord intérieur, un vase grossier, probablement en terre glaise, porte en son coeur un énorme bouquet de marguerites et ma vue ne peut traverser son mur de feuillage. Peu importe, il est là, il est joli. Sûrement pas cueilli depuis longtemps car il respire la santé et la fraîcheur, cet amas de fleurs qui ont fait poser tant de questions aux rêveurs... Je me marie... je me marie pas... j'entre chez les soeurs... Ah non, pas ça, quand même!

La cheminée doit traverser le centre de la maison. Pas de fumée. Pourquoi y en aurait-il avec cette chaleur? Difficile de dire son âge. L'imposante colonne de suie colorant l'extrémité de ce bras tendu qui cherche le soleil me fait croire qu'il a beaucoup servi. De plus, l'effritement du rebord me donne un autre signe de vieillesse. Elle est fatiguée, la cheminée. Le toit arrondi, comme la courbure des reins, a dû supporter beaucoup d'hivers, des tonnes de neige. Il a senti couler sur son dos toute l'eau du monde, celle qui tombe à chaque saison, et celle qui pleure, après avoir eu trop froid.

Je me demande quand même, ou plutôt j'essaie d'imaginer la personne qui habite à l'intérieur de ce rêve qui poursuit mes nuits depuis tant d'années. Impossible que ce soit un enfant. La maison est bien petite pour une famille, car elle ne doit contenir qu'une seule pièce servant de cuisine, de chambre et de salon à la fois. Non, même une toute petite famille y serait trop à l'étroit. Un homme, peut-être? Non, je ne crois pas. C'est une petite cabane empreinte de féminité. L'ordre qui règne à l'extérieur reflète l'image intérieure de la personne qui l'habite. Une chaise berceuse meuble la galerie. C'est du beau travail, de l'artisanat! Mais je vois mal un homme assis entre ses bras. Ou alors, c'est un bien petit homme, délicat, un poète peut-être? À vrai dire, j'aimerais bien voir apparaître dans le sentier qui m'a conduit jusqu'ici une grand-mère, une vieillarde, une belle petite vieille, aux jupes lourdes, avec un tablier tout blanc, de minuscules lunettes rondes sur le bout du nez et des cheveux tout gris noués derrière. Elle s'arrêterait en m'apercevant installé dans sa chaise, puis avancerait vers moi à petit pas. Un tricot enroulé dans sa poche de tablier, un bouquet d'immortelles à la main, elle avance, curieuse, mais confiante. Je n'ai pas trahi son intimité. J'ai attendu, car je sais attendre.

De la main qui serre le bouquet, elle m'invite d'un signe. La porte grince, les hirondelles s'envolent, et moi, j'entre.

La maison, nous disent les psychologues, et comme le remarque d'ailleurs l'auteure du texte ci-dessus, c'est nous. (Oui, oui, c'est une auteure; les deux participes passés masculins étaient voulus par elle...) La maison serait une image, un symbole de notre personnalité. Notre comportement à son égard (entrée, visite, départ, ou non) refléterait notre attitude vis-à-vis de nous-même. Sa configuration architecturale représenterait les diverses couches de notre conscience: la cave (ou ses équivalents, ce qui est là pour représenter la dimension de la profondeur), ce serait par exemple le domaine obscur des pulsions, violents désirs de satisfactions immédiates, non ou mal contrôlés par les diverses censures. Le grenier (ou un autre équivalent de la hauteur) serait le domaine du sur-moi, la censure, l'Autorité intériorisée de la société (des parents qui l'ont représentée en premier), les diverses contraintes apprises depuis l'enfance, tellement familières qu'on a oublié leur présence. Entre les deux, il peut y avoir un rez-de-chaussée (avec ou sans étages supplémentaires) représentant le «moi», cette partie de notre conscience qui serait en quelque sorte à la fois le terrain de bataille, l'enjeu et *le médiateur* des deux autres...

En même temps —et ce n'est pas mutuellement exclusif—, le thème de la maison peut aussi entraîner la rêverie vers le pays d'enfance (il me semble que c'est clairement le cas dans le texte cité), sur des itinéraires archétypaux qu'on retrouve par ailleurs dans les contes et les mythes (la ''petite maison'', avec son esprit tutélaire qui apparaît sous forme de paisible petite grand-mère, n'évoque-t-elle pas celle des nains de Blanche-Neige, ou celle des Trois Ours de Boucle d'Or?)...

À la lumière de ces quelques commentaires, vous pouvez peut-être vous essayer à relire le texte que vous aura éventuellement fait produire cet exercice...

Ne les prenez cependant pas trop au sérieux: cet exercice n'est pas une «psychanalyse instantanée»! Il a surtout une valeur indicative. Considérez plutôt mes commentaires (*et les autres lectures possibles*, au pluriel!) comme une *traduction symbolique*, qui peut susciter en vous des associations de mots/idées/images/émotions éventuellement fécondes. Considérez-les plutôt... comme un autre jeu de *ré-écriture*, et voyez ce que donne cette transformation par traduction.

CONCLUSION PANORAMIQUE: une vérification expérimentale de la communication, ses limites, ses surprises, ses récompenses.

Autrefois, à l'entrée des cinémas (c'est plus rare aujourd'hui), il y avait sur les murs des panneaux vitrés affichant des photographies tirées des films qu'on présentait ou qu'on allait présenter. C'étaient en quelque sorte des morceaux flottants du film, détachés de l'ensemble mais destinés à allécher les éventuels spectateurs. Pourquoi? Comment? On peut le comprendre en s'essayant aux deux jeux-exercices suivants.

Jeu 7

Cela se joue par groupes de deux personnes. Chacun des joueurs a préalablement choisi une photographie (ou une image). Sans la montrer à son partenaire, il essaie de la lui décrire.

C'est la *première phase* du jeu. On peut procéder de plusieurs façons: le joueur A décrit oralement l'image au joueur B qui prend des notes, et vice versa, chaque joueur écrivant ensuite ce qu'il a retenu de la description de son image et la donne à lire à son partenaire avant que celui-ci n'ait vu l'image.

La *deuxième phase* du jeu consiste *à échanger* les images (c'est alors que chaque joueur voit l'image du partenaire), et à refaire la description, le joueur A décrivant l'image du joueur B et vice versa. On peut choisir de le faire tout de suite après la première phase, ou bien d'attendre (la première phase au début de la séance, la deuxième à la fin, ou même le lendemain).

Jeu 8

Le jeu suivant est une variante un peu plus complexe du précédent. Au lieu d'une seule image, on en prend *plusieurs*. Chaque joueur s'essaie à organiser les images suivant un ordre qu'il considère comme logique et/ou plaisant. La procédure est identique: on (d)écrit au partenaire sans qu'il voie les images, puis on échange et on recommence.

Une variante collective est possible, et très démonstrative: étant donné *les mêmes images pour tout le monde*, chacun les organise comme il le désire et (d)écrit cette organisation, avec plus ou moins d'explications.

La *troisième phase* va être la même dans tous les cas et pour les deux sortes de jeu: on va *comparer les résultats*.

> On pourra alors généralement faire les mêmes constatations: dans certaines limites (dues au fait que le matériau de base est relativement restreint), il va y avoir des différences parfois considérables d'une description à l'autre. *À partir d'éléments identiques, il y aura eu des descriptions, et donc des perceptions, différentes.* Chacun aura *interprété à sa façon* tels ou tels éléments de l'image ou des images.
>
> C'est donc bien que chacun ait des *déterminations personnelles différentes* (préférences, tabous, conditionnements... et capacités d'expression, le cas échéant).

Un premier avantage de ces deux jeux, c'est de faire prendre conscience en même temps du travail d'interprétation/transformation auquel se livre chacun des joueurs sur la description de l'autre, dans le cas où on choisit de procéder par récit oral que l'auditeur reconstitue ensuite par écrit. Chacun devient tour à tour auteur et lecteur, de soi-même et de l'autre, et peut ainsi vivre concrètement les problèmes spécifiques de ce genre de communication.

Deuxième avantage: si les joueurs se connaissent (dans un groupe en institution scolaire, par exemple), ils pourront également refaire l'expérience en changeant de partenaire. Ils se rendront compte alors qu'ils n'organisent pas forcément leur description de la même façon *selon la personne qui va la lire*. Ils verront qu'ils *adaptent plus ou moins leur description aux capacités qu'ils connaissent ou imaginent à leur lecteur.*

Troisième avantage: après avoir fait prendre conscience des différences d'une description à l'autre, ces jeux pourront également faire prendre conscience des ressemblances d'une description à l'autre... *S'il y a des ressemblances, c'est qu'il existe dans les images un certain nombre d'éléments qui sont perçus, et exprimés, de la même façon par tous.*

C'est évidemment la mise en commun et la discussion qui pourront seules faire ressortir différences et ressemblances. On comprend donc pourquoi j'ai tant insisté sur leur nécessité en général, et dans cette catégorie de jeux en particulier; c'est aussi pour ce genre de jeu que l'explorateur solitaire a vraiment un problème...

Enfin, dernier avantage de ces deux jeux, on pourra grâce à eux prendre conscience du fait qu'une des ressemblances consiste en l'organisation minimale de la description, écrite ou orale, en particulier dans le cas d'une série d'images. Tout le monde aura commencé quelque part et fini quelque part. Et sans doute tout le monde aura-t-il produit des histoires, ou des amorces d'histoires pour expliquer comment on passe d'une image à une autre —surtout s'il y a des personnages dans les images.

Autres amorces d'histoires

Si vous avez commencé le *Guide* par la *Première partie*, vous aurez rencontré le Jeu du Chevalier: une série de mots qu'on utilise pour produire un scénario d'histoire. Le principe à l'oeuvre est exactement le même qu'ici: le voisinage des mots, comme celui des images, suscite une activité fabulatrice. Voici deux autres séries de mots, dans d'autres registres que celui du Chevalier (mais vous pouvez aussi bien fabriquer de telles listes vous-même...).

Clochard, néon, chat, haute-ville, place, journaliste, fontaine, première page, danseuse, rouge, noir, vert, caméra, gratte-ciel.

Ours, colline, source, épinette, soleil, indien, campement, fosse, collier, vert, fusil, plaine, bleu, source, chasseur, photographe, jaune.

La règle du jeu est d'utiliser tous les mots pour écrire un *scénario* d'histoire: un résumé, une amorce, une esquisse, pas l'histoire en elle-même (vous pourrez éventuellement le faire ensuite, en vous aidant de la *Deuxième partie* du *Guide*). L'ordre d'apparition des mots, cependant, est laissé à votre plus grande fantaisie (vous pouvez les mettre sur des morceaux de papier, et jouer avec la disposition de ces papiers). Enfin, vous pouvez évidemment *ajouter* des noms et des adjectifs absents de la liste.

Après tous ces jeux, je crois que nous avons une réponse aux deux questions que je posais au début de ce passage: pourquoi et comment les éventuels spectateurs de cinéma étaient-ils alléchés par les petits morceaux de films qu'on affichait aux portes sous forme de photographies sans suite? Parce qu'ils avaient tous le réflexe d'essayer de deviner, reconstituer, se raconter le film à partir des photographies. Ils avaient tous le réflexe de se raconter des histoires.

Se raconter des histoires, c'est une des activités essentielles de l'être humain, une activité qui ne cesse jamais, même quand on dort —surtout quand on dort: les rêves... Et que fait un écrivain, sinon inviter son lecteur à partager en plein jour, pour un moment, ses rêves éveillés?

Dans les autres parties du *Guide*, vous pourrez éventuellement voir comment mieux comprendre, mieux raconter, mieux faire partager ces «rêves» que sont toutes les histoires.

DEUXIÈME PARTIE
Les problèmes narratifs

Introduction

Accessoires nécessaires à la poursuite du voyage

Maintenant que nous avons passé en revue un certain nombre d'écrous, de boulons et de planches essentiels à la construction d'un bateau-fiction, maintenant que nous avons commencé à examiner les structures plus ou moins aérodynamiques nécessaires à tout bateau digne de ce nom, peut-être serait-il temps d'envisager non plus des bateaux virtuels mais des bateaux réels, et de voir comment on peut en améliorer la conception pour rendre le voyage à la fois plus sécuritaire, plus confortable et plus intéressant.

Vous avez peut-être déjà présentement en main soit des morceaux d'histoire, soit une histoire que vous avez cuisinée à toutes les sauces en en faisant l'objet de vos expériences dans la *Première partie* du *Guide*. Elle va encore nous servir dans la *Deuxième partie*.

Vous l'avez peut-être assez vue, cette histoire; elle ne vous dit plus rien? Qu'à cela ne tienne, fabriquez-vous-en une autre! Vous pouvez utiliser à cette fin des jeux-exercices de l'*Entracte*: les séries d'images ou de photographies, certaines techniques oulipistes. Vous pouvez aussi partir de listes de mots. Il y en a deux séries à la fin de l'*Entracte*, mais vous pouvez en établir d'autres.

Dans un atelier que j'avais animé sur la SF, il y avait ainsi un petit paquet de «vocabulaire de la nature» (''flamme, bleu, montagne, nuage...''), un petit paquet de «vocabulaire humain» (''chef, poète, maternité, combat...'') et un autre de «vocabulaire scientifique» (''génétique, stratosphère, Rift, oxygène...''). Les mots (noms, adjectifs ou verbes, mais ce peut être plus efficace avec seulement des noms et des adjectifs) sont écrits séparément sur des petits bouts de papier; on fait des tas par catégorie, et on tire un mot par catégorie, au hasard. À partir des trois mots —qui servent de déclencheurs à l'imaginaire—, on invente une histoire complète qu'on développe sur environ une vingtaine de pages. Si vraiment on tire des mots qui n'inspirent absolument rien (c'est possible), on peut procéder à un nouveau tirage. Mais la règle théorique du jeu est de faire avec ce qu'on tire, et vous serez surpris de voir ce qu'on arrive à faire avec un matériau de départ apparemment «si pauvre» et si «extérieur à soi»... On n'est pas obligé de faire paraître dans le texte écrit les mots tirés au sort, quoique ce soit plus amusant d'essayer de les inclure, directement ou indirectement —par leurs synonymes, par exemple, et évidemment par leurs *connotations*. On peut vérifier alors auprès des lecteurs s'ils ont repéré ou deviné les mots-germes, et ainsi *évaluer la réception de l'information*.

On peut évidemment jouer à ce jeu à plusieurs, en atelier, ou seul. Et on peut dans ce dernier cas s'assurer que tous les mots choisis pour constituer les catégories serviront de déclencheurs: on en établit soi-même la liste (par la technique de la nébuleuse, par exemple, voir *Entracte*). Même si on pique les mots au hasard dans le dictionnaire (le premier mot du vocabulaire humain dans la colonne de gauche, par exemple), on peut conserver seulement les mots qui plaisent... Un conseil cependant: gardez-en quelques-uns qui ne vous plaisent pas, et quelques «indifférents» pour faire bon poids; on ne sait jamais quelles alchimies va déclencher la rencontre des mots dans l'imaginaire...

Pour élaborer l'histoire dont vous allez avoir besoin pour cette partie du voyage, vous pouvez encore, si vous êtes en atelier, *échanger* vos histoires entre vous (amorces d'histoires, ou idées d'histoires). Cette histoire que vous avez trop vue, peut-être intéressera-t-elle à neuf le voisin (la voisine), et réciproquement. Et cela peut être une expérience extrêmement instructive de voir ce que l'autre fera avec votre... bébé —il faut évidemment pour cela que vous ne soyez pas un parent trop possessif...

Vous pouvez enfin élaborer tous ensemble un scénario, une création collective à partir de laquelle, évidemment, chacun écrira *sa propre version* (on peut aussi essayer de faire cela en collaboration, à deux maximum). L'objectif, en tout cas, est d'avoir soit une histoire rédigée, soit un plan d'histoire très détaillé.

Relecture, réécriture (deuxième service)

Pour quoi faire? Eh bien, à ce stade de notre voyage en Fiction, nous allons reprendre une partie des éléments présentés jusqu'ici pour les approfondir davantage et les voir en situation. Nous allons en fait aborder bille en tête cette phase de l'écriture dont j'ai déjà souligné l'importance: la *réécriture*.

Lorsqu'on écrit un texte, on ne pense pas forcément à ce qu'on fait, vous avez pu vous en rendre compte par vous-même. On a quelque chose à dire, quelque chose veut se dire, on ne sait pas forcément très bien quoi, et, dans un premier temps, celui du premier jet, on s'y essaie de façon plus ou moins adroite. C'est la phase des ratures, des stylos mordillés, des petits dessins dans les marges, des minutes passées à regarder fixement dans le vague —en alternance avec des périodes d'écriture frénétique, sur des pages et des pages éventuellement, jusqu'à ce que la fameuse «crampe de l'écrivain» immobilise le poignet endolori (c'est un peu différent avec une machine à écrire...).

Et alors on se relit.

Et alors...

Il y a ici plusieurs scénarios, au moins trois: «C'est exactement ce que je voulais dire!» (Bravo, par ici pour le Prix Goncourt.) «Qu'est-ce que c'est que ce machin???!!!» (et la feuille, rageusement roulée en boule, va droit à la corbeille à papier —si vous visez bien). Ou, plus généralement: «Ah! ça, ce n'est pas mal... mais alors ça, pouah! Et *ça*... tiens, qu'est-ça veut dire, *ça*? Pourquoi ici, pourquoi de cette façon-là...?» Etc.

> Le moment de la relecture est le moment où on a la possibilité de voir et de comprendre ce qu'on a écrit, ce qu'on a dit —et pas forcément ce qu'on a voulu écrire/dire. C'est la phase où le texte-miroir peut envoyer une image qui n'est pas forcément celle qu'on attendait; c'est la phase d'auto-connaissance, ou en tout cas d'auto-exploration potentielle, et dans cette phase, on est seul avec soi-même: pas de mode d'emploi ni de garde-fou garanti.

On peut aussi ne pas être seul avec soi-même, comme justement dans un atelier, où le regard de chacun sur la production de tout le monde procure une lecture supplémentaire, éventuellement moins myope, à partir de laquelle effectuer sa propre relecture.

Mais même lorsqu'on est seul avec soi-même, on finit par développer une certaine capacité à se relire (premier stade de la réécriture...). Le Feu de l'Inspiration s'étant un peu apaisé et les affres de l'éventuelle auto-analyse elle-même s'étant atténuées à leur tour, on apprend à considérer sa production avec un peu plus de recul. On peut donc alors songer à l'améliorer, compte tenu à la fois de ce qu'on voulait dire et de ce qu'on a effectivement dit. (C'est précisément cela que le travail en atelier fait apparaître plus rapidement par l'intermédiaire de la lecture/réception du texte par les autres participants.)

> ''Améliorer'', dit-elle? Bien entendu, si vous considérez que votre premier jet est parfait et qu'il n'y a rien à changer à ce Texte Sacré, cette partie du *Guide* ne vous concerne pas. Mais si vous pensiez ainsi, peut-être ne seriez-vous pas dans un atelier d'écriture, ou n'auriez-vous pas entrepris la lecture solitaire de ce *Guide*...

Je dis donc bien «améliorer». Étant donné une histoire (contenu), il y a toujours moyen de la rendre plus efficace (plus belle/profonde/intéressante/signifiante; vous pouvez traduire «efficace» à votre guise...) par le biais du travail sur le récit et sa narration.

Itinéraire prévu

Par ailleurs, dans la *Première partie*, j'ai signalé un certain nombre de problèmes que je n'ai pas abordés en détail et qui sont liés de façon plus ou moins directe aux structures narratives de base. Par exemple ceux du *montage* (les différentes façons de ne pas suivre l'ordre chronologique, mais d'articuler quand même une histoire «qui se tienne»); ceux du *colmatage*, qui comme son nom l'indique concerne les *raccords* nécessaires entre les morceaux dont l'ordre chronologique a été bouleversé; ceux des *personnages*; ceux des *dialogues, monologues* et autres «récits de paroles» qui ont des usages et présentent des problèmes si variés... Les prochains chapitres vont essayer de faire le tour de ces questions.

CHAPITRE VI
L'organisation de l'histoire

1. Rappel: l'histoire type

En voici une, fort adéquatement intitulée:

Une histoire

Il était une fois, en un certain endroit, un être qui possédait à la fois des forces et des faiblesses.

Cet être voulait atteindre un certain but.

Cependant, il y avait un (ou plusieurs) obstacle(s) à ce but, d'une nature telle qu'ils atteignaient l'être dans son point le plus vulnérable (ses faiblesses). L'être comprit que pour atteindre son but, il devait venir à bout de l'obstacle.

Il s'efforça donc d'écarter celui-ci, essayant un moyen puis un autre, et échouant plus ou moins à chaque fois. Il finit par admettre que ses faiblesses ne pouvaient être totalement annulées.

Mais, fort de cette prise de conscience, il fit un dernier effort pour transcender ses faiblesses, et, en faisant cela, il renversa l'obstacle et atteignit son but.

Fin

Que dites-vous? Cela ne ressemble pas à votre histoire? Pas forcément, en effet, et sûrement pas exactement. Mais regardez-la bien. Car cette histoire est l'histoire type, je veux dire *l'histoire de base*, le schéma multimillénaire à partir duquel, par substitutions diverses, on peut raconter (on a raconté, on racontera) des milliers et des milliers d'histoires toutes différentes.

Ce n'est pas, attention!, une formule pour toutes les histoires, mais elle contient toutes les parties d'une histoire. On n'est évidemment pas obligé d'inclure toutes ces parties dans une histoire. Mais vous pouvez être sûr que toute histoire contient plusieurs des éléments de cette histoire type qui est l'arrière-arrière-arrière-... grand-mère de toutes les histoires.

Et si vous ne me croyez pas, vous pouvez essayer de vous rappeler des histoires que vous connaissez, des contes, par exemple; ou des films, ou des feuilletons télévisés, ou des faits divers.

a) Schéma de l'histoire type

On peut la diviser en:

-Situation du personnage

1. a) *Cadre:* temps et lieu: QUAND, OÙ.
   b) *Personnage lui-même:* physique, psychologie, antécédents biographiques...: QUI.

2. *But du personnage:* POURQUOI, QUOI.

-Situation de l'histoire

3. *Conflit principal:* problèmes posés par l'obstacle.

4. *Progression:* réussites ou échecs partiels.

5. *Dénouement:* transformation ou non du personnage, dernier effort, résolution ou non du conflit, victoire ou non sur l'obstacle.

En somme, dans toute histoire, il doit y avoir au moins un personnage, ce personnage doit être situé dans le temps et dans l'espace, et il doit avoir un but (ou en trouver un, ce qui peut constituer l'histoire). C'est la *situation du personnage*.

Mettez un obstacle en travers de la réalisation du but, et vous avez le problème principal de l'histoire, le *conflit principal*, qui constitue la *situation centrale de l'histoire*.

Le reste de celle-ci va donc être là pour résoudre ce conflit principal: *la progression* est constituée par les épisodes où le personnage s'efforce de venir à bout de l'obstacle; le *dénouement*, comme son nom l'indique, contient l'épisode (l'action) qui dénoue le sac de noeuds (ou bien le personnage vient à bout de l'obstacle —«fin heureuse»— ou bien l'obstacle vient à bout de lui —«fin malheureuse»).

b) Différents types de «non-histoires»

Si vous placez un personnage dans un cadre spatio-temporel, vous faites un **portrait**. Si vous établissez le conflit principal et laissez votre personnage courir un peu sur le papier, sans cependant lui faire résoudre le conflit, vous avez écrit une **tranche de vie**, ou un «texte d'atmosphère». Les deux ont une place absolument légitime dans la littérature, ils constituent des *fictions* mais à mon avis ce ne sont pas au sens strict des *histoires*, parce qu'ils ne contiennent pas les structures de base d'une histoire telle que décrite plus haut.

> **Rappel:** le schéma de base vaut pour les deux types principaux de fiction, le court (nouvelle) et le long (roman), ainsi que le type intermédiaire —petit roman ou longue nouvelle... À quel nombre de pages correspond chacune de ces dénominations, cela dépend. Disons que la nouvelle se situe entre 2 et 35 pages; au-delà, on a ce que l'anglais appelle «novella» ou «petit roman» («novel» en anglais). Elle peut aller jusqu'à 100 pages. Entre 100 et 300 pages, on a un roman en bonne et due forme. Mais en réalité la seule limite à une histoire, c'est l'endurance de l'écrivain, des lecteurs... et des éditeurs!

Cependant les problèmes posés par les textes longs ne sont évidemment pas tout à fait identiques à ceux que posent les textes courts: on ne résoud pas des problèmes narratifs de la même façon quand on dispose de 20, 80, ou 300 pages... Si on a imaginé une histoire complexe, le problème de l'information nécessaire à la compréhension générale de celle-ci est peut-être moins aigu sur 300 pages... Cependant, étant donné les présupposés du présent *Guide*, conçu pour des ateliers, des groupes, ou des pratiquants solitaires, je vais me concentrer sur le type de fiction plus vraisemblablement produite dans ces cadres, c'est-à-dire des *nouvelles* (entre 10 et 30 pages, disons.)

2. Au commencement était le début

Vous avez eu une idée d'histoire, vous en avez établi le scénario, vous en avez peut-être déjà établi l'allure générale (qui est le narrateur, quand ça se passe...). Et maintenant?

Eh bien, pour commencer, rappelez-vous que cette histoire, *vous allez la raconter à quelqu'un*. Que votre lecteur soit présent (et multiple) dans un atelier, ou supposé dans votre solitude, il a accepté de passer avec vous le contrat minimal consistant en la *suspension de son incrédulité naturelle;* vous devez donc récompenser —et entretenir!— sa bonne volonté en lui faisant plaisir, en l'intéressant, en le stimulant, en le divertissant, bref, *en conservant son attention.*

C'est pourquoi vous allez vous livrer à une certaine *mise en scène* de votre histoire. Non que toute histoire doive se présenter de façon spectaculaire avec fanfares et feux d'artifice, mais c'est tout de même un spectacle verbal que vous allez présenter à quelqu'un.

> La nouvelle, par définition, est une histoire assez courte; si on reprend l'idée de départ —le raconteur d'histoire est un menteur volontaire, l'histoire un mensonge, et le lecteur un dupe volontaire— disons que l'auteur de nouvelles ne doit pas mentir comme un poli-

ticien, c'est-à-dire sur une durée permettant jusqu'à un certain point les rattrapages, mais comme un prestidigitateur qui doit sortir l'éléphant du chapeau ici-maintenant-tout-de-suite, et sans filet...

Le commencement d'une histoire est donc important. C'est lui qui doit captiver l'attention de votre lecteur, au moins assez pour l'obliger à passer à la phrase ou au paragraphe ou au chapitre suivant. En même temps, il devrait situer le temps et le lieu où se trouve(nt) le(s) personnage(s).

Ce dernier élément est facultatif et dépend des lecteurs que vous désirez toucher, et donc du type d'histoire que vous avez choisi de raconter. Certains lecteurs n'exigeront pas de savoir à la fois où, quand et qui dans les premières phrases ou les premiers paragraphes, et se contenteront d'une partie seulement de ces informations. L'essentiel en tout cas est de suffisamment captiver leur attention pour qu'ils soient prêts à vous faire confiance et à attendre de la suite de votre histoire ces informations nécessaires.

a) Le titre

Les premières phrases (voire la première phrase) d'une histoire sont donc très importantes. Et c'est le moment de remarquer que la première «phrase» d'une histoire, c'est son *titre*.

Celui-ci est en effet le premier jalon, la première information, le premier indice que rencontre le lecteur —sa première mise en condition... Les mots ou les tournures de phrases employés dans le titre, avec leurs connotations, vont donc être affectés d'une valeur, d'une résonnance toute particulière chaque fois que le lecteur les rencontrera par la suite dans le texte, même s'il n'en a pas clairement con-scien-ce.

Exercice: vous pouvez ici vous livrer à l'expérience suivante: relevez au hasard le titre d'un roman (ou d'une nouvelle dans un recueil de nouvelles) dans une librairie ou à la bibliothèque, et imaginez l'histoire racontée par le roman ou la nouvelle. Ensuite, parcourez le texte, et évaluez la correspondance. Vous pouvez alors proposer le titre à quelqu'un d'autre et voir à l'oeuvre chez autrui le jeu des connotations...

Vous pouvez aussi inventer des titres, en utilisant des variantes de procédés décrits dans l'*Entracte*, et imaginer les scénarios des histoires qui leur correspondraient (c'est là un jeu fort divertissant en groupe). Vous piquez au hasard dans le dictionnaire un nom, un adjectif, un verbe, un complément si vous le désirez, vous en faites une phrase et cette phrase est le titre d'une histoire que vous devez imaginer... Les résultats sont parfois... pour le moins bizarres, mais toujours intéressants!

b) Pour amorcer: l'«hameçon»

La première ou les premières phrases du texte, après le titre, sont aussi importantes: elles vont confirmer ou contredire ce titre, créant ainsi le premier déclic dans l'intérêt du lecteur.

Par exemple, si, après un titre comme «Les colombes de la paix», on rencontre des gens en train de se massacrer joyeusement en actes ou en paroles, l'effet de contraste va jouer à plein et frapper le lecteur, qui voudra sans doute voir résolue l'énigme de cette contradiction. Le tout début du texte peut ainsi donner le ton ou le thème dès l'entrée de jeu (comme le «la» pour un orchestre —et la relation entre l'auteur, le texte et les lecteurs n'est pas sans rapport avec cette image de l'orchestre). Les premières phrases peuvent le faire de façon évidente (en renforçant le titre) ou de façon sournoise et détournée en le contredisant ou en le détournant. Elles peuvent aussi n'avoir avec lui qu'un rapport très lointain, voire pas de rapport du tout. Mais les premières phrases ont toujours quelque chose d'un peu... magique: parce que ce sont les premières, parce que c'est le commencement. Il faut donc que ce soit si possible, ce que j'appellerai un *hameçon.*

Exercice: essayez-vous à imaginer et à écrire des premières phrases d'histoires, dans des genres différents: histoire d'amour, western, policier, espionnage, science-fiction, fantastique... Il n'est pas forcément nécessaire d'avoir toute une idée d'histoire derrière; la première phrase suffit (ou les premières). Vous pouvez aussi faire comme pour le titre: choisir des débuts existants et les proposer à vos partenaires en leur demandant de quel genre d'histoire ils pensent que c'est l'amorce...

c) Pour «avoir le dernier mot»

De la même façon, et si l'on souscrit à l'opinion qu'un texte doit être un tout complet, bien clos sur lui-même, la *dernière* phrase, le dernier paragraphe, ou le dernier chapitre, de l'histoire sont importants parce que c'est là que finit l'histoire, ce sera la dernière impression qu'emportera le lecteur, et qu'il conservera... Il peut s'établir ainsi tout un jeu d'échos entre la première et la dernière phrase et toute l'histoire se trouvera peut-être résumée entre le titre et ces deux phrases. Ainsi, chez Proust: après le titre *À la recherche du temps perdu,* la première phrase est la déjà citée «Longtemps *je me suis couché de bonne heure*». La dernière —quelque 3000 pages plus loin— est en quelque sorte l'inverse de cette courte et simple phrase d'introduction, dans sa forme, sinon dans son inspiration:

> *Du moins si elle (la vie) m'était laissée assez* longtemps *pour accomplir mon oeuvre, ne manquerais-je pas d'abord d'y décrire les hommes (...) comme occupant une place si considérable, à côté de celle si restreinte qui leur est réservée dans l'espace, une place au contraire* prolongée sans mesure *puisqu'ils touchent* simultanément, *comme des géants plongés* dans les années, à des époques *si distantes, entre lesquelles tant de jours sont venus se placer —dans le* Temps.

C'est moi qui ai souligné les expressions renvoyant à la temporalité. Le «temps perdu» —dans les péripéties de la vie, dans les mondanités futiles vécues par le narrateur— a été «retrouvé» par JE, qui a enfin pleinement compris sa vocation et choisi de la suivre: il sera écrivain —et il écrira *À la recherche du temps perdu...* Pour prendre un exemple moins auguste, vous pouvez aller voir ma nouvelle complète, à la fin du *Guide*, et en examiner le titre, la première et la dernière phrase —et la nature de leur rapport éventuel: renforcement, contradiction, pas de rapport?...

Bivouac philosophico-moralisant: la transaction écrivain/lecteur

Pourquoi, demanderez-vous peut-être, une conception aussi... agressive («hameçon»...) des commencements? Remplacez «agressive» par «dynamique», et voyez si les connotations de ce mot-là vous choquent moins...

Ou bien réfléchissez à ce qui se passe hors de l'atelier et du *Guide*, dans le «vrai monde» où se trouvent les lecteurs «normaux» —le lecteur en atelier n'étant pas un lecteur normal, puisqu'il *doit* lire —et relire! Le lecteur normal (ne parlons même pas du lecteur des maisons d'édition, ou à la direction littéraire des revues professionnelles), feuillette un livre ou une revue en librairie, livre ou revue qu'il va acheter ou non. Il ne s'agit plus seulement d'Art Pur et Éthéré, ici. Il s'agit du *commerce* d'un *produit*... et d'attirer le client.

Si, ce qui est tout à fait possible et légitime, vous écrivez sans aucune intention, jamais, de publier —ou si la vision marchande du fait littéraire décrite plus haut vous semble trop bassement matérialiste— vous pouvez continuer à écrire sans vous en préoccuper... ou retourner rêver dans votre Tour-défense-d'y-voir...

Une autre métaphore de la situation du texte dans le public (et donc de l'écrivain) pourrait être la suivante: le lecteur est comme cette belle fille/ce beau garçon à qui vous désirez plaire. Il s'agit de vous mettre en valeur dès le premier contact, n'est-ce pas? (Cette version vous choque moins? Mais en quoi est-elle si différente, dites-moi, de la première?...)

On peut également procéder d'une façon différente: rester dans son coin à briller (littérairement) de (ce qu'on considère comme) tous ses feux et attendre sans se manifester que tout le monde se rende à leur évidence et vienne adorer le Génie. Cela peut se passer ainsi.

Mais il faut être prêt à attendre très, très, très longtemps...

En résumé: l'écriture et son produit littéraire sont, comme beaucoup de choses humaines, le résultat de *compromis* divers. À chacun de délimiter où pour lui s'arrête le compromis et commence la compromission...

3. Début du récit et début de l'histoire

Une bonne façon d'hameçonner, c'est de *surprendre* le lecteur par une situation, un décor, ou une réplique-choc. J'ai donné tout à l'heure pour exemple des «colombes de la paix» suivies par des gens qui se massacrent dès les premières lignes du texte, pour montrer un type de contraste possible.

Mais il est assez rare que, dans l'ordre chronologique d'une histoire, le commencement soit très spectaculaire ou très énigmatique. C'est pourquoi un des choix essentiels pour l'auteur, c'est celui de l'endroit où il va faire commencer la narration de son histoire: *le commencement du récit ne va donc pas coïncider forcément avec celui de l'histoire.*

Et si on ne commence pas dans l'ordre chrono-logique, on va bouleverser plus ou moins *l'ordre logique.*

Exercice: reprenez le schéma de base de l'histoire type, et voyez si vous pouvez imaginer plusieurs façons différentes de commencer cette histoire, ainsi que les modifications que cela fait subir au récit. Rappelez-vous que pour apprécier une histoire («entrer dans l'histoire»), le lecteur doit pouvoir la comprendre, et que pour la comprendre il doit disposer d'un certain nombre d'éléments —donnés au départ ou non: OÙ, QUAND, QUI, QUOI, POURQUOI.

Vous devriez avoir obtenu au moins quatre organisations possibles. Et vous vous êtes peut-être rendu compte, aussi, que dans les quatre cas se posent des problèmes plus ou moins aigus à cause du bouleversement de l'ordre chronologique.

C'est parce que l'ordre chronologique est généralement un ordre de *causalité*: si on bouleverse cet ordre, on bouleverse du même coup la présentation des éléments logiques d'information dont le lecteur a besoin pour comprendre ce qui se passe. Ce sont des problèmes de *colmatage*, c'est-à-dire de raccord entre les morceaux d'histoire sortis par le récit de leur ordre causal chronologique.

Nous allons voir ces différentes possibilités d'organisation. Mais auparavant, il me faut à moi aussi une histoire, à des fins de démonstration. Voyons un peu...

Prologue: Histoire de Paul et Virginie

Il était une fois un charmant jeune homme du 19e siècle, nommé Paul. Il était charmant selon la définition que donnait de cette qualité sa société du 19e siècle: bien élevé, instruit, et assez collet-monté...

En plein hiver, dans une rue de Montréal, Paul est enlevé par une Tornade Temporelle qui le dépose en plein 25e siècle sur la pelouse de Virginie, charmante jeune femme selon la définition qu'en donne le 25e siècle; elle est en train de fêter son anniversaire avec sa famille et ses amis, parfaitement nue sous ses peintures corporelles, comme il est de mise au 25e siècle chez les gens charmants et bien élevés.

Pour une raison ou une autre, Paul est coincé là/maintenant et ne peut pas revenir à sa propre époque. Il rencontre alors quantité de problèmes d'adaptation à une culture si éloignée de la sienne dans le temps, et si différente. Les moeurs de cette société le choquent sans cesse, par exemple, car elles ne sont pas celles que lui ont inculquées ses conditionnements de jeune-homme-bien-élevé-du-19e-siècle.

Virginie ne trouve pas Paul sans charme, malgré tout (l'exotisme...) et essaie de l'aider à s'adapter, mais sans grand succès. La mère de Virginie, Bernardine (la mode, à l'époque, est aux prénoms archaïques...), est une savante physicienne, et elle essaie quant à elle de trouver un moyen de renvoyer Paul dans son époque, par charité —et aussi parce qu'il commence à l'énerver avec ses réactions pincées à tout ce qu'il voit!

Cependant, malgré ou à cause de leurs différences, Paul et Virginie sont de plus en plus amoureux l'un de l'autre, même s'ils ne le savent pas trop, ou ne veulent pas trop le savoir. L'Amour va-t-il réussir à combler la distance (temporelle, socio-culturelle, psychologique) qui les sépare?

Apparemment pas: après un échec particulièrement cuisant des efforts de Paul pour s'adapter, il se précipite, découragé, voire désespéré, dans la Machine Temporelle Expérimentale mise au point par la mère de Virginie. Virginie essaie de l'en empêcher, se prend les pieds dans un fil qui traîne et tombe dans la Machine Temporelle avec lui. Ciel!!!

Ils se retrouvent tous les deux au 42e siècle et demi (Johnny-Les-Tentacules vient justement de le quitter...). C'est une époque où, pour des raisons diverses, le puritanisme le plus extrême est redevenu la norme. Mais il est différent de celui du 19e siècle —et de Paul: on considère carrément les femmes comme des animaux par exemple, et on les traite comme telles. Paul va donc continuer à avoir des problèmes d'adaptation, et maintenant VIRGINIE aussi va en avoir...

Ces problèmes d'adaptation finissent par mettre la vie même des amoureux en danger, avec la conséquence inattendue que Paul, pour défendre Virginie, réussit à surmonter toutes ses précédentes inhibitions.

Trop tard! Poursuivis par une meute de vertueux enragés du 42e siècle et demi, nos amoureux se trouvent coincés au sommet d'une vertigineuse falaise. S'ils sautent, c'est la mort assurée, comme s'ils ne sautent PAS... Après avoir échangé un dernier regard, ou le premier et dernier aveu de leur amour réciproque, ils sautent main dans la main...

Protestations du public: «Noooon!!!»

Bon. La mère de Virginie a finalement réussi à rendre opérationnelle sa Machine Temporelle, et repêche les amoureux en plein vol!

Happy End

4. Découpages, permutations et autres manipulations

Considérons les divers éléments d'une histoire, tels que décrits précédemment, comme les pièces d'une sorte de lego.

a) On commence dans l'ordre chronologique.

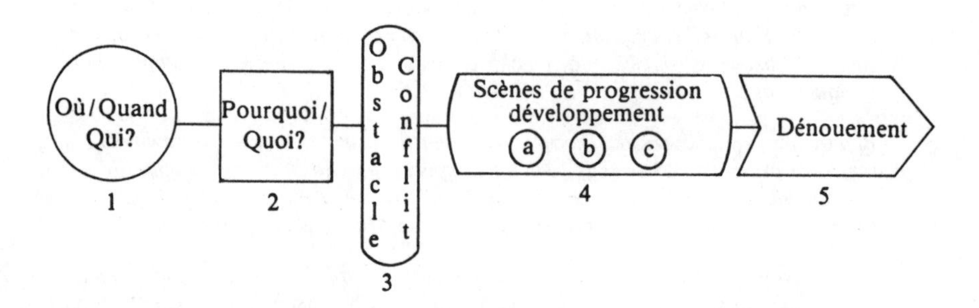

Ce qui donnerait le résumé d'histoire suivant:

1. Dans la rue, l'hiver, en 1879, Paul, jeune homme bien, se promène.

2. Il est emporté par une tornade étrange, perd conscience et se réveille sur une pelouse en plein été, parmi des gens au corps totalement nu sous des peintures aux couleurs criardes. Il est au 25ᵉ siècle; ces gens sont les amis de Virginie, jeune fille charmante dont c'est l'anniversaire aujourd'hui. Les gens semblent très bien comprendre ce qui est arrivé à Paul: il a été enlevé par une Tornade Temporelle, événement rare mais pas inconnu d'eux.

3. Paul pique une crise d'hystérie et s'évanouit en voyant tous ces gens scandaleusement nus. Les gens en question le ramassent et émettent des doutes sur ses capacités d'adaptation à leur culture, qui leur semble être très différente de la sienne à en juger par sa réaction.

4. **(a)** *Paul découvre peu à peu —et pas toujours volontairement— cette culture effectivement très différente de la sienne. Il y est souvent fort embarrassé et n'arrive pas à s'adapter, malgré les efforts qu'il fait (sans se l'avouer) pour les beaux yeux de Virginie.* **(b)** *La mère de Virginie fabrique une Machine Temporelle pour essayer de renvoyer Paul dans son époque.* **(c)** *Un dernier échec/humiliation de Paul le jette, désespéré et suicidaire, dans la Machine.* **(d)** *Virginie essaie de l'en empêcher, tombe avec lui dans la Machine, et ils se retrouvent tous deux dans une autre époque future* **(e)** *où les dangers encourus en commun viennent à bout des inhibitions de Paul —et de Virginie qui, même si elles sont différentes, a les siennes...*

5. Malgré cela, un destin fatal attend les amoureux poursuivis par des résidents scandalisés du 42ᵉ siècle et demi. Heureusement la mère de Virginie les repêche grâce à la Machine Temporelle enfin fonctionnelle. Paul et Virginie décident de faire leur voyage de noces dans le Temps via la Machine: après ce qu'ils viennent de vivre, ils estiment qu'ils sont désormais capables de s'adapter à n'importe quoi!

Comme vous pouvez le constater, cette organisation de mon récit est très proche de la façon dont je vous ai tout à l'heure résumé l'histoire. C'est l'organisation la plus simple, celle qui cause le moins de problèmes: les informations nécessaires à la compréhension sont fournies au fur et à mesure. Et c'est en effet un narrateur omniscient qui serait le plus pratique ici, vous avez raison.

Les véritables problèmes commencent avec le deuxième type d'organisation possible.

b) On commence par le conflit principal.

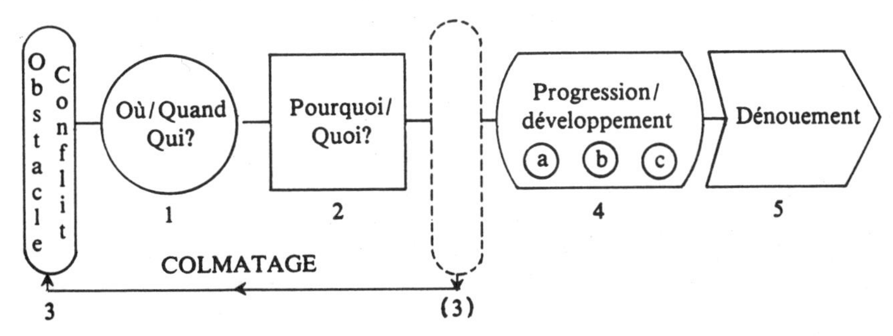

C'est ce qu'en latin on appelle commencer «in medias res»: en plein milieu de l'action.

> *1. Un jeune homme chaudement vêtu apparaît en plein été sur la pelouse d'une maison à l'architecture bizarre, parmi des gens nus couverts de peintures, en plein milieu d'une sorte de fête. Les gens sont étonnés. Moins que lui: il pique une crise d'hystérie et s'évanouit. Même chose un peu plus tard, quand il se réveille. Ce jeune homme ne supporte apparemment pas la vue de gens dévêtus.*

Et maintenant il va falloir expliquer au lecteur QUI est ce jeune homme, d'OÙ —et DE QUAND...— il vient et POURQUOI/COMMENT, et QUI/OÙ/QUAND sont les gens de la pelouse. À la suite de quoi on sautera évidemment la phase 3 pour retrouver 4 et 5 inchangées.

Vous reconnaissez peut-être cette figure: on va avoir là un vaste *retour en arrière* avec 1 et 2, à la suite de quoi on va retrouver l'ordre chronologique. Il a fallu *colmater*.

Problèmes du colmatage

Si vous regardez bien, vous constaterez qu'en même temps que le retour en arrière, on a fait *l'ellipse* de la phase 3 à la place qu'elle occuperait dans l'ordre normal —chronologique— des événements. Le colmatage a donc toujours pour corollaire une ellipse (et inversement, bien entendu...).

Vous pouvez imaginer l'intérêt de ce genre de commencement comme *hameçon*: on présente au lecteur une *énigme* surprenante, choquante, pittoresque, drôle, angoissante, etc. Le problème consiste évidemment à présenter ensuite les informations nécessaires de façon attrayante, claire et suffisamment rapide pour que le lecteur avide de connaître la suite ne décroche pas pendant le colmatage.

> Là encore, c'est avec un narrateur omniscient que ces problèmes se traiteront avec le plus de facilité. Avec un narrateur aligné? Eh bien, essayez, pour voir. La question qui se pose, évidemment, c'est: narrateur aligné sur qui?... Une première réponse serait: sur le personnage susceptible de fournir le plus vraisemblablement l'ensemble des informations nécessaires. Et le danger va être de faire donner trop d'informations par ce personnage, le transformant en Explicateur Patenté, ce qui sera peut-être fort indigeste... Un narrateur ignorant? Hum...! Mais essayez, essayez, vous verrez bien.

Je suppose que vous aurez pu constater les difficultés que cela présente: avec un narrateur ignorant, comment diantre présenter les informations nécessaires à la compréhension minimale des événements? Et le fait que mon histoire en soit une de SF n'entre pas vraiment en ligne de compte, ici: les problèmes de l'information nécessaire se posent toujours de la même façon pour un narrateur ignorant catapulté en pleine action. Je vais donc passer immédiatement à la troisième possibilité d'organisation pour voir si par hasard nous n'y trouverions pas quelques réponses à ces difficultés.

De plus en plus fort, donc.

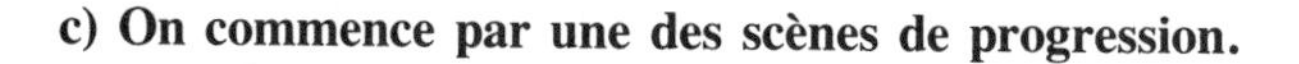

c) On commence par une des scènes de progression.

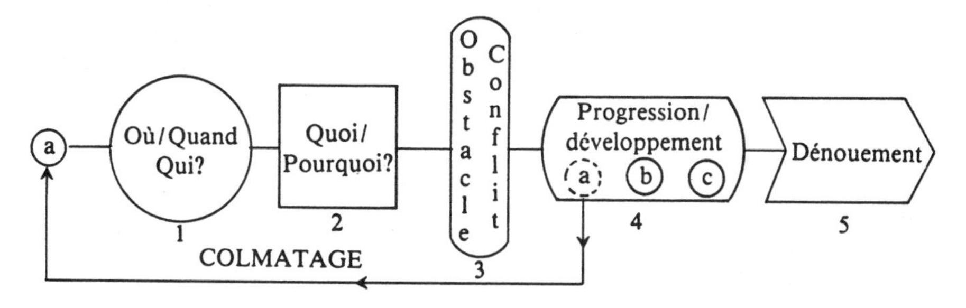

C'est le même cas que le précédent, mais en quelque sorte aggravé: le colmatage inclut maintenant le *conflit principal*.

> *1. Un jeune homme nommé Paul se trouve dans une société à laquelle il n'est pas adapté, comme le montre tel ou tel épisode significatif. Une jeune fille nommée Virginie (et charmante) essaie d'aider Paul, mais sans grand succès. Ils sont en train de tomber amoureux l'un de l'autre, bien que sans trop vouloir se l'avouer.*

L'intérêt de ce genre de début, c'est qu'on y a l'occasion de présenter tout de suite *les personnages en situation*, et le cas échéant en situation *interrelationnelle*.

Puisque c'est en situation, on peut déjà décrire une bonne partie du OÙ et du QUAND, ainsi qu'une partie du QUOI/POURQUOI. Cela dépend cependant du type de narration choisie. Narrateur omniscient, narrateur aligné, ou, plus difficile (essayez...) narrateur ignorant ou narrateur en JE.

Dans ces deux derniers cas, il va encore falloir décider sur qui est aligné le narrateur, ou qui est JE: Paul... ou Virginie? Ou quelqu'un d'autre (la mère de Virginie, par exemple, ou un(e) de ses ami(e)s)? Chaque personnage sera/aura un point de vue différent, les informations apportées seront plus ou moins différentes (et appropriées), et tout le ton de l'histoire sera différent selon le point de vue adopté...

De toute façon il va falloir colmater. Mais les données pourront être réparties de façon plus souple et éventuellement plus dynamique, puisqu'on va présenter le conflit principal et les personnages pris dans des actions et non décrits dans des explications plus ou moins statiques.

Le narrateur le plus efficace pour ce type de narration serait peut-être un narrateur aligné? Ou un narrateur omniscient ferait-il là encore l'affaire? Voyez ce que ça donne, essayez...

On peut évidemment prendre n'importe laquelle des scènes de progression, par exemple (b), ou (c) au lieu de (a), (d) ou (e); cela dépend simplement du nombre des scènes de progression...

Ce qui nous donnerait par exemple:

> *1. (b) Bernardine, savante physicienne et mère d'une jeune fille nommée Virginie (charmante au demeurant) est en train de travailler à une Machine Temporelle de son invention. Un jeune homme nommé Paul, charmant lui aussi mais visiblement désespéré, vient se jeter dans la Machine. Virginie, qui le poursuit, trébuche et tombe à sa suite dans la Machine. Ils disparaissent tous les deux!*

De nouveau, l'intérêt de ce genre de commencement est de constituer un hameçon par son caractère énigmatique: qu'est-ce que c'est que cette machine, pourquoi Paul est-il désespéré, pourquoi Virginie le suit-elle, où ont-ils disparu, que va-t-il leur arriver... et OÙ et QUAND sommes-nous, grands dieux???!!!

Le colmatage va répondre, par une série de retours en arrière judicieusement disposés, à ces angoissantes questions. Ce qui ramènera le lecteur satisfait et toujours intéressé —on le souhaite...— à Paul et Virginie émergeant un peu ébahis au 42e siècle et demi, l'action principale reprenant son cours.

Ou bien on peut avoir ceci:

1. (c) Un jeune homme et une jeune fille plus ou moins ébahis/essoufflés apparaissent brusquement devant des gens dont la réaction immédiate est de les poursuivre en criant au scandale ou au sacrilège.

Vous constatez que, dans le cas de l'histoire que j'ai imaginée pour les besoins de ma cause, on obtient dans ce cas le même type de situation «hameçonnante» que lorsqu'on commençait par le conflit principal: une énigme, qu'il va falloir expliquer au lecteur, ou du moins lui donner les moyens d'élucider. QUI sont ces gens furieux, POURQUOI le sont-ils, QUI sont les deux jeunes gens, POURQUOI/COMMENT sont-ils là, QUAND est «là» (et OÙ), d'OÙ et de QUAND viennent donc ces deux jeunes gens?...

À chaque fois, le colmatage implique un retour en arrière plus vaste et davantage d'informations à donner. Il implique donc un danger croissant d'avoir la main lourde dans l'administration des explications au lecteur...

Et remarquons que cela devient de moins en moins faisable si on choisit une narration en JE (JE étant Paul, par exemple) et au présent: Paul étant catapulté dans une scène d'action intense (poursuite et dangers), quelle vraisemblance y a-t-il en effet à ce qu'il explique maintenant (et à qui?) tout ce qui a précédé ce moment? Il va falloir attendre que la scène d'action soit terminée... Mais au moins aura-t-elle servi à présenter Paul et Virginie en (inter)action, ce qui est un début d'information dynamique sur les personnages. Un narrateur aligné sur Paul aura un peu le même inconvénient: il ne sait/voit/vit rien de plus que Paul. Un narrateur omniscient, lui, s'ébattra joyeusement dans ses retours en arrière sans se faire de souci. Un narrateur ignorant... Muet, il lassera très vite le lecteur, je crois, en étirant l'énigme à l'infini, coincé qu'il est dans la seule description sans commentaire du décor, des gestes et des paroles. Bavard, faisant des commentaires et des hypothèses, il ne sera guère plus efficace et risquera d'allonger démesurément l'entrée dans l'histoire...

Une partie des problèmes du narrateur en JE et du narrateur aligné se trouve cependant réglée si on adopte le passé comme temps de narration. Pourquoi? Parce que JE, ou le narrateur aligné sur Paul, fera le récit de façon rétrospective et pourra donc ajouter les commentaires et explications désirées aux temps et lieux opportuns. Ces deux narrateurs se trouvent dans la même situation: l'histoire est finie, ils savent tout ce qui s'est passé et peuvent donc prendre le temps de faire ici ou là une pause ou un sommaire appropriés.

Mais ce n'est pas fini! on peut encore choisir un quatrième type d'organisation du récit.

d) On peut commencer par la fin!

Mais pas toute la fin, protesterez-vous, à juste titre! On ne va quand même pas raconter la fin au début!

La fausse piste

En bien, non! On peut allécher le lecteur avec un aperçu de la fin... qui peut être une fausse piste si on a un dénouement à double détente.

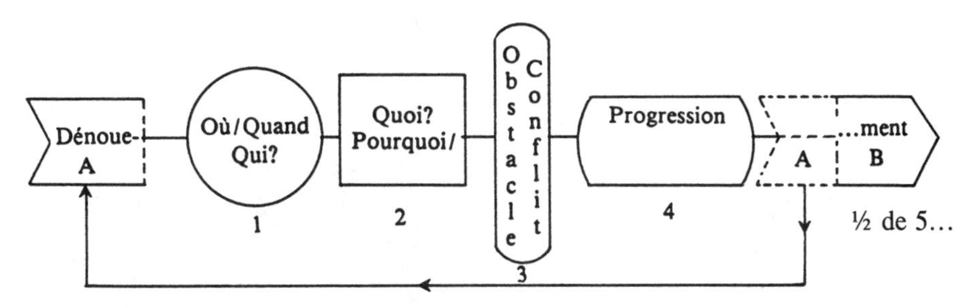

1. Deux charmants amoureux, Paul et Virginie, sont coincés au sommet d'une vertigineuse falaise et poursuivis par une meute assoiffée de sang. Après s'être enfin avoué leur amour réciproque, ils sautent main dans la main vers une mort certaine.

Ici, deux possibilités: ou bien je vais grignoter un peu plus sur la fin et suggérer que quelque chose arrache Paul et Virginie à la mort, au dernier moment (mais QUOI, se demande le lecteur en se rongeant les ongles: suspense! suspense!). Ou bien j'espère que mon lecteur voudra bien attendre que le colmatage soit terminé pour savoir ce qui arrive réellement à Paul et Virginie.

Je crois qu'il consentira à attendre, surtout si l'ambiance de cette séquence initiale n'est pas d'un ton trop sinistrement tragique (même si les événements présentés ne sont apparemment pas très rassurants...). C'est que je joue ici avec ses attentes.

Il se peut en effet que ce lecteur ait déjà rencontré le dénouement du genre «sauvé à la dernière minute!», assez souvent pour savoir qu'il est en général précédé par la description d'une situation apparemment sans issue. Il va donc supporter le suspense parce qu'il sait qu'il aura à la fin le plaisir (le confort...) de voir son attente confirmée.

Celui qui a trop vu ce genre de dénouement, alerté dès le début (pour la même raison que le lecteur précédent), continuera peut-être tout de même à lire jusqu'au bout pour voir si vraiment l'auteur a le culot d'utiliser ce truc usé jusqu'à la corde, et avec quelle astuce il va éventuellement renouveler cette fin-cliché —on ne sait jamais...

Et il y a aussi le lecteur naïf, qui ne connaît pas l'existence de ce genre de dénouement, n'en connaît donc pas le signal que constitue mon hameçon et va suivre le colmatage avec angoisse en se demandant comment, mais comment ça va bien pouvoir finir!...

Il appartient bien entendu à l'auteur de satisfaire ou de décevoir les attentes des deux premiers types de lecteurs. Autant dire tout de suite qu'il vaut mieux décevoir le second en lui présentant un renouvellement de la fin-cliché (agréable surprise!), que de décevoir le premier en faisant bel et bien mourir Paul et Virginie à la fin (surprise scandalisée)! Il y a des chocs de lecture (quand des attentes positives sont trop déçues) auxquels ce lecteur ne peut réagir que par un cri d'outrage, genre «ah non! c'est de la triche!!!»: il s'estimera berné, voire volé... Ou alors, il aura fallu déterminer tout de suite le ton tragique de l'histoire, afin que ce lecteur-là soit prévenu (même subconsciemment...) de ce qui l'attend. Sinon, ce n'est sûrement pas une bonne manière de s'assurer de sa future bonne volonté...

Le double sens

L'autre possibilité, quand on commence par la fin, c'est de vraiment commencer par la fin, toute la fin. Cela fait changer éventuellement l'histoire de registre (et donc de sens), et le lecteur de lecture.

Connaissez-vous la série télévisée *Columbo*? Elle prenait à contre-pied la structure habituelle des émissions policières: on savait tout de suite qui avait tué et comment. L'intérêt de chaque épisode consistait à savoir comment le meurtrier allait se faire prendre. Quelle erreur il avait faite, ou ferait, qui n'échapperait pas à l'oeil de verre de l'Inspecteur Columbo.

Mais cette structure vaut aussi pour des histoires qui ne sont pas policières. En effet, de même qu'une fin peut être à «double détente» (fausse fin/vraie fin), elle peut être à *double sens*. Un premier sens se trouve exposé en ouverture, d'après lequel le lecteur va être entraîné à lire tout ce qui suit. Mais le colmatage va éventuellement révéler peu à peu une autre interprétation possible des faits, et en particulier de cette première fin. Autrement dit: attention, une fin peut en cacher une autre!

> Par exemple, pour reprendre une intrigue policière, ce qui apparaissait au début comme un meurtre peut se révéler avoir été en réalité une euthanasie, un acte d'amour ou de compassion, et non un acte causé par une violente haine. Ou l'inverse (plus pervers...): cette soi-disant euthanasie pratiquée avec tant d'amour et de compassion, et dont on se sent prêt à absoudre le personnage coupable, se trouvait être bel et bien un meurtre, ledit personnage étant un maître hypocrite. Ou encore (plus subtil), c'était en même temps un acte de compassion/amour *et* un meurtre, l'amour et la haine étant souvent les deux faces d'une même médaille...).

L'intérêt de ce genre de construction, c'est évidemment le jeu qu'il permet là encore avec les attentes du lecteur: les possibilités de surprises, retournements, révélations soudaines... Cela produit souvent ce qu'on appelle des histoires *à chute*, parce que c'est seulement dans les dernières lignes, voire dans la dernière phrase, voire dans le dernier mot, que le sens véritable de l'histoire se révèle de façon soudaine, tandis que le sens précédent se retourne parfois comme un gant, laissant le lecteur médusé.

Dans le meilleur des cas, si la chose a été bien menée, ledit lecteur sera ravi (comme devant un prestidigitateur...). Sinon, il sera furieux parce qu'il aura encore l'impression de s'être fait flouer, rouler, mener en bateau...

Comment bien mener la chose? Essentiellement, c'est en disposant suffisamment *d'indices* (grâce au jeu des *connotations*, par exemple), indices perceptibles consciemment ou subconsciemment par le lecteur. Tous ces indices s'organisent soudain rétrospectivement de façon cohérente dans son esprit au moment du retournement ultime, et il s'exclame alors: «Bon sang! mais c'est bien sûr!» en ayant l'impression non pas qu'on lui explique mais bien qu'il a compris de lui-même! (Tard, mais de lui-même...) Il est alors très content, de lui, de l'histoire... et de l'auteur.

Cela nous donnerait donc le schéma suivant:

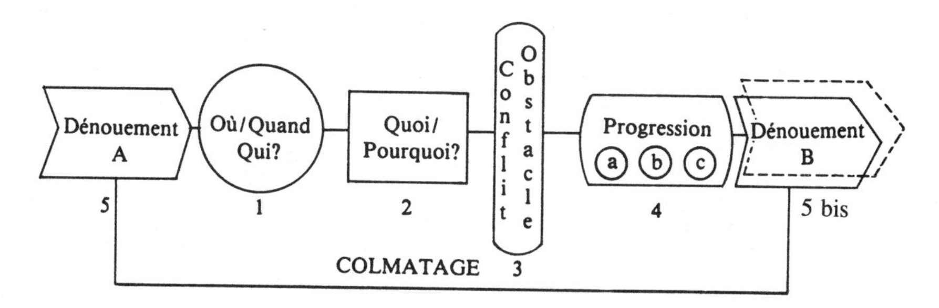

Comment se présenterait mon histoire de Paul et de Virginie, avec ce type d'organisation du récit, une «fin à double détente»? Essayez, pour voir...

Il faudrait que je modifie considérablement l'histoire. La fin que j'ai choisie initialement n'est pas susceptible de deux interprétations, et dans l'état actuel de l'histoire, il ne peut guère y avoir de fin ambiguë. Il y a la fin malheureuse (celle dont je vous disais qu'elle ferait hurler le lecteur ayant consenti à patienter pendant le colmatage parce qu'il espère une fin heureuse...): «Ils sautent et meurent, mais dans la mort, au moins, il sont enfin réunis.» On ne peut vraiment pas dire que cela fasse lire rétrospectivement toute l'histoire d'un autre oeil, ni que cela la transforme en une histoire «à chute» (malgré le saut du bord de la falaise...).

En fait, je ne crois pas que cette histoire-là soit susceptible d'être organisée ainsi. (Mais si vous êtes d'un avis contraire et pouvez me prouver que je me trompe, écrivez-moi!!!) Au lieu d'être dans le registre «gentil» (fin actuelle), ou dans le registre tragique (fin malheureuse), je pourrais tout au plus choisir le registre sarcastique: la Machine sauve les amoureux, mais elle n'est pas encore vraiment opérationnelle et les envoie de nouveau dans une autre époque tout aussi épouvantable. Et même, tenez, soyons carrément féroces: il n'y a pas de raison que ça s'arrête, la Machine étant définitivement détraquée! (On pourrait alors se demander si la mère de Virginie ne serait pas aussi l'inventeuse de la Machine à Désintégration dont Johnny-les-Tentacules s'échappe avec une si monotone régularité. Mais ceci est une autre histoire...).

> Pour en revenir à Paul et Virginie, la «morale» de cette histoire, si je choisissais de la raconter dans le registre sarcastique, ce serait qu'on peut sans doute espérer voir les amoureux apprendre à s'adapter!... Mais ça ne ferait nullement une fin à double sens.

Tout ceci pour illustrer l'axiome suivant: on ne peut pas faire n'importe comment le récit de n'importe quelle histoire. Il y a des rigidités, des pesanteurs, *des contraintes internes à chaque sorte d'histoire*, et il faut en tenir compte.

CHAPITRE VII
L'information nécessaire au lecteur: problèmes et stratégies

Introduction

Certains problèmes informatifs sont évoqués dans la *Première partie* de ce *Guide*, et le seront plus loin dans la *Deuxième partie*: comme d'autres problèmes, j'ai choisi de les traiter au moment où ils apparaissent *dans une situation donnée d'écriture*. C'est surtout à ce stade de *l'organisation de l'histoire* que les problèmes d'information factuelle en particulier se posent d'une façon très spécifique: aussi vais-je leur consacrer cette fois un chapitre entier.

Vous avez pu constater que résoudre le problème du *commencement*, de l'hameçon, a pour conséquence de nous faire rencontrer le problème du *colmatage*, c'est-à-dire le *problème de la présentation au lecteur des informations nécessaires* pour comprendre la situation au beau milieu de laquelle il est éventuellement projeté. Ce peuvent être des informations simplement factuelles (portant sur le lieu, le temps, l'action), mais en général elles sont inextricablement liées à des informations en quelque sorte intérieures sur les personnages. Ces dernières font partie de la caractérisation des personnages, qui est plus spécifiquement traitée au *Chapitre IX*.

Comme j'ai déjà commencé à le suggérer, les stratégies permettant de répondre aux problèmes de l'information dépendent en grande partie de la *narration* choisie, du genre de narrateur qui mène le récit. Voyons donc un peu plus systématiquement les possibilités narratives de chaque type de narrateur.

A. Avec des narrateurs extra-diégétiques

Rappel: ils ne racontent pas leur propre histoire.

De tous, c'est le *narrateur omniscient* qui dispose de la plus grande liberté, on l'a vu. Maître à son gré du temps, de l'espace et de la conscience des personnages, tout lui est permis (sauf la non-cohérence, bien entendu). Et d'abord:

1. Les retours en arrière

À commencer par ce vaste retour en arrière que constitue le colmatage à partir du moment où l'on a décidé de bouleverser l'ordre chronologique pour se trouver un «bon début», un bon hameçon.

Ce retour en arrière, la règle du jeu de la vraisemblance propre aux narrateurs alignés ou aux narrateurs ignorants le rend problématique pour eux, dans la mesure où, rappelons-le, ils n'en savent pas plus (ils en savent même moins) que le(s) personnage(s) au(x)quel(s) ils s'attachent. Il existe évidemment des moyens de satisfaire à la vraisemblance dans les deux cas, on va le voir, mais pas avec la souveraine désinvolture du narrateur omniscient qui peut utiliser tous les moyens sans avoir jamais à se justifier —étant Dieu... Il peut utiliser par exemple:

2. Le montage alterné

Il s'agit d'un montage en parallèle (penser en termes de cinéma peut parfois être utile). Un exemple simple de ce procédé se trouve dans la séquence suivante que vous avez tous certainement vue et que Robert Charlebois a immortalisée en chanson: *Ici et simultanément là-bas.*

Le vilain ligote l'héroïne sur les rails

Ciel, l'héroïne n'est pas au rendez-vous! Ne reste d'elle qu'un petit morceau de dentelle déchirée!! Le héros se frappe le front: Bon sang! mais c'est bien sûr, elle a été enlevée!!!

La locomotive quitte la gare en sifflant joyeusement.

Le héros saute sur son cheval par la fenêtre (ouverte, si possible...).

L'héroïne se tord dans ses liens en suppliant le vilain qui ricane sardoniquement, l'infâme!

Le héros galope (de face).

La locomotive roule à pleine vitesse: vue de la chaudière rougeoyante.

Gros plan du héros toujours en train de galoper: ses mâchoires sont virilement serrées pour contenir son angoisse.

L'héroïne sur les rails, vue par les bottes du vilain.

(Pourquoi reste-t-il là, au fait? Pour attraper le héros lorsqu'il viendra au secours de l'héroïne, bien entendu. Il l'explique aimablement à l'héroïne, en voix «off».)

Le héros galope (de dos).

La locomotive roule frénétiquement (gros plans sur les roues).

Et ne vous plaignez pas, je vous fais grâce de la musique!... Vous êtes donc comme tout le monde sur le bord de votre siège, à vous ronger les ongles: ''Mais dépêche-toi donc, épais!'' Le héros arrivera à temps. Bien sûr.

Ce qui rend possible le «montage alterné», ce sont évidemment les pouvoirs illimités ou presque du narrateur omniscient: il est pourvu du don d'ubiquité et se retrouve en deux endroits à la fois (ou davantage, d'ailleurs: pas de limites ici à la magie de l'écriture, pas plus qu'à celle de la caméra!).

Le principe du montage alterné décrit ci-dessus, c'est tout simplement une explication de la chaîne d'événements B (les actions du héros) par une chaîne d'événements A (les actions du vilain). Pour cela, il faut évidemment les «voir» en rapport l'une avec l'autre.

Littérairement, ce n'est pas possible pour les narrateurs alignés, ou alors sous une forme hypothétique: le personnage point de vue imagine ce qui se passe ailleurs en ce moment, mais il n'y est pas, et le lecteur non plus: c'est une vision au second degré (alors que le narrateur omniscient, lui, nous transporte sur place avec lui...). Le narrateur ignorant bavard peut lui aussi faire des hypothèses, et peut donc pratiquer une forme de montage alterné de possibilités; le narrateur ignorant muet, ne se permettant même pas des hypothèses, ne peut pas du tout avoir recours à ce procédé.

Cependant (rien n'étant vraiment impossible...), une des variantes du narrateur aligné lui permet un usage quasiment sans restriction du montage alterné: c'est celle où il se confond avec plusieurs personnages alternativement —en n'en sachant toujours pas plus à chaque fois que le personnage point de vue, bien entendu.

Si je reprends mon histoire de Paul et Virginie, un narrateur omniscient commençant en pleine action, à l'apparition de Paul sur la pelouse de Virginie, pourra faire un retour en arrière, nous montrer Paul dans ses temps et lieux d'origine, nous montrer la Tornade Temporelle et ses effets, puis, revenant à Paul sur la pelouse, nous faire partager les réactions/pensées de Paul, celles de Virginie et celles des autres personnages. Il nous expliquera ainsi fort aisément (et rapidement, avantage toujours appréciable), la situation générale, celle plus particulièrement de Paul ainsi que la personnalité des principaux protagonistes Paul et Virginie (et aussi celle de la mère de Virginie, puisqu'on en aura besoin par la suite...). S'il ne commence pas «in medias res», il pourra nous présenter en montage alterné Paul au 19e siècle et Virginie le jour de son anniversaire au 25e siècle, avec Bernardine à l'arrière-plan en train de jouer avec sa Machine Temporelle.

Un narrateur aligné alternativement sur Paul, Virginie et sa mère Bernardine aura à peu près les mêmes avantages qu'un narrateur omniscient pour ce qui est de la présentation des informations nécessaires. Un narrateur aligné seulement sur Paul... Seulement sur Virginie... Vous pouvez essayer vous-même, pour voir ce que ça fait.

Et s'il est confondu seulement sur Bernardine? Oui, vous avez raison, c'est elle qui devient le personnage principal, et toute l'histoire en est modifiée. Comment? Continuez à essayer...

Quant à un narrateur ignorant pour raconter cette histoire... Là encore, essayez et voyez le résultat. Je vous rappelle qu'il en sait moins que les personnages et ne peut pas les suivre s'ils quittent son champ de vision/audition. Et qu'il voit tout de l'extérieur.

Comme il fallait s'y attendre, c'est avec les narrateurs ignorants qu'on rencontre le plus de problèmes dans la présentation de l'information!

3. Stratégies spécifiques aux narrateurs ignorants

Ces stratégies sont évidemment utilisables également par les narrateurs omniscients et par les narrateurs alignés, qui en usent d'ailleurs de façon plus libre. Le narrateur ignorant, par définition, est donc... ignorant: limité à ce que les personnages disent et font, d'une part, et d'autre part à la description de l'environnement (au sens large) de ces personnages. On a vu ailleurs l'extrême variété des moyens dont dispose ainsi, en réalité, le narrateur ignorant. S'il ne peut pas connaître et nous faire connaître directement l'histoire passée d'un personnage, ou encore des détails de l'action, antérieurs ou parallèles, nécessaires à la compréhension d'une situation donnée, il peut cependant avoir recours à une présentation indirecte.

a) L'agent passif

Ce sont les lettres, journaux, encyclopédies... ou tout autre texte, et, modernité obligeant, vidéos, bandes magnétiques, répondeurs automatiques, ordinateurs, etc., donc tout objet «passif» qui permet de présenter de l'information pertinente à l'action («agent»).

Par exemple:

Hameçon

Arrivée soudaine d'un «jeune homme habillé de telle et telle façon» sur la pelouse parmi des gens nus. Hystérie et évanouissement dudit.

Colmatage

«Le jeune homme» écoute des bulletins de nouvelles à la télé en trois dimensions: commentaires et explications de l'événement par divers savants (dont la mère de Virginie); éventuellement: entrevue avec «le jeune homme» (dont on apprendra alors le nom... et tout le reste) éberlué quelques jours après son arrivée, entrevues avec des témoins oculaires, etc.

Très vertueusement («vraisemblablement»...), le narrateur ignorant s'efface donc ici devant l'objectivité des documents. C'est ce que feraient aussi narrateur omniscient et narrateur aligné, mais le premier pourrait se passer totalement du personnage pour voir et nous faire voir les documents utilisés, et le second aurait seulement besoin que le personnage ait lu/vu ces documents à un moment non spécifié et qu'il s'en souvienne...

Vous voyez certainement l'intérêt des «agents passifs»: ils peuvent être utilisés à la place du retour en arrière pour expliquer QUI/OÙ/QUAND/COMMENT/POURQUOI, ce qui les rend extrêmement précieux aussi pour le narrateur ignorant.

Et du même coup, dans mon histoire, cela me sert à mettre en place l'autre monde où Paul est tombé, cette société future, son fonctionnement, ses décors, ses moeurs... Ainsi que les autres personnages nécessaires à l'action: Virginie, sa mère, un de ses soupirants (comme témoin oculaire de l'événement...). Quelle économie de moyens, non? Surtout si je ne dispose que de 25 pages pour raconter cette histoire...

En fait, l'appellation «agent passif» est très souple et peut s'appliquer à tout ce qui suscite un apport d'informations nécessaires: ours en peluche ou oreiller, miroirs, objets chéris, lieux aimés, mur de prison, à peu près n'importe quoi peut être considéré comme un agent passif à partir du moment où cet agent déclenche un *récit de paroles*. Celui-ci fera l'objet de tout un autre développement au *Chapitre IX, B, 3*, à propos d'un type d'information spécifiquement liée au personnage, la caractérisation. Mais il est si souvent utilisé pour la présentation des autres types d'informations qu'il convient de s'y arrêter ici.

b) Le «récit de paroles» (premier service)

Définition et description

Le «récit de paroles», c'est *la (re)production du discours et de la pensée des personnages dans le récit littéraire écrit*, et c'est un des autres outils à la disposition des narrateurs mal pris avec les informations à présenter.

Information par conférences, dialogues, monologues

On a vu que les narrateurs extra-diégétiques, pour ne pas forcément raconter leur propre histoire, n'en sont pas moins toujours des *personnages à part plus ou moins entière*. On peut donc bien considérer que tout récit d'une histoire est un «récit de paroles», ou au moins d'une parole pour commencer: celle du narrateur. On ne s'étonnera sans doute pas de constater qu'il arrive au narrateur omniscient d'abuser de ce privilège...

Conférence du narrateur

Paul et Virginie viennent de se jeter dans le vide, la main dans la main, après avoir échangé un dernier regard passionné. Ils tombent en tournoyant vers leur mort certaine. Ciel! le lecteur est tout retourné! C'est le moment que choisit le narrateur omniscient, par exemple, pour faire un pas en avant de la scène, chausser ses lunettes et commencer sa *conférence*:

Cependant, la mère de Virginie avait longuement réfléchi sur les principes fondamentaux du Voyage Temporel. Le voyage dans le passé impliquait que... que... (18 pages d'explications arides), mais le voyage dans l'avenir, lui, impliquait que... (15 pages).

"Eh!", s'écrient Paul et Virginie arrêtés sur image dans le vide, la main dans la main: "et nous?!"

Le lecteur protestera avec eux, et avec raison. Cette *pause* dans une action palpitante est intolérable! Ce narrateur-*écran* est insupportable!! On est là pour participer, pas pour écouter une conférence!!! Remboursez!!!!

"Très bien", réplique le narrateur omniscient vexé, "dans ce cas, laissons *les personnages eux-mêmes expliquer ce qui se passe*." C'est vrai, après tout —et utile pour les deux autres sortes de narrateurs extra-diégétiques: un narrateur aligné peut nous rapporter ce que dit ou pense le personnage point de vue (ou les personnages point de vue); et si un narrateur est ignorant, par ailleurs, les personnages qu'il entend et voit ne le sont pas forcément autant que lui...

Conférence-monologue de personnages

Fugitifs pourchassés sans merci, Paul et Virginie ont trouvé un refuge précaire dans un entrepôt de robots domestiques. Virginie, épuisée, s'est endormie. Paul, virilement éveillé, la contemple, et médite *à haute voix* (ce peut être un murmure, mais il faut que le narrateur ignorant puisse entendre...) sur le sort qui les attend: "Mais si jamais Bernardine réparait la machine? Après tout, si le voyage dans le passé exige que... que.." (18 pages), "le voyage dans l'avenir, lui, ne demande que..." (15 pages).

Monologues intérieurs, rêves, délires

Ce *monologue* de Paul pourrait d'ailleurs fort bien être *intérieur*, si le narrateur omniscient ou aligné nous fait partager ses pensées, directement (en JE: *je voudrais tellement que Bernardine répare cette fichue machine! Il suffirait qu'elle fasse ceci... et cela...*) ou indirectement (en IL implicite ou explicite: *il aurait tellement voulu pouvoir parler à Bernardine! Il se dit qu'elle aurait été bien étonnée de voir qu'il avait finalement compris ce qui n'allait pas avec le zinzitron à cardan de la Machine Temporelle: il suffisait de... et de...*). (De telles incursions sont «interdites» au narrateur ignorant, bien entendu, celui-ci étant limité à ce qu'il voit et entend.)

Ce pourrait aussi être cette variété particulière de monologue intérieur qu'est le *rêve*, ou le *délire* quand on est éveillé: Paul pourrait rêver que Bernardine lui explique le fonctionnement de la Machine Temporelle... Ou Paul, blessé au cours de la fuite et fiévreux, pourrait (anxieusement veillé par Virginie...) croire qu'il explique à Bernardine...

En tout cas, quand Paul en aura fini, Virginie ne sera sans doute plus la seule à ronfler...

''Mais vous n'êtes donc jamais contents!'', s'exclament en choeur les narrateurs congestionnés. Heureusement, ils ont plus d'un tour dans leur sac. Si le monologue explicatif d'un personnage finit lui aussi par tourner à la «conférence», il reste la ressource du *dialogue informatif* entre personnages.

Dialogue informatif

En cours de route, au 42e siècle et demi où ils ont été bien involontairement projetés, Paul et Virginie se sont embarqués clandestinement à bord d'une navette hyperspatiale. Hélas, ils ont été repérés! Ils sont coincés dans la soute à bagages!! Chaleur étouffante, fumée, éclairs des pistolets-lasers, cris des attaquants!!!

''Bon sang'', dit Paul d'une voix haletante, ''je me demande vraiment comment ils ont bien pu nous repérer!''

''Élémentaire'', répliqua Virginie en essuyant sont front en sueur, ''l'hôtesse de ce vol pour Antarès est une Tapifulipu.''

''Et alors?'', demanda Paul.

''Et alors les Tapifulipus sont des extra-terrestres avec lesquels nous venions de prendre contact, à mon époque. Ils possédaient des facultés télépathiques embryonnaires. En vingt siècles, ils ont largement eu le temps de les développer.''

''De la télépathie?!'', se mit à rire Paul, ''mais ça n'existe pas!''

''Pardon, il a été prouvé au contraire que... et que...'' (5 pages sur la télépathie, pendant que les lasers continuent de fulgurer autour des amoureux...).

Le lecteur se sera sans doute rendormi, et ce ne sont pas les ''Et alors?'', ''Vraiment'', ''Pas possible!'' et autres ''Extraordinaire!'' interjectés de temps en temps par (cet andouille de) Paul qui le réveilleront.

Mais au moins sont-ce ici les personnages eux-mêmes qui expliquent et informent, ce qui n'est pas supposé affaiblir (ou détruire...) la cohérence fictionnelle d'une façon aussi rédhibitoire que les conférences plus ou moins inopportunes des narrateurs omniscients ou ignorants.

Mais oui, les narrateurs ignorants bavards peuvent, comme leur nom l'indique, succomber à la «conférence»: le fait que leurs explications soient hypothétiques ne les empêche nullement d'immobiliser l'action aussi bien que celles du narrateur omniscient...

Il est assez clair que le dialogue de l'exemple cité plus haut constitue un *faux dialogue*; c'est en réalité un *monologue-conférence déguisé* de Virginie. Les interventions de Paul ne sont là que pour «aérer» un peu la présentation, ou essayer (maladroitement) de faire participer davantage le lecteur en faisant manifester explicitement par Paul (''Extraordinaire!''...) les émotions qu'on voudrait susciter chez le lecteur: incrédulité, étonnement, compréhension finale... Ça ne marche pas avec tous les lecteurs.

Remarque: Une chose à éviter dans le cours d'une fiction: les notes en bas de pages. Si on a déjà succombé à la pernicieuse tentation de la conférence, on va peut-être s'abandonner également au délit professoral concomitant, la «note-en-bas-de-page» à laquelle renvoie un astérisque dans le texte: * *Authentique*! Ou: * *Voir tel ouvrage de tel auteur chez tel éditeur.* Horreur, horreur, et encore horreur: on vient de détruire irrémédiablement tout le jeu de l'illusion librement consentie qui relie auteur et lecteur par l'intermédiaire de la fiction. Le seul cas dans la fiction où on peut se permettre des «notes-en-bas-de-page» et le renvoi à d'autres textes, c'est, et c'est seulement, lorsqu'on utilise des agents passifs du type journaux, articles savants, extraits d'encyclopédies, textes de conférences savantes... La note en bas de page se trouve alors *faire partie de la fiction.* Si elle est en dehors et vient rappeler le monde réel, celui où l'écrivain est en train d'écrire, alors elle fait irrémédiablement éclater l'illusion de la fiction.

Bien sûr, il est parfaitement légitime de faire passer l'information par les personnages, mais il faut procéder avec prudence et parcimonie, et de façon vraisemblable par rapport au *contexte situationnel.* Une pause-conférence en plein milieu d'une action déchaînée, ce n'est pas très indiqué —sauf si on veut délibérément «calmer le jeu», produire un effet de contraste, etc.

L'idéal serait que tout en présentant de l'information «objective», sur les faits extérieurs, les personnages se présentent aussi eux-mêmes (information psychologique) dans la manière «subjective» dont ils présentent cette information... (voir à ce propos le *Chapitre IX,* B, 2) sur la «caractérisation» des personnages).

4. Les personnages-utilités

Un autre «péché», dans la présentation de l'information, c'est lorsqu'on crée, pour les besoins de la cause informative, un personnage qui n'intervient jamais ailleurs dans l'action, qu'on ne reverra jamais, mais qu'on traîne soudainement sur le devant de la scène pour lui faire réciter une tirade explicative, ou lui faire poser les questions indispensables pour susciter cette explication. (C'est souvent le rôle de la belle héroïne dans les récits d'aventure «à quatre sous»...) La seule raison d'être de ces personnages-marionnettes venant faire trois petits tours explicatifs bien pratiques et disparaissant aussitôt après, c'est que l'auteur (et non l'histoire...) en a besoin pour présenter une information qu'il n'a pas été assez astucieux pour présenter autrement... D'où la moue entendue de certains lecteurs: ''C'est arrangé avec le gars des vues...''

L'effet de ces «porteurs de lance» sur la vraisemblance/cohérence de l'histoire peut donc être fort négatif. (On les appelle «porteurs de lance» par allusion à ces soldats de la tragédie classique qui sont là uniquement pour dire: «Voici, elle s'avance», histoire de terminer un alexandrin qui boiterait sans les six syllabes de leur réplique. C'est la Reine qui entre, tout le monde l'avait très bien reconnue, et on n'avait absolument pas besoin de cette information...) On les appelle parfois aussi les «utilités» —le nom est assez parlant! Ils fonctionnent à peu près comme un magnétophone ou une lettre «révélateurs», c'est-à-dire ni plus ni moins comme des «agents passifs»!

Avouez que c'est tout de même un comble lorsque ce sont les personnages principaux qu'on utilise de cette façon! Et c'est très dangereux: une fois que le lecteur les aura vus ainsi transformés en marionnettes, il aura du mal à les considérer encore comme des êtres réels «de chair et de sang»...

B. Avec un narrateur intra-diégétique

Rappel: il raconte sa propre histoire.

J'ai évoqué, dans la *Première partie,* certains des problèmes posés par la narration en JE; on en rencontrera d'autres, également spécifiques, au *Chapitre IX* où sont abordés les problèmes informatifs de la caractérisation des personnages. Je voudrais résumer ici les difficultés rencontrées par le narrateur en JE dans la présentation des informations plus factuelles que psychologiques.

Dans le cas d'un *récit au présent d'une histoire passée*, ce narrateur est en fait placé à la même enseigne que le narrateur omniscient ou le narrateur aligné: l'histoire étant finie, il peut «vraisemblablement» présenter toutes les informations nécessaires, à l'endroit et au moment où il le désire —ce en quoi il est d'ailleurs un peu plus libre que le N.O. ou le N.A. Et s'il fait des «conférences», même en pleine action, c'est assez légitime: c'est après tout sa propre histoire qu'il nous raconte, il en est le personnage (l'intérêt) principal, et tout ce qui lui passe par la tête est susceptible de nourrir cet intérêt.

C'est dans le cas d'un *récit au présent d'une histoire présente* que les problèmes d'information sont nettement plus aigus. Dans la «prise directe», en effet, ce qui est déjà parfois difficile à accepter du N.O. et du N.A. —les pauses informatives en cours d'action— peut vraiment pousser la *vraisemblance* dans ses derniers retranchements. (Voir à ce propos l'exemple proposé au *Chapitre II,* p. 55.) JE ne peut pas «vraisemblablement» nous expliquer très en détail, en pleine action, pourquoi cette action a lieu...

Par ailleurs, si le récit présent d'une histoire passée permet à JE de contrôler l'information, la dispensant et la retenant à sa guise, il n'en va pas de même en «prise directe», lorsque JE vit sa vie en même temps qu'il la raconte, lorsqu'il apprend et comprend en même temps qu'il raconte: il n'est pas supposé retenir de l'information, dans ce cas... Il faut alors un type de JE bien particulier pour justifier la non-présentation de l'information en temps et lieux: un JE laconique, quelque peu névrotique, voire psychotique, qui se considère lui-même de l'extérieur comme le ferait un narrateur ignorant, et qui se contente de décrire ses actes sans jamais les expliquer. Ce qui est parfaitement possible, bien entendu —si c'est l'effet qu'on désire obtenir.

Mais en fait, dans le cas de la «prise directe», c'est le postulat de base même de la narration en JE qui menace la vraisemblance: elle demande en effet un effort tout particulier de bonne volonté crédule de la part du lecteur. Pensez-y: se raconte-t-on perpétuellement ce qu'on est en train de vivre? Toute présentation d'information factuelle (et même psychologique) devient délicate dans ce contexte. Cela peut l'être moins si JE choisit la position du raconteur-bateleur qui apostrophe son lecteur-auditeur, s'il se met en scène comme un comédien. Là encore, cela produira un certain type de personnage, quelque peu exhibitionniste... Mais cet exhibitionnisme est plus ou moins spécifique à tous les narrateurs en JE. En effet, c'est le type de narration où se concentre une bonne partie des ambiguïtés du «racontage» d'histoires, *narrateur et personnage n'y étant pas distincts.*

CHAPITRE VIII

Le développement

Introduction

Où en sommes-nous de notre schéma, de notre «lego» d'histoire? Nous avons passé en revue les différents moyens et de commencer, et de réorganiser le reste à partir de ce commencement si celui-ci bouleverse l'ordre chronologique. C'est-à-dire que, de notre «lego», nous avons mis en place les pièces suivantes:

1. OÙ/QUAND/QUI?
2. QUOI/POURQUOI?
3. CONFLIT/OBSTACLE PRINCIPAL

Nous pouvons donc maintenant prendre la pièce *4. Progression*, voir en quoi elle consiste et comment l'articuler au reste.

Le développement ou «progression», c'était, dans notre lego, cette pièce oblongue:

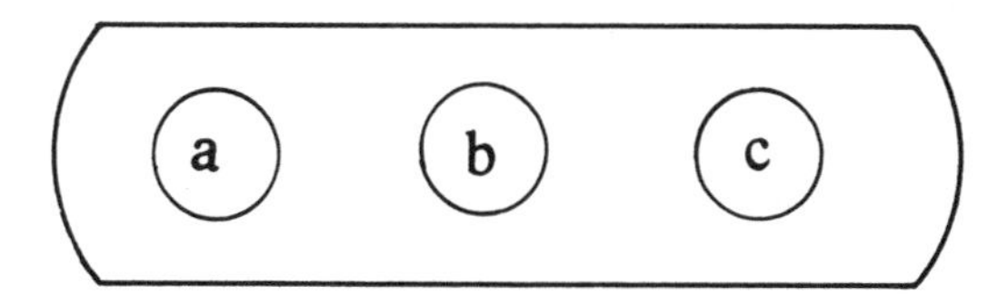

Dans cette pièce, **(a), (b)** et **(c)** sont des *scènes de progression*. Leur nombre est arbitraire: il peut y en avoir plus ou moins de trois, tout dépend de la longueur du texte, et surtout de la nature de l'histoire et de ses épisodes. En tout cas, le *développement*, c'est le moment où temps, lieux, personnage(s) et conflit principal ayant été dûment mis en place, on commence à brasser le tout pour voir comment ça évolue, quelles transformations (ou non) l'action fait subir aux divers éléments de l'expérience, quelles réactions plus ou moins (d)étonnantes ils vont avoir les uns avec les autres.

Il s'agit, entre autres, d'illustrer les diverses manières dont se présente le conflit principal et dont le(s) personnage(s) essaie(nt) de venir à bout (ce peut aussi bien être en agissant qu'en évitant d'agir, par exemple); la façon dont le(s) personnage(s) prend(prennent) conscience ou non de ce conflit principal et de ce que sa résolution exige de lui (d'eux), etc.

1. Structuration

a) Progression par répétition: *Danger!*

La tentation, ici, est de donner à chaque scène de progression une structure identique.

> **Exemple simplet:** le personnage principal est poursuivi par une chose féroce et, grâce à sa force/sa vitesse/son courage/ son astuce/sa stupidité (plus rare...)/un sauveur providentiel/le hasard... il se tire d'affaire.
>
> **Scène suivante:** en continuant son chemin, surprise: le personnage se trouve soudain attaqué par une autre chose non moins féroce, que, grâce à son courage, etc., il parvient à vaincre. Mais voilà-t-il pas qu'au détour suivant du chemin, il rencontre une troisième chose qui a des vues agressives sur sa personne! Heureusement, grâce à ceci ou à cela, il parvient...
>
> Évidemment, palpitante innovation, ce peut être "il ne parvient pas, et de plus en plus délabré, il tombe de catastrophes en calamités sans fin..." Mais il doit tout de même bien y avoir une **fin,** au double sens de "arrêt" et de "but", n'est-ce pas? S'il y a *progression*, ce doit bien être pour aller quelque part...

Si les scènes de progression sont toutes bâties sur le même schéma, contenus semblables présentés toujours de la même façon, on risque d'obtenir un léger effet de répétition, comme vous avez pu le constater plus haut... Si c'est bel et bien l'effet qu'on veut obtenir, dans le genre monotonie-accablante/angoissante-du-quotidien, ou répétition-absurde/comique, le procédé est recommandé.

b) Progression par digression: *Danger!*

L'écueil inverse, dans les scènes de progression, c'est de vouloir éviter à tout prix la répétition. On invente alors trop de situations différentes qui risquent d'exiger trop d'explications. Elles éloignent alors de la ligne principale de l'histoire en fonctionnant comme autant de *digressions* (distractions) —et non comme une progression... Par ailleurs, l'auteur peut se laisser séduire par le pittoresque de ces situations, par leurs possibilités fictionnelles, et là encore, en se faisant plaisir et en les suivant, il risque d'oublier par digression le conflit principal.

Je ne vous surprendrai pas à ce stade, j'espère, en vous disant qu'on peut parfaitement le faire —que ne peut-on pas faire, dans la fiction?!—, si la résolution du conflit principal n'est pas la fin (le but) de l'histoire, mais son prétexte, si au but du voyage on préfère le voyage lui-même. C'est possible dans un roman. Dans une nouvelle (de 25 pages...), ce peut être dangereux. N'oubliez pas que le lecteur est en face, à la réception, et qu'il a certaines *attentes*; une fois l'histoire commencée, il a peut-être très envie de la voir terminée, lui, et non d'être obligé de prendre tous les chemins de traverse qui vont l'en détourner...

Dans le cas d'une nouvelle ou d'un conte, il ne faut donc pas perdre de vue que les scènes de progression devraient avoir une relation perceptible (avec plus ou moins d'efforts de la part du lecteur) avec le conflit principal, la situation centrale; elles devraient le faire *progresser*: avancer, évoluer, en mieux ou en pis peu importe, mais *évoluer*. L'idéal serait que le contenu et l'organisation de ces scènes découlent logiquement des données initiales de la situation: temps, lieux, personnages.

Ainsi Paul, bon gré mal gré, doit vivre dans l'univers de Virginie à l'époque où il se retrouve coincé, et donc y faire des expériences diverses, l'explorer: la famille de Virginie, ses amis, sa société, Virginie elle-même... Et chacune de ces scènes de progression devrait permettre de mieux comprendre, décrivant plus en détail les autres personnages essentiels à l'action, comme Virginie, et sa mère.

2. Modes d'articulation

L'autre problème technique présenté par les scènes de progression, c'est celui de leur *articulation* entre elles. Il y a deux possibilités et demie.

a) Le raccord causal

Le personnage explore successivement, et de façon causale, les situations A, B, C. C parce que *quelque chose est arrivé en B; B* parce que *quelque chose est arrivé en A.*

Paul se risque tout seul en ville pour aller acheter quelque chose en remplacement d'un objet cher à Virginie et qu'il a abîmé à cause de son ignorance. De nouveau son ignorance des coutumes de cette société lui fait commettre des bourdes énormes. Une altercation s'ensuit.

À cause de cela, tout le monde se retrouve au poste de police (ou l'équivalent) et Virginie doit venir tirer Paul d'affaire, en payant une amende (ou en subissant une réprimande vexante), ce qui l'ennuie beaucoup.

À cause de cela, Virginie a, avec Paul, une dispute particulièrement violente, ce qui finit de désespérer Paul.

À cause de cela, Paul, persuadé qu'il ne parviendra jamais à s'adapter à cette société trop étrangère (et à gagner le coeur de Virginie...), va se jeter dans la Machine Temporelle de la mère de Virginie... etc.

Avantages et inconvénients

L'intérêt de ce type de *raccord causal* est évidemment la très forte cohérence logique qu'il donne à l'intrigue par le biais de la *subordination*: c'est *parce que... que...et que ensuite...* La vraisemblance en est considérablement renforcée dans l'esprit du lecteur qui peut suivre facilement toutes les étapes du déroulement logique de l'histoire.

L'inconvénient... Il n'est pas évident au premier abord, et peut rester longtemps sans se découvrir —c'est en cours d'écriture, un jour ou l'autre, qu'il se dévoile. La cohérence logique, voyez-vous, peut parfois être trop logique, et bien contraignante: les conséquences logiques d'une situation donnée peuvent fort bien ne pas être du tout ce que vous, l'auteur, vous voulez faire de votre situation. On peut ainsi se coincer dans des culs-de-sac logiques... Et on est alors tenté d'avoir recours à *l'arbitraire* pour se sortir de là, en minant du même coup cohérence et vraisemblance. («Arbitraire», c'est le nom du gars des vues, celui qui arrange si pratiquement les choses...)

Retrouvons Paul et Virginie coincés au bord de leur falaise par la meute assoiffée de sang. Mettons que ce ne soit même pas dans une histoire de SF mais dans un cadre de littérature «courante»: ils sont poursuivis... disons par des marmottes géantes, quelque part en Mongolie Extérieure. S'ils sautent, ils s'écrasent; s'ils ne sautent pas, ils se font dévorer. Ciel! ils sont perdus de toute façon!!!

Eh bien NON, rassurez-vous, cher lecteur impressionnable: *un orage de grêlons gros comme des ballons de football s'abat sur la région,* assommant les marmottes enragées et épargnant nos héros qui... eh bien, *qui se sont réfugiés sous un surplomb de rocher se trouvant là fort à propos* (pardi! je viens de l'inventer!). Ou bien préférez-vous: *un tremblement de terre (ou un glissement de terrain) engloutit la meute enragée des marmottes géantes?* Ou encore: *un hélicoptère qui se promenait justement dans le coin voit soudain nos héros et vient les soustraire de justesse aux dents des marmottes...?* Dans l'arbitraire, on n'a que l'embarras du choix.

Bref, pour sortir les personnages de la situation où une suite logique (il faut l'espérer; mais dans ce cas précis, curieusement, j'en doute...) d'événements antérieurs les a plongés, on a recours à ce qu'on appelle en anglais un «act of god», et en français un «deus ex machina»: une providence... providentielle, «la main de l'auteur dans les poches de l'histoire». Car enfin, le dieu qui arrange cette machine, c'est bien le coupable auteur, qui vient de trahir sa règle du jeu, et qui a droit à deux minutes de punition. Ou plutôt, pour certains lecteurs, l'auteur vient d'être définitivement sorti du match.

Quelques stratégies

Bien sûr, les situations possibles sont souvent plus subtiles que celle de mon exemple. Il n'en reste pas moins qu'on peut être bel et bien tenté de *forcer* l'histoire dans une direction où, logiquement, elle ne devrait pas aller. Ce peut être pour des raisons multiples, qui ne sont pas toutes de l'ordre de la paresse ou du manque d'imagination; des blocages psychologiques très profonds peuvent jouer, par exemple... Le meilleur moyen de ne pas détruire alors le contrat qui nous lie au lecteur («Mens, mais fais ça bien»...), c'est de s'interroger sur les raisons qui font trouver «impossible» ou «indésirable» par rapport à l'ensemble de l'histoire la situation où l'on est arrivé. Et non pas seulement par rapport à ce qu'on veut faire dire à l'histoire... Car on se trompe peut-être, on peut être dupe de sa propre histoire: elle est peut-être un écran qui nous cache une autre histoire tout aussi intéressante (peut-être plus), et le problème soudain révélé signale peut-être la présence de cette autre histoire. *Ce qu'on veut dire n'est peut-être pas ce qui veut se dire...* (Voir les jeux B dans l'*Entracte.*)

Si vraiment ce par quoi on veut dénouer la situation problématique est justifié, si c'est bien sans erreur possible «ce qu'on veut dire» et «ce qui veut se dire», alors il faut reprendre l'histoire *en amont*, pour y ajouter les éléments qui expliqueront/justifieront l'événement désiré *en aval*, en atténuant ainsi l'arbitraire.

Ainsi, lorsque j'ai élaboré mon scénario de Paul et Virginie, j'ai pris soin de munir celle-ci d'une mère physicienne-bricoleuse, garantissant ainsi l'existence de cette Machine Temporelle au fonctionnement quelque peu capricieux. C'est à cause de cette machine et de ses caprices que Paul a été enlevé à son époque, au début. Ce qui serait tout de même un peu moins arbitraire que cette «Tornade Temporelle» non expliquée par mon premier scénario.

Et même, pendant que j'y suis, et puisque j'ai seulement 25 pages pour écrire cette histoire, pourquoi m'embarrasser du personnage de Bernardine, alors que Virginie elle-même pourrait très bien être la physicienne-bricoleuse responsable de l'arrivée inopinée de Paul au 25e siècle! L'intérêt (outre le resserrement de l'intrigue, encore), ce sont les conséquences sur la situation des personnages, leur «caractérisation»: les inhibitions et préjugés de Paul devraient s'accommoder d'une femme savante, supérieure à lui et dont —horreur— il dépendrait. Et Virginie se sentirait coupable vis-à-vis de Paul... ah! mais ce n'est peut-être pas une très bonne base pour une histoire d'amour, ça... Ou bien la conversion/adaptation de Paul en serait-elle encore plus éclatante? Etc.

Vous voyez les transformations en chaîne produites par toute modification d'un des éléments de l'histoire... Et la réflexion à laquelle elle oblige, l'éventuel approfondissement de ce que l'histoire veut dire au travers de ce qu'elle pourrait dire d'autre si elle était tournée de telle ou telle façon...

b) La coordination

Le personnage explore successivement et de façon aléatoire les situations A, B, C.

La seule raison de cette exploration successive est la coïncidence momentanée et successive du personnage avec les temps/lieux/situation A, B, C, qui ne lui sont pas directement (causalement) reliés, qui ne le concernent pas personnellement.

C'est par exemple le cas du personnage qui fait un voyage et qui connaît diverses aventures pendant ce voyage.

Ce thème est si vénérable et si universellement utilisé qu'il est devenu une véritable «structure narrative au deuxième degré»: elle vient «en bloc», complète, avec l'enchaînement en quelque sorte obligé de ses épisodes... On voyage, donc: vers un but précis, connu au départ et c'est alors une *quête* —comme dans les romans de chevalerie; ou au hasard, par caprice ou par contrainte extérieure à soi: c'est alors une *exploration*. Et le mouvement simplement physique du voyage amène le personnage à rencontrer les situations A, puis B, puis C.

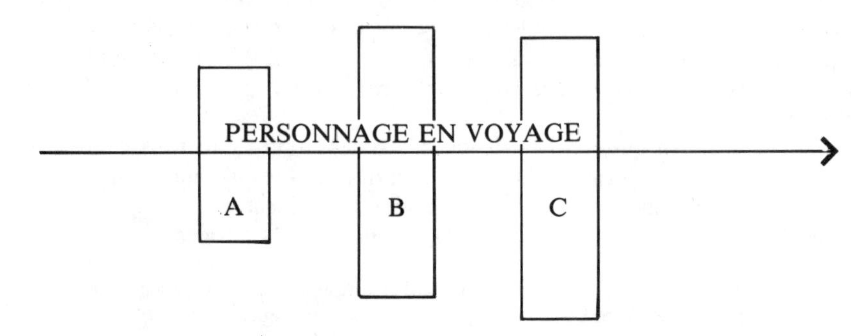

J'ai dessiné trois boîtes de hauteurs différentes, renvoyant à des situations différentes; la longueur des scènes, leur intensité, leur cadence, leur portée signifiante peuvent être différentes. C'est la même chose dans les autres types de raccord: scènes de plus en plus longues, ou de plus en plus brèves; alternance de longues et de brèves; alternance de scènes d'action, de méditation, de dialogues; de plus en plus catastrophiques, ou de moins en moins ...

La coordination consiste simplement en la *minimalisation du lien logique*: on n'a plus des «parce que», mais des «puis» ou des «et»: «Il poursuivit sa route et...» Ou bien: «Le temps passa, et quelques jours/semaines/mois après...» Ou même presque rien: un signe de ponctuation et une indication de lieu ou de temps: «Le temps passa. Quelques jours après...»

c) La juxtaposition

Il y a un cas extrême de la coordination (d'où le «et demie» que j'ai employé plus haut):

> *On efface (par une ellipse) jusqu'à ce lien minimal et on projette le personnage (et le lecteur) dans des lieux, temps et situations différents à chaque fois, sans expliquer comment on est arrivé là.*

Matériellement, cela pourra se traduire par des passages séparés par des astérisques, par quelques lignes, ou précédés de numéros comme des mini-chapitres. On laisse au lecteur lui-même le soin de remplir le trou, ou bien on le fera combler plus tard par le narrateur, comme il est de coutume avec l'ellipse. C'est une bonne façon de se débarrasser de descriptions/explications somme toute inutiles: si le personnage était en A et que maintenant il est en B, c'est de toute évidence qu'il est passé de l'un à l'autre! Quand on ne dispose que de 25 pages, encore une fois...

Mais ces ellipses, ces *raccourcis* si utiles pour gagner du temps et de l'espace, on peut aussi les prendre pour sauter par dessus des détails moins mécaniques que ceux du passage physique de A en B. Dans une situation donnée, on peut choisir «d'ellipser» tel ou tel détail parce qu'on estime que le lecteur «doit avoir compris», «doit pouvoir reconstituer» la partie manquante: n'est-elle pas «évidente»? Attention! Ce qui vous paraît «évident» à vous ne le sera pas forcément pour le lecteur —à moins que vous n'ayez habilement disposé dans votre texte les indices qui permettront au lecteur perspicace —et de bonne volonté— de reconstituer et de comprendre...

La juxtaposition pourrait se schématiser comme suit:

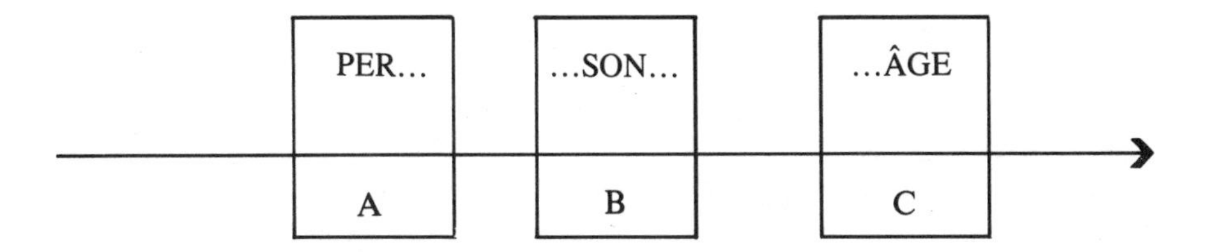

L'inconvénient principal est celui que j'ai déjà signalé plus haut: la tentation de construire chacune de ces «mini-histoires» de la même façon, d'où répétition, monotonie, ennui, et éventuellement décrochage du lecteur. Mais si on ne tombe pas dans ce piège, la coordination/juxtaposition permet des effets très intéressants de surprise et de fantaisie.

C'est l'un des charmes du roman picaresque, par exemple, dont le héros, souvent du genre gamin-des-rues, connaît des aventures plus ou moins éducatives au cours de ses pérégrinations plus ou moins fantasques.

Elles permettent aussi des effets *d'écho* ou de *contraste* de nature parfois très poétique.

Ne pas confondre «écho-résonnance» avec «répétition». L'effet d'écho résulte généralement de la reprise avec variante d'une image, d'une situation ou d'une phrase. (Voir: «Structures en abyme», p. 151) La répétition est une reprise intégrale. Ce n'est pas un «péché»: tout dépend encore une fois de l'effet recherché. Si c'est «ennui/accablement/obsession/angoisse», le procédé de la répétition est très efficace.

Serez-vous vraiment étonnés si je vous avoue maintenant qu'il existe une troisième façon d'articuler entre elles les scènes de progression? J'ai voulu la détacher des deux autres et demie parce qu'elle me semble complètement en dehors de la logique explicite du raccord par subordination, comme de la *logique implicite* du raccord par coordination/juxtaposition... tout en empruntant des traits à toutes deux!

d) L'emboîtement

L'exemple type de cette structure de raccord est *Les mille et une nuits,* ces contes arabes redécouverts par les Européens du 18e siècle. La belle esclave Schéhérazade, pour sauver sa tête, raconte chaque nuit une histoire différente au Sultan-insomniaque-qui-s'ennuie. Mais si l'histoire est terminée au matin, la conteuse doit être décapitée... C'est pourquoi Schéhérazade, aussi astucieuse qu'elle est belle et savante, raconte au Sultan... l'histoire de quelqu'un qui rencontre quelqu'un qui lui raconte son histoire, et justement, au cours de cette histoire, il rencontre quelqu'un qui lui raconte... et ainsi de suite.

Le lego de cette histoire se présenterait à peu près ainsi:

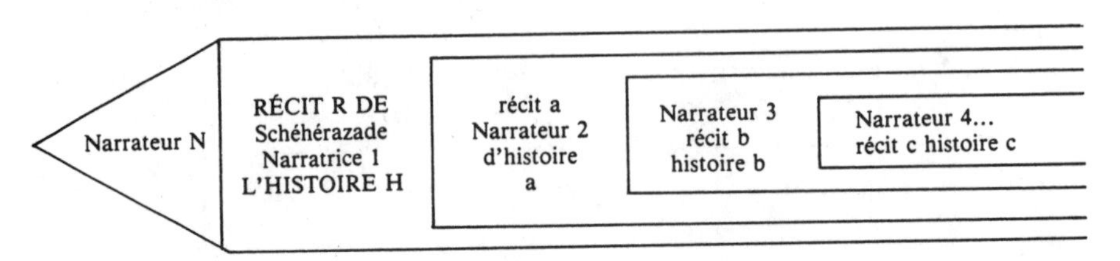

À chaque fois, le personnage d'une histoire devient le narrateur d'une autre histoire (la sienne ou celle de quelqu'un d'autre), etc. Ce qui récupère bien la logique explicite de la subordination: c'est parce que le premier personnage raconte l'histoire que le deuxième personnage peut raconter à son tour, et ainsi de suite.

Mais ces personnages n'ont aucun lien causal entre eux: c'est apparemment le pur *hasard de la coordination/juxtaposition* qui enfile les rencontres et les histoires.

Bivouac panoramique: l'emboîtement et au-delà

La structure d'emboîtement pose au moins trois problèmes:
- Comment ne pas *s'emmêler soi-même* dans ces histoires gigognes?
- Comment ne pas *emmêler et perdre le lecteur?*
- Et surtout, comment en sortir, *comment finir?*

Progression et dénouement

En fait, c'est dans ce genre de progression que le problème de la fin apparaît avec une acuité que les deux autres sortes de progression peuvent masquer —quoique la seconde commence à la dévoiler... C'est bien joli de progresser —d'avancer, d'évoluer— mais, comme je le demandais tout à l'heure: «Où va-t-on?» «Vers la fin», certes. Mais quel rapport cette fin entretient-elle avec ce qui la précède?

Elle est le *dernier effet*, me direz-vous, des causes enchaînées d'une façon ou d'une autre par la progression. Elle est par exemple la dernière péripétie, la dernière étape ou le dernier moment du voyage dans la progression par coordination/juxtaposition: c'est là que la Quête ou l'Exploration s'achèvent, parce que le personnage a trouvé... Trouvé quoi? Ce qu'il cherchait... C'est donc qu'il cherchait quelque chose?

Élémentaire, allez-vous dire. En êtes-vous bien sûrs? Cette chose que le personnage cherchait et qu'il trouve, comment le lecteur la découvre-t-il? Est-ce pour lui une surprise ou une confirmation? Et en est-il (doit-il en être) de même pour l'auteur, qui est tout de même jusqu'à un certain point l'organisateur de ces mystères?

Soit la proposition initiale: *le dénouement est le dernier effet de la progression, des causes accumulées.* Inversons-la: *la raison d'être de la progression est d'amener au dénouement.*

Qu'est-ce que cela veut dire? Cela veut dire que si l'auteur ne sait pas «comment ça finit», il ne peut pas organiser la progression de son histoire. Ou: «Pour choisir un chemin, il faut savoir où l'on va». Ou: «La fin indique et circonscrit les moyens.»

Cela ressemble, d'une façon un peu inquiétante, à la fameuse maxime machiavélienne: «La fin justifie les moyens»... Vous allez peut-être protester: «Comment!? Et la Liberté de la Création?! Et les histoires-qu'on-découvre-au-fur-et-à-mesure-qu'elles-s'écrivent?!» Autrement dit: *et si la nature des moyens peut seule donner une valeur (un sens) à la fin?...*

La fin et les moyens

Certes, il y a une partie importante de hasard et de découvertes inattendues dans le processus de création (un petit tour du côté de l'*Entracte* suffira à vous en assurer...). Et certes, hasards et surprises sont nombreux lors du premier jet; ou du deuxième, ou du troisième... Mais il arrive un moment —il doit arriver un moment— où l'on commence tout de même à avoir une idée assez précise de l'histoire qu'on veut raconter. Pas forcément de tout ce qu'elle veut (voudra...) dire, mais au moins de ce qu'elle dira, au premier degré, de son intrigue, de son action.

> Ainsi, pour mon histoire de Paul et Virginie, je sais ce qui s'y passe; je ne sais pas forcément *pourquoi*, ni exactement *comment*, mais les grandes lignes de l'action, ses causes premières, son déroulement général, et son *dénouement*, tout ceci est assez clair dans mon esprit. Ce qui n'est pas encore arrêté, par contre, c'est *l'ambiance*, le ton, le registre dans lequel je vais la traiter.
>
> Va-t-elle être comique-gentille ou comique-féroce (c'est-à-dire «avec les personnages», ou «contre»?); moralisante, pathétique, tragique, détachée? Un mélange de plusieurs registres? Sur quel aspect vais-je insister le plus, qu'est-ce que j'ai le plus envie de raconter? L'exploration/découverte par Paul de la société de Virginie (une histoire pittoresque-exotique, ou une histoire sociologico-anthropologique plus cérébrale?). Le problème humain de Paul? Le choc des cultures, les relations entre deux personnes très différentes (histoire humaniste, psychologique, intérieure)? Ou bien peut-être une simple histoire d'aventures divertissantes? Ou encore un mélange de tout cela?
>
> Par ailleurs, dans mon scénario, il y a certainement place pour des améliorations —j'ai commencé à en explorer quelques-unes tout à l'heure. *Ces modifications ont et auront des conséquences sur le dénouement de mon histoire.* J'ai d'ailleurs envisagé plusieurs fins possibles, et très différentes les unes des autres: la fin comique féroce, où Paul et Virginie sont projetés sans fin dans des sociétés toutes plus intolérables les unes que les autres; la fin tragique: ils sautent, unis au moins dans la mort. Mais ce n'est pas tout! Si l'amour de Paul et de Virginie n'est pas encore déclaré au moment où ils sont repêchés par la Machine Temporelle et ramenés à l'époque de Virginie, qu'est-ce qui empêcherait Paul de retourner dans son époque à lui, maintenant que la Machine est

réparée? Et Virginie pourrait l'y suivre —avec les conséquences qu'on peut imaginer. Ou pourquoi ne renverrait-on pas Paul chez lui sans lui demander son avis? Ou bien il pourrait demander à y retourner parce qu'il penserait que Virginie ne l'aime pas, et ce serait elle qui lui déclarerait son amour pour le retenir, et... ou...

Bref, chacune de ces possibilités d'histoire est en soi intéressante pour moi: je n'ai pas fini de jouer avec mon scénario, je ne sais pas encore vraiment ce que je veux en faire, et donc comment je veux conclure. Son dessin (et mon dessein: mes intentions) ne sont pas encore bien clairs dans mon esprit. Et mes idiosyncrasies d'écrivaine (mes manies personnelles) font que je ne commencerai pas à rédiger cette histoire avant d'en avoir une idée plus précise. Je vais faire, par exemple, un *plan*.

L'organisation du travail

Elle est laissée aux manies des uns et des autres. Mais je crois qu'il y en a toujours une. Que le *plan* de l'histoire soit dans votre tête ou sur le papier, il y a un plan. (Que cela ne défrise pas les tenants de la «spontanéité de la création»: le problème consiste seulement à repérer le moment exact où commence la création...) On peut bien évidemment se lancer à l'aveuglette et écrire «au fil de la plume». (C'est ce qu'on fait plus ou moins lors du premier jet, d'ailleurs.) Mais le fil de la plume peut devenir le fil d'un rasoir, et fort tranchant: il peut vous couper de votre lecteur, pour commencer. La communication suppose un certain nombre de contraintes inévitables: cohérence, codes communs, contrastes... Et si le «racontage» d'histoires est comme la prestidigitation, on n'improvise pas un tour de magie: on le prépare...

Alors, on peut faire des plans. On peut en faire de très détaillés avant de commencer à rédiger; on peut en faire de vagues, qu'on précise au fur et à mesure de la rédaction; on peut en faire des détaillés qu'on modifie en cours de route; on peut simplement se livrer par écrit à des associations d'idées, à des réflexions décousues qui constituent une exploration plus affective que logique de l'histoire (vous trouverez en appendice des exemples de ces «notes», mais aboutissant à un plan détaillé puis à une nouvelle). Je crois en tout cas que dans la production de textes de fiction, longs ou courts (et surtout quand ils sont longs), il y a toujours à un moment ou à un autre *réflexion et organisation*. Et cette réflexion/organisation repose en dernier ressort sur toute une série de *choix*.

Progression, dénouement et choix

Si on fait des *choix* au plan du récit et de la narration (nature du narrateur, temps de narration, organisation du récit...), on en fait aussi au plan de l'histoire, bien entendu, et généralement avant même de savoir comment on va la raconter.

Par exemple, j'ai choisi délibérément une fin heureuse pour mon histoire —mettons qu'il soit indispensable à mon équilibre psychologique que mes histoires aient une fin heureuse. Mes amoureux seront donc sauvés, puisque j'ai besoin qu'ils le soient.

Mais par ailleurs, vous vous en souvenez peut-être, j'ai constaté que je pourrais resserrer davantage la trame de mon histoire en faisant de Virginie elle-même la savantebricoleuse de Machines Temporelles. Cela implique des modifications assez importantes des données objectives de mon histoire. En effet, si Virginie tombe ou saute dans la Machine à la suite de Paul, il n'y a plus personne pour faire fonctionner la Machine et les repêcher dans le futur. Ils sont donc irrémédiablement perdus au 42e siècle et demi...

Si je ne veux pas faire intervenir un personnage trop providentiel («ex machina»...), je dois alors par exemple munir la Machine d'un mécanisme de sécurité genre minuterie: au bout d'un certain laps de temps, les voyageurs temporels sont automatiquement ramenés dans leur époque. Dans ce cas, ce serait ce mécanisme qui serait tombé en panne au début de l'histoire, empêchant Paul de retourner au 19e siècle.

Comme vous le voyez, ma volonté bien arrêtée d'avoir une fin heureuse à mon histoire, malgré tous les développements logiques qui pourraient l'empêcher, m'oblige à élaguer dans l'arbitraire (la gratuité) de mon scénario initial, et, en renforçant la cohérence interne de l'histoire, finit éventuellement par renforcer la vraisemblance de l'ensemble histoire/récit.

Fins=moyens

C'est une illustration de plus du fait que j'ai déjà souligné: chaque fois qu'on modifie un des éléments de l'ensemble —histoire, récit ou narration—, on voit tout l'ensemble se réorganiser plus ou moins. Et on se retrouve donc à chaque fois devant toute une série de choix qui, à mesure du développement, conduisent vers une fin.

Et vice-versa —car je ne voudrais pas que vous vous fassiez une idée mécanique et déterministe du «racontage» d'histoires. Qu'on ait conscience de la fin dès le début, qu'elle apparaisse progressivement, ou qu'elle n'apparaisse... qu'à la fin, *fins et moyens, but et itinéraire, sont inextricablement liés et s'influencent constamment les uns les autres* —comme récit, narration et histoire.

En fait, on peut avoir souvent l'impression que l'éventail des possibilités se restreint sans cesse à mesure qu'on progresse dans le récit de l'histoire, et la plupart du temps c'est vrai. (Un détour du côté des jeux B de l'*Entracte* pourra vous en faire prendre conscience d'une façon plus claire au plan de la phrase, par exemple; on peut fort bien extrapoler ensuite au récit et à l'histoire.) On est effectivement de plus en plus «coincé», sauf bien entendu si on sort trente-six lapins arbitraires de son chapeau, pour se tirer d'affaire chaque fois qu'on est mal pris. Là encore, pas de «crime» à cela: on aboutit de la sorte à un certain type de récit et d'histoire —le roman-feuilleton à 257 épisodes tous plus farfelus les uns que les autres, par exemple... Et pourquoi pas, si c'est ce qu'on a envie de raconter, sapristi!

La liberté relative de la création

Où est-elle donc, cette fameuse «liberté de création»? Eh bien, on finit tout simplement par prendre conscience que, comme pour toute liberté, il s'agit d'une liberté... conditionnelle. Ne serait-ce d'abord que parce qu'on ne crée pas à partir de rien, mais à partir de *contraintes* dont vous pouvez prendre conscience de façon assez complète en allant encore vous promener du côté de l'*Entracte* (aussi bien catégorie A que B): exigences de la communication, fonctionnement propre au langage lui-même, plus ou moins grande rigidité du matériau hérité de la culture (tabous, préjugés, clichés, modes...), tout comme du matériau personnel («vécu», fantasmes, phobies, idées fixes...).

L'élaboration de toute histoire et de son récit résulte donc d'un processus décisionnel plus ou moins conscient, qui est, malgré les apparences, un processus *d'éliminations successives*. Jusqu'à ce qu'on se retrouve devant une alternative claire où le choix ultime va désigner la fin de l'histoire.

Ces choix successifs ne sont généralement pas arbitraires (mais on peut fort bien écrire une histoire en tirant chaque choix à pile ou face. Essayez...). C'est pourquoi, moins il y a d'arbitraire (une fois établie la situation de départ), plus la cohérence et la vraisemblance seront fortes. L'idéal serait que, une fois arrivé à la fin, le lecteur ait rétrospectivement le sentiment que cette fin était *nécessaire*, voire inévitable: que c'est la fin exactement appropriée à l'histoire. Ainsi l'objet-histoire paraît-il parfait, achevé, complet, démonstratif et satisfaisant.

> Est-ce là le seul idéal? Bien sûr que non, et heureusement. Il existe toute une catégorie de situations (peut-être la majorité), dont l'issue n'est pas un simple choix de type ouvert/fermé, noir/blanc, bon/mauvais... Il y a par exemple toute la gamme des situations tragiques, celles où l'on a à choisir entre deux valeurs qu'on perçoit comme équivalentes («sauver la mère ou l'enfant?», etc.). Ou encore toutes ces situations où ne pas choisir est en soi un choix... Ou ces autres situations où l'on peut choisir entre plusieurs possibilités également attrayantes. *Il n'est jamais insignifiant de choisir,* dans la fiction —et dans la vie...

e) **L'emboîtement** (suite)

Et maintenant —pour vérifier la qualité de votre mémoire— combien d'entre vous se rappellent d'où je suis partie pour aborder ce problème des *fins*, si difficile parce que «forme» et «fond», récit et histoire, y sont si inextricablement liés? Oui, c'était des raccords par emboîtement!

Comment finir?

Le troisième problème de ce genre de raccord entre les diverses séquences du récit, c'était: «Comment finir?» Pourquoi n'avais-je pas fini à ce moment-là? Parce que la fin d'une série de séquences emboîtées est un processus aussi complexe que l'organisation de leur progression. Il va falloir finir le récit de l'histoire **(d)** avant celui de l'histoire **(c)** avant celui de l'histoire **(b)** pour arriver enfin à celui de l'histoire **H,** la grande histoire qui englobait toutes les autres.

Mais ce n'est cependant pas la problématique essentielle. Celle-ci réside dans les *relations établies entre les sections secondaires emboîtées et la grande boîte principale.*

En effet, de quelle façon conserver l'intérêt et la confiance du lecteur? Comment lui faire sentir que, tout en semblant lui raconter complètement autre chose, on n'a cependant pas lâché le fil de l'histoire initiale? Que tous ces récits d'histoires emboîtés dans d'autres récits d'histoires ne sont pas des digressions? Qu'il y a, en somme, un rapport entre toutes ces scènes de progression et la ligne principale de l'histoire?

Revenons rapidement à l'exemple de départ, Schéhérazade. Après mille et une nuits, donc, pendant lesquelles le Sultan a été tenu en haleine par Schéhérazade en apprenant à apprécier son intelligence autant que sa beauté, il finit par lui faire grâce et par l'épouser. (Je ne peux résister au désir de souligner le parallèle entre la situation de Schéhérazade et celle de tout écrivain...) C'est donc bien *parce qu'elle* veut sauver sa tête qu'elle organise ces histoires emboîtées, n'est-ce pas? Et à la fin, elle réussit. C'est là la logique de la grande histoire emboîtante.

Mais on se rend compte, en lisant *Les Mille et une nuits,* qu'il *existe des parallèles ou des effets de contraste très parlants entre les histoires emboîtées et l'histoire emboîtante principale*: certaines peuvent se lire comme des plaidoiries, des remontrances, ou des promesses déguisées que fait Schéhérazade au Sultan... En dessous de ces histoires apparemment sans rapport, dont Schéhérazade organise les récits emboîtés, on peut lire tout un *dialogue caché* entre elle et le Sultan, dont chaque histoire est un argument plus ou moins symbolique.

Le cas des *Mille et une nuits* est un peu particulier en ceci que chaque section emboîtée constitue à elle seule un récit d'histoire complet. Ce n'est pas forcément possible dans une nouvelle plus ou moins courte... En fait, si vous ne voulez pas vous retrouver avec un roman à la place de votre nouvelle, il vaut sans doute mieux ne pas trop envisager des progressions par emboîtement (ou alors très, très courtes).

Structures en abyme

Il en existe cependant une variante qui permet d'éviter les dérapages de l'emboîtement tout en en conservant les intéressants effets.

La *mise en abyme* (avec un *Y*) consiste en effet à établir des parallèles, à ménager des échos, entre un élément (ou un ensemble d'éléments) et l'ensemble plus vaste de l'histoire qu'il représente en modèle réduit.

Par exemple: dans une maison, il y a un tableau, et ce tableau se trouve représenter plus ou moins directement une situation, une personne, un lieu ou un objet que les personnages vont rencontrer par la suite (ou ont déjà rencontrés). J'ai ainsi utilisé dans une de mes nouvelles une gravure d'Escher, un artiste du début du siècle. (Le titre de la gravure est d'ailleurs le titre de ma nouvelle, ''Bande Ohne Ende'' (paru dans *Janus,* Paris, Denoël, «Présence du futur» n° 388, 1984, pp. 217-252). Le motif du tableau représente symboliquement le problème du personnage principal, et les diverses interprétations qu'il se donne de ce symbole marquent les différentes étapes de son évolution, *tout en annonçant de façon voilée le dénouement.*

Les scènes de progression raccordées par emboîtement ou «mise en abyme» devraient donc avoir un rapport avec la ligne générale de l'histoire. Et cela implique en particulier que l'auteur ait une assez bonne idée de la fin de cette histoire, pour pouvoir faire correspondre les divers éléments en les orientant en fonction de cette fin: il faut les rendre déchiffrables, au moins rétrospectivement, comme une sorte de mosaïque d'indices.

Bien entendu, le plaisir de lecture spécifique aux textes construits de cette façon s'apparente à celui qu'on prend à résoudre des énigmes: repérage des indices, reconstitution d'un ensemble à partir d'hypothèses sur des éléments partiels... Cela suppose un certain type de lecteur, un certain type d'écriture, et un certain type d'auteur, qui sait vraiment où il veut aller, pour savoir comment il va y aller —et y mener le lecteur.

Bivouac autobiographique: une confession

Je voudrais cependant citer ici une de mes expériences en ce qui concerne les choix, les plans, et en fin de compte le degré de contrôle qu'on peut exercer sur son écriture.

Lorsque j'ai écrit mon premier roman publié, *Le silence de la cité* (Paris, Denoël, «Présence du futur» n° 327, 1981, 288 p.), j'avais la première phrase, la dernière, et une idée assez précise de ce qui se passait entre les deux. Mais ma dernière phrase, et même mon dernier chapitre, n'étaient pas ma fin, le dénouement de mon histoire; dans mon idée, ils en étaient plutôt un commentaire, une sorte de postface ou d'épilogue. Et j'ai écrit tout le roman sans savoir exactement COMMENT/POURQUOI il allait se dénouer (la question était très précisément: «Qui va tuer qui et pourquoi?»).

En écrivaine consciente et organisée, j'ai fait, comme à mon habitude, des plans de la scène cruciale, celle qui contenait mon dénouement. Quatre plans, tous différents, des pages et des pages de notes où j'examinais les diverses possibilités (j'avais six personnages dans cette scène de dénouement: cela faisait beaucoup de combinaisons possibles...); où j'essayais d'évaluer les conséquences, les significations différentes que chaque possibilité suscitait pour le roman dans son ensemble, les personnages, etc. Finalement, à la fin de la journée, découragée de la planification qui ne menait apparemment à rien, j'ai décidé de me mettre à écrire «au fil de la plume», en espérant que le mouvement même de l'écriture, cette alchimie particulière, m'apporterait «la bonne solution».

Et c'est bel et bien ce qui s'est passé. La scène s'est «écrite toute seule», comme dans les Belles Histoires d'Écrivains Inspirés... Et vérification faite par la suite dans les notes, le «bon» dénouement final était *le seul* que je n'avais pas envisagé dans mes divers efforts de planification...

Mais qui sait jusqu'à quel point ce ne sont pas justement ces efforts apparemment infructueux pour prévoir le dénouement de mon histoire qui m'ont permis, en définitive, de l'écrire?

CHAPITRE IX
Le personnage

Si vous poursuivez votre route après nos explorations communes, vous pourrez fort bien vous essayer à jeter par-dessus bord toutes ou une partie des notions présentées ici et ailleurs pour produire des fictions d'autres types... qui seront pourtant toujours des fictions. Par exemple, des personnages invraisemblables, incohérents, «à deux dimensions», pour lesquels la question du «choix» ne se pose plus du tout dans les mêmes termes, c'est tout à fait possible. Mais ce ne sera pas mon propos dans le présent chapitre. La notion de personnage que je vais examiner renvoie à la fiction où les personnages doivent sembler «vivants», parce que le lecteur de ce type de fiction aime à s'identifier à eux. Le personnage «vivant», pourvu d'une «psychologie vraisemblable», etc., est un des moyens dont dispose l'illusion réaliste pour s'affirmer et se maintenir.

A. Les héros sont fatigués.

Nous allons aborder ce problème de la vraisemblance des personnages en étudiant un cas particulier de personnages très répandus. Pour cela, réécrivons notre début d'histoire type:

Il était une fois un jeune homme beau, blond et musclé, intelligent, courageux et galant. Mais il était pauvre, étant le cadet d'une famille nombreuse qui avait connu bien des difficultés. Il aimait une belle jeune fille du voisinage, qui était la fille du Seigneur du lieu. Celui-ci la destinait à son voisin, un puissant Baron, lequel était laid, cruel, stupide, lâche et mal élevé —mais riche.

Que dites-vous? Vous connaissez cette histoire? Je m'en doutais un peu... En tout cas, elle correspond bien à notre histoire type, n'est-ce pas? «Un être pourvu de forces» (beau, bon, intelligent, etc.), «et de faiblesses» (pauvre), «a un but» (amoureux: la fille du Seigneur) «qu'un obstacle lié à sa faiblesse l'empêche d'atteindre» (sa pauvreté, la richesse du Baron, la rapacité du père de la douce.) À votre avis, comment se termine l'histoire? Eh bien, vous ne l'auriez jamais deviné: le beau et méritant jeune homme viendra à bout du vilain Baron et gagnera la main de sa bien-aimée...

Bien sûr que vous aviez deviné. Et dès les premières phrases. Mieux même (ou pire...), dès les premiers mots: «beau, blond... intelligent, courageux...». Toute la structure de l'histoire est apparue en un éclair devant vos yeux (éblouis?): *un Héros confronté à un Vilain l'emporte sur celui-ci.*

Si nous nous replaçons dans le cadre des *attentes de lecture*, de la nécessité de les stimuler, d'une part, mais de les déjouer d'autre part pour conserver *l'attention du lecteur*, vous m'accorderez que ce genre d'histoires n'est peut-être pas exactement ce qu'il nous faut... Et pourtant, vous en connaissez beaucoup de ce genre, et pas seulement des contes de fées. Elles ont beau être déguisées sous quantité de variantes, des plus rudimentaires aux plus astucieuses, on retrouve toujours le même schéma de base...

Vous pouvez ici prendre une grande feuille et vous amuser à faire la liste de toutes les caractéristiques possibles du Héros, de l'Héroïne, et du Vilain. Si vous dégagez les grandes lignes de ce que vous aurez obtenu, vous verrez que les variantes, en fait, sont assez peu nombreuses:

-le Héros peut être laid;

-le Vilain peut être beau, intelligent et courageux;

-l'Héroïne, comme le Héros, peut être laide; comme le Vilain, elle peut être intelligente et courageuse. Mais elle est le plus souvent charmante et passive; (ce qu'on constate, en général, c'est surtout qu'elle est le prétexte plutôt que la cause du conflit...); quelquefois trop fière, elle est toujours finalement convertie par le Héros.

Examinons ces «qualités» et ces «défauts». La laideur est un «défaut» *extérieur* (une variante de la pauvreté, en somme: un malheureux hasard...); elle est aisément compensée par les «qualités» *intérieures*, chez le Héros (ou l'Héroïne): bonté, intelligence, courage. Mais le Vilain peut bien avoir des «qualités» aussi bien extérieures qu'intérieures (beauté, intelligence, courage); comme sa richesse, elles ne lui serviront de rien parce qu'il est (le) Méchant...

Pourtant, qu'est-ce qui fait de lui le Méchant (puisqu'il peut même ne pas être spécialement vicieux-cruel, vous avez peut-être envisagé cette variante...)? Ce qui constitue en fait le Méchant, ne serait-ce pas tout simplement son conflit avec le Héros (le Bon)? Le fait qu'il soit *l'adversaire* du Héros? Vous remarquerez alors qu'on peut dire exactement la même chose de ce dernier... Et en effet (c'est pourquoi, comme je le disais plus haut, l'Héroïne est généralement un prétexte), le véritable couple de l'histoire, c'est *le couple Héros/Vilain, Bon/Méchant*. Et ce couple n'est-il pas la transposition assez transparente du couple Bien/Mal?

1. Les archétypes

Archétype: «Type idéal, prototype, modèle», nous souffle le *Petit Robert*. Et si nous allons chercher les premiers «personnages» bâtis sur ce modèle, qui allons-nous trouver? Dieu et le Diable, et leurs variantes dans toutes les cultures. Comme vous le voyez, le registre de l'imaginaire où se situent les archétypes est assez éloigné de la vie quotidienne «réaliste», socio-historiquement déterminée, etc. C'est un registre intemporel, une couche peut-être première de la conscience, nous disent certains psychanalystes. Si vous avez joué à certains des Jeux B de l'*Entracte,* et en particulier au «Jeu du Chevalier», vous avez peut-être une bonne idée du genre de *résonnance émotive profonde* qu'ils peuvent avoir en nous.

2. Avantages et inconvénients des archétypes

Des personnages archétypes sont propres à susciter presque automatiquement chez le lecteur des mouvements affectifs très puissants: on aurait bien tort de s'en priver! La lecture des histoires à personnages archétypaux, histoires elles-mêmes souvent archétypales («les méchants sont punis et les bons récompensés»...), procure en effet une satisfaction, une gratification, indéniables.

> Tout dépend encore une fois de ce à quoi on désire faire appel chez son lecteur (et en soi-même...). Est-ce le registre du «principe de plaisir»: satisfaction des fantasmes, désir de puissance, de richesse, de plaisirs? Ou est-ce le registre du «principe de réalité»: contraintes diverses empêchant la satisfaction des fantasmes, interdits moraux-sociaux et/ou dépassement de soi, altruisme, amour, courage, etc.? Et il y a bien entendu toutes les positions intermédiaires, selon le dosage des deux registres.

D'un point de vue bassement utilitaire, l'usage de personnages archétypes à l'intérieur d'une histoire archétypale familière au lecteur permet à l'auteur des *raccourcis* bien pratiques: on peut compter sur le lecteur pour combler les trous, et sans erreur... Et le lecteur qui aime à se sentir en sécurité n'aura pas de mal à passer avec l'auteur le contrat de crédulité volontaire: sa bonne volonté est donc assurée... Mais il y a les autres sortes de lecteurs, et si c'est à ceux-là qu'on a choisi de s'adresser, tous les avantages du personnage archétype et de son histoire familière se transforment en inconvénients: «On connaît tout ça par coeur, quel ennui, aucune surprise...».

3. Le cliché (deuxième service): les stéréotypes

Eh oui, l'archétype est dangereusement proche de notre vieille connaissance, le *stéréotype*, que nous avons surtout rencontré jusqu'ici sous son nom de «cliché». Le sens de «stéréotyper», nous souffle de nouveau le *Petit Robert,* est très précisément «sortir d'un moule», et cela date de 1797 (bien avant l'invention de la photographie, donc...).

L'archétype est en somme le moule, le stéréotype, la copie industrielle —de plus ou moins bonne qualité. L'archétype est un modèle très, très ancien, qui constitue peut-être un élément essentiel de l'hypothétique «inconscient collectif»; le stéréotype fait semblant de le transformer au cours des différentes époques, chaque société choisissant sa ou ses variante(s).

Par exemple, à une époque donnée, on a pris le contre-pied du Bon, et on en a fait le Héros: il n'est pas beau, pas fort, pas courageux; il ne se rase pas, il sacre à tout bout de champ, il n'est pas poli avec les dames, il rote toutes les cinq minutes (parfumé à l'ail), et il ne dédaigne pas de faire parfois les poches de ses voisins. Quelquefois même (c'est beaucoup plus rare...), il n'est pas très malin. Et pourtant, à la fin, il «gagne». C'est *l'anti-héros* d'une anti-morale: les bons sont punis et le mauvais récompensé...

Mais cet anti-héros est encore un Héros, cette anti-histoire encore une histoire type: ce que consomme ici le lecteur (sur le mode honteux cette fois, et non plus vertueux), c'est toujours «X vient à bout des obstacles et trouve son plaisir»... Que X soit bon ou mauvais, il est toujours le Héros, *c'est-à-dire l'archétype auquel le lecteur a tendance à s'identifier pour partager son plaisir.*

Vous pouvez ici vous amuser à chercher les personnages-clichés que vous avez pu rencontrer dans des livres ou des films.

Vous l'aurez peut-être constaté: le problème, avec les clichés, c'est que *l'inversion d'un cliché est encore un cliché.* Et que les personnages-clichés sont particulièrement dangereux, parce qu'ils tendent à susciter des situations (des histoires) «clichées».

Il n'y a pas trente-six sortes d'histoires du type «Bon contre Méchant», si on y réfléchit bien. Elles se présentent en quelque sorte en «kit», comme ces modèles réduits à monter soi-même... Première boîte: un bon Héros, un méchant Vilain, le Héros gagne. L'objet (le sens) finalement monté à l'aide de ces pièces est une morale du type: «La-Vie-est-Juste». Deuxième boîte: un bon Héros, un méchant Vilain, le Vilain gagne. Morale: «La-Vie-est-Injuste». Troisième boîte: mêmes pièces que la première (ou que la deuxième), mais personne ne gagne/ne perd clairement: «La-Vie-n'a-Pas-de-Sens»...

4. Héros et «personnage»

La question qui se pose donc maintenant, c'est: «Comment échapper au dérapage de l'archétype vers le stéréotype?»

Nous trouvons ici une aide inattendue en Grand-Père Aristote, théoricien grec fort ancien qui recommande entre autres à l'auteur de tragédies de ne faire ses personnages «ni tout à fait bons ni tout à fait méchants».

Et pourtant, la tragédie, n'est-ce pas justement cette sorte de pièce de théâtre dont les personnages sont des héros plus grands que nature, des Princes, des Rois, voire des Dieux? Pas tout à fait: ils sont plus *grands* que nature, pas plus *beaux* que nature, ni dans le Bien ni dans le Mal. Ce ne sont pas des abstractions pures, c'est-à-dire sans mélange, ce sont «des êtres pourvus de forces et de faiblesses», etc., comme vous et moi... mais projetés sur grand écran avec son en «Dolby Stéréo».

Ainsi, les «faiblesses» des personnages de la tragédie grecque, ce sont l'orgueil, l'arrogance, la violence ou l'inconscience... Il n'y a pas réellement d'innocents. Le héros-innocent-et-injustement-accablé-par-le-destin est une invention ultérieure, la variante —vite devenue stéréotype— des 18e et 19e siècles. Elle a alimenté quantité de mélodrames du genre *Aurore, l'enfant martyre* —entre autres...

Pensez-y bien: un personnage pourvu de trop de qualités, n'est-ce pas agaçant, à force? Et s'il est perpétuellement malheureux, la leçon (la morale) est bien désagréable: comment, les bons ne sont pas automatiquement récompensés? (Mais on peut cependant se satisfaire ainsi dans un autre registre: «Hé! Hé! même les riches sont malheureux!».) Par ailleurs, si un personnage est trop méchant, comment s'intéresser à lui (nous qui sommes tellement meilleurs, n'est-ce pas...)? On se lasse même d'en être horrifié ou effrayé. Dans les deux cas, *l'excès de bien ou de mal dans le personnage finit pas l'affaiblir en limitant les possibilités qu'a le lecteur de s'identifier à lui.*

Une autre notion familière intervient aussi dans ce nécessaire *dosage* du blanc et du noir chez le personnage: c'est la notion de *contraste*, et l'intérêt accru que celui-ci donne à toute perception (à toute lecture, ici) en en améliorant la définition (comme on le dit d'une photographie). Ce sont les «défauts» du Bon qui font ressortir et donc mieux apprécier ses «qualités» et sa victoire finale malgré ses handicaps personnels. Et ce sont les «qualités» du Méchant qui le rendent en quelque sorte digne d'être l'adversaire du Bon, valorisant d'autant celui-ci...

«Ni trop bon ni trop méchant» serait donc la règle de base du personnage vraisemblable et efficace: le lecteur peut ainsi se reconnaître à la fois dans les qualités et dans les défauts.

Est-il besoin de rappeler encore que ces commentaires ne constituent pas des jugements de valeurs? Personnages tout bons ou tout méchants, trop bons ou trop méchants, ni bons ni méchants, tous sont légitimes selon le genre d'histoire, le registre, le ton, dans lequel on les utilise.

B. La caractérisation du personnage

Une bonne façon de se prémunir éventuellement contre le dérapage vers les stéréotypes serait peut-être de parler en termes de «personnage» et non de «héros»... Le personnage vraisemblable dans le cadre du type de fiction où nous nous situons, celui qui va produire le meilleur effet de réel et captera le mieux la bonne volonté crédule du lecteur, c'est donc un être humain «comme vous et moi» ou presque.

Vous pouvez vous essayer à créer collectivement un personnage à l'aide de certains jeux-exercices: avec la technique de la nébuleuse, en particulier. Chacun donne à son tour (sans réfléchir trop longtemps) une caractéristique de personnage, en commençant par un nom et on inscrit au fur et à mesure ces détails au tableau, ou sur une feuille.

Si vous examinez les résultats obtenus, vous constaterez sans doute que vous aurez pourvu votre personnage de deux sortes d'attributs: des *caractéristiques* externes (physique, nom, temps/lieu d'origine...) et des traits internes de *caractère*. C'est pourquoi nous parlerons désormais de la *caractérisation* des personnages.

1. La caractérisation externe

Pourquoi des caractéristiques externes? Ce n'est nullement une obligation. C'est seulement une façon pratique de **caractériser** un personnage, c'est-à-dire *de le rendre rapidement identifiable, reconnaissable par le lecteur.*

a) Le nom

Le nom à lui seul peut bien faire l'affaire: «Il était une fois Machin, qui aimait Truc». Mais comme tout inventeur d'histoire est dans l'âme un fabricant de mondes parallèles plus ou moins complets (les «modèles réduits» dont j'ai déjà parlé), il a tendance à donner le plus de substance possible à ce qu'il fabrique. Pour son plaisir personnel, d'une part; et aussi pour le plaisir du lecteur; et encore pour des raisons utilitaires: mieux un personnage est défini dans l'esprit du lecteur, plus celui-ci est «pris».

C'est ainsi que le cher vieil Homère pourvoyait la plupart de ses personnages d'une sorte d'appellation-étiquette qui permettait de le replacer rapidement: «Ulysse aux pieds rapides», «Minerve aux yeux pers»... Plus tard, dans le fabliau, au Moyen-Âge, on aura «Flore aux blanches mains». Pensez aux contes de fées, aussi, où souvent l'attribut physique sert de nom: «Le Petit Chaperon Rouge», «Le Chat Botté», «Cendrillon», etc.

Bien entendu, comme on n'arrête pas le progrès, on a par la suite considérablement augmenté et diversifié la caractérisation externe des personnages.

b) L'aspect physique

On peut évidemment l'élargir au *comportement physique*.

Autant le souligner tout de suite, il est extrêmement rare qu'on se livre de façon absolument gratuite à une description physique (ou, plus généralement, «externe») d'un personnage. Le postulat tacite ou implicite est celui d'une *correspondance entre l'extérieur et l'intérieur*.

Et rappelez-vous qu'un postulat n'est pas une loi, mais une *hypothèse de départ non démontrée...*

Problèmes éventuels

Il y a ici trois écueils à éviter:

-les stéréotypes (tiens, quelle surprise...) physico-psychologiques

Par exemple: le personnage principal est grand, blond, aux yeux bleus, musclé, toujours bien rasé, aux dents blanches, à l'haleine fraîche... Un autre est petit, tordu, brun et poilu, avec une cicatrice en travers de la figure... STOP! Dans cinq secondes, on va me dire que le premier est le sympathique héros, et le second son patibulaire adversaire.

Vraiment? Quelle surprise!

Et qu'on n'essaie pas non plus de me faire le coup du Bon laid et du beau Méchant, je les repérerai assez vite aussi...

Il n'y a évidemment pas trente-six possibilités: ou bien les gens ressemblent intérieurement à ce qu'ils sont extérieurement, ou bien ils en sont l'inverse... Ou bien c'est selon les jours et les gens? Ou bien il n'y a aucun rapport? Tout dépend en fait encore une fois du registre où l'on désire se situer. La *caricature* a sa place en littérature, que ce soit une caricature (une *exagération*) «en beau» ou «en laid».

D'ailleurs, on peut faire subir un certain *gauchissement* aux stéréotypes en les faisant prendre en charge et souligner par la narration: «Il avait tout du joueur de football... mais il était Prix Nobel de Physique... Elle était petite, pâle et effacée... mais elle était championne olympique de karaté.» Il faut faire preuve de prudence: ici comme ailleurs, l'anti-cliché finit par devenir lui-même un cliché si on l'utilise de façon trop systématique.

Le système, voilà peut-être bien «l'ennemi», ne serait-ce que parce que le lecteur le moindrement attentif finit assez vite par le repérer, et donc par l'anticiper. Il n'a donc plus de surprises... et un lecteur qui s'ennuie est un lecteur perdu. Une façon d'échapper au système? C'est peut-être d'avoir *des* systèmes.

Donc, tous les beaux-grands-musclés ne sont pas stupides, toutes les belles-blondes non plus, tous les gros-rougeauds ne sont pas des bons vivants ou des colériques, comme tous les grands-maigres-pâles ne sont pas des neurasthéniques. Il y a sans doute des *tendances* à une correspondance entre extérieur et intérieur, confirmées par les statistiques: l'idée de cette correspondance entre le physique et la personnalité est bien née quelque part, et elle n'aurait pas la vie aussi dure, sinon... Mais justement, le personnage littéraire de notre type de fiction n'est pas une abstraction statistique. Il est censé être fait «de chair et de sang» pour être un vrai *semblable...*

-la description trop précise

Comme nous l'avons déjà vu ailleurs, plus on décrit minutieusement («réalistement») une chose, plus elle se *déréalise*.

Faites-en l'expérience vous-même: prenez un objet très simple, très familier, et essayez de le décrire très précisément... Avez-vous déjà vu de ces photos prises de très près, très claires, mais dont on n'arrive absolument pas à identifier le sujet? Pensez-y. Ou plutôt pensez-y et oubliez-les tout de suite: en effet la perception d'une image et la perception de mots sont deux choses très différentes, et ce n'est que par une licence en quelque sorte poétique qu'on parle d'«images» en littérature...

En tout cas, le problème est celui du rapport entre *l'ensemble* et les *détails*. Ou bien on donne au lecteur une idée de l'ensemble à partir de quelques éléments judicieusement choisis, on lui permet de reconstituer l'ensemble à partir des détails; ou bien on lui permet d'imaginer les détails à partir d'une vue d'ensemble.

Il n'est donc pas absolument nécessaire de se lancer dans une minutieuse description physique des personnages. D'abord, parce qu'une fois commencée, il n'y a pas de raison qu'elle s'arrête: on n'a jamais vraiment fini de décrire, c'est l'échec inévitable et garanti de toute tentative de réalisme absolu. Et ensuite, parce qu'on ne les fait nullement «mieux voir» ainsi: au contraire, on les fait disparaître dans l'éparpillement des détails... Ce qui constitue un certain type d'effet, et là encore, si c'est l'effet qu'on recherche, il peut être intéressant de décrire minutieusement...

-la description trop vague

C'est l'excès inverse. «Elle était ravissante...», «Il avait un physique impressionnant...»; c'est peut-être trop court, trop général, trop abstrait. Peut-être le lecteur aimerait-il mieux voir que... croire le narrateur sur parole: car enfin, ce n'est pas parce que le narrateur affirme une chose qu'il nous la montre.

Mais là encore, «cela dépend du genre d'histoire racontée, du genre d'effet recherché». Il peut y avoir des cas où il n'est pas nécessaire de décrire plus en détail physiquement: pour des personnages très secondaires par exemple (on peut alors se demander s'il est vraiment nécessaire de les décrire du tout physiquement...). Ou bien, dans le cas de personnages importants, on ne les décrira pas beaucoup physiquement parce que c'est plutôt à leur intériorité qu'on s'intéresse, et alors on estime qu'il n'y a pas de rapport entre physique et personnalité; ou bien on estime qu'il n'y a pas rapport de concordance évident: parler de l'une, c'est parler de l'autre; ou un rapport inverse, et dans ce cas, on se fiera à l'image rapidement évoquée dans l'esprit du lecteur par le stéréotype physique (la «vue d'ensemble»), et on passera aux éléments psychologiques contrastants. *Il y a donc quelquefois un «bon usage» des stéréotypes!*

En somme, faites-en l'expérience vous-même en vous exerçant à des «portraits» de personnages: que ce soit la prolifération des détails aux dépens de l'ensemble, ou le schématisme de l'ensemble aux dépens des détails, ces deux possibilités extrêmes de la description sont des *limites*. On peut fort légitimement y avoir recours selon l'effet recherché, mais le «vraisemblable», l'effet de réalité moyen se situera quelque part entre les deux, dans un *dosage* judicieux.

Si on ne veut produire aucun des effets de déréalisation décrits plus haut, il faut donc rester dans le juste milieu. C'est quoi, ça? C'est quoi, ce choix judicieux des quelques détails frappants/signifiants à partir desquels les réflexes perceptifs du lecteur vont recréer l'animal tout entier (comme les paléontologues le font pour les dinosaures à partir de squelettes plus ou moins complets...)? Comment choisit-on «judicieusement»?

Là non plus, pas de trucs ni de recettes. L'étymologie de «judicieux» est dans un mot latin signifiant «jugement». Sera donc d'abord judicieux ce que *vous* jugerez judicieux. Il appartient à l'écrivain de faire ensuite partager cette opinion à ses lecteurs...

Seule l'expérience vous y aidera, c'est à dire *l'observation et l'expérimentation*. Pensez à l'art de la caricature, pensez aux esquisses des dessinateurs, faites l'expérience sur vous-même: à partir de combien de traits reconnaissez-vous un arbre, un chien, ou un visage? Sur ce plan, la description physique d'un personnage n'est en rien différente de n'importe quelle autre description contribuant à la mise en place de l'illusion réaliste.

c) Le comportement physique

C'est ce qu'on appelle (encore par «licence poétique») le *langage du corps.*

Le corps et les émotions

Là encore, nous rencontrons nos vieux compères les stéréotypes...; le comportement physique repose en effet sur le même postulat que l'aspect physique: une *correspondance entre extérieur et intérieur*. Le «langage du corps» n'est donc pas là gratuitement, lui non plus: il est supposé révéler, ou dissimuler, en tout cas *dire* les émotions/le caractère du personnage considéré.

> *...(déconcerté) il se gratta la tête... Il fit une grimace (de chagrin)... Il haussa les épaules (avec désinvolture)... Il pâlit/rougit/verdit (de colère)...* et autres: *(stupéfait) il se leva comme mû par un ressort...*

Bien sûr, «tout le monde» a plus ou moins ce genre de comportement, et ces gestes sont donc considérés comme *vraisemblables* dans des descriptions littéraires. Mais il faut prendre conscience du fait que ces descriptions reposent sur une *convention*. «Gesticulations artificielles de personnages conventionnels», voilà l'effet qu'elles peuvent trop facilement produire. C'est qu'elles sont devenues avec le temps des réflexes d'écriture, des systèmes... et ce que je disais tout à l'heure du système est toujours valable ici.

«Au secours, les clichés attaquent!». Quelques stratégies.

Si on décrit par exemple un personnage en colère, des expressions comme «rouge de colère» ou «en serrant les poings» vont donc venir «tout naturellement» sous la plume, parce que ce sont statistiquement les comportements les plus fréquemment associés à la colère. Bien sûr, il n'existe pas une gamme infinie d'effets physiques des émotions chez l'animal humain (nous en partageons d'ailleurs une bonne partie avec les animaux). Mais un peu d'observation peut faire constater qu'il y a d'autres façons de manifester la colère (certains sourient quand ils sont en colère...). Encore une fois, il ne s'agit pas de prendre le contre-pied des clichés, ce qui amène vite à produire d'autres clichés. Il s'agit de s'arrêter et de réfléchir:

-est-il absolument nécessaire à cet endroit du texte de faire révéler cette émotion-ci par ce geste-là, ou même de faire révéler l'émotion par un geste quelconque? (Mais cela dépend de la narration choisie: un narrateur ignorant n'a pas grand-chose d'autre à sa disposition, par exemple...)

-si c'est vraiment nécessaire, n'y a-t-il pas *une autre façon* de montrer cette émotion que par le comportement-cliché? On peut avoir ici recours à la mise en situation d'un geste inventé de toute pièce, qui appartiendra exclusivement au personnage et en deviendra en quelque sorte la marque de fabrique (un peu comme le sont les «épithètes homériques» citées plus tôt).

> Imaginons un personnage qui a beaucoup été brutalisé dans son enfance, et qui en garde une cicatrice (au bras ou à la figure si on la veut visible). Chaque fois qu'il se trouve dans une situation de conflit, réelle ou potentielle (il est en colère, ou les autres le sont),

il va, sans s'en rendre compte, toucher cette cicatrice. Pourquoi? Qu'est-ce que ça peut «dire» sur le personnage?

Cela «dira» si la *mise en situation* de cet élément a été bien organisée, *c'est-à-dire si on a donné au lecteur les moyens d'apprendre la signification de ce geste-là pour ce personnage-là*, en le présentant assez souvent dans le *contexte approprié*. Au bout d'un certain temps, il ne sera pas nécessaire d'expliquer que telle ou telle situation est une situation de conflit suscitant telle et telle émotion-souvenir chez le personnage: le simple geste du personnage en deviendra un *signal* suffisant pour le lecteur.

Disjonctions ou coïncidences comportement/parole, comportement/situation

Une autre façon d'échapper aux clichés comportementaux, c'est de les utiliser *en contraste* avec autre chose, ce qui peut détruire l'automatisme du cliché et lui donner un sens renouvelé. Une grande partie de ces contrastes se fait entre le comportement et la parole, on y reviendra à propos du «récit de paroles». Mais le contraste peut s'établir également entre le comportement du personnage et la conséquence de ce comportement.

Par exemple, un personnage pathétique s'enfuit en pleurant... et se casse le nez sur la porte qui a été fermée entre-temps. Si l'histoire était jusque-là dans le registre sérieux, quel *effet* va produire cet incident d'essence comique? Je ne veux pas parler seulement de son effet sur le lecteur (lequel aura tendance à rire ou à sourire), mais sur les personnages, et en particulier sur celui qui s'enfuyait? *Car en contrôlant les réactions des personnages, on va orienter celles du lecteur.* On peut empêcher celui-ci de se laisser aller à son réflexe de rire/sourire, tout comme on peut susciter chez lui une compassion qui va dépasser la simple compassion-réflexe devant un comportement émotionnel cliché (les larmes), et/ou une situation émotionnelle cliché (s'enfuir en pleurant), en lui faisant par exemple partager le redoublement de chagrin dû à l'humiliation de se retrouver dans une situation grotesque alors qu'on a de la peine.

d) L'environnement

Le nom, l'aspect et le comportement physiques du personnage ne constituent pas les seules ressources de la *caractérisation externe*. En effet, «l'extérieur» du personnage ne s'arrête pas là: il y a toute une série de degrés dans «l'extériorité», à mesure qu'on s'éloigne du personnage pour considérer plutôt tout ce qui est en contact avec lui.

Vous pouvez vous y essayer. Cela commence en effet aux vêtements et cela s'arrête... eh bien, en vérité (et théoriquement) cela ne s'arrête pas: *tout ce qu'un personnage peut percevoir, connaître ou rencontrer peut éventuellement servir à le caractériser.*

Est-ce assez pratique?!

Ce genre de *caractérisation par l'environnement* repose sur un nouveau postulat: la ressemblance par proximité physique, par «contagion», en quelque sorte. Vous avez peut-être déjà joué au jeu qui commence par: «Si c'était un arbre (une époque, un écrivain célèbre, une fleur...), ce serait...». Et l'on fait à partir de là, *en équivalence,* le portrait de la personne concernée.

Vous pouvez y jouer maintenant: faites ainsi votre propre portrait, ou celui de votre meilleur ami —ou celui de votre pire ennemi...

Il s'agit en définitive de *décrire une chose par une autre*. De décrire en l'occurrence l'intérieur du personnage par son extérieur, encore une fois, mais un extérieur beaucoup plus vaste et varié que le simple aspect ou comportement physique —et donc moins menacé par les stéréotypes. Tout l'environnement du personnage peut servir à cela.

Alors ses vêtements, bien sûr. Mais aussi sa chambre, sa maison, sa rue, son quartier, sa ville... Sa famille, ses amis (ses ennemis), les journaux qu'il lit (ne lit pas), les aliments qu'il aime (n'aime pas), ses lectures (ses non-lectures), ses spectacles, son métier... La liste est très longue! La beauté satisfaisante de ce genre de caractérisation, c'est que tout en feignant d'être parfaitement vraisemblable/réaliste/«objectif», on peut contrôler absolument tous les détails de la description pour les faire correspondre au(x) personnage(s). Et le lecteur va enregistrer tous ces «effets de réalité» sans même se rendre compte qu'il se fait mener par le bout du nez...

Ainsi dans l'extrait de la nouvelle de Salinger cité à propos du narrateur ignorant dans la *Première partie,* «Un jour rêvé pour le poisson-banane», absolument *tous* les détails contribuent à nous faire un portrait indirect de la jeune femme.

Souvent l'auteur ne se rend pas compte non plus qu'il *se* mène lui-même par le bout du nez, d'ailleurs! La plupart du temps, on organise spontanément ainsi ses descriptions de personnage, et c'est seulement à la relecture (la sienne ou celle des autres), qu'on réalise à quel point personnages et environnement (au sens le plus large du terme) sont interdépendants... C'est ce qu'exprime par exemple une phrase célèbre: «Un paysage est un état d'âme.»

Vous pouvez le vérifier immédiatement: imaginez-vous dans le même lieu, mais à chaque fois dans une *humeur* différente. Voyez si cela ne se répercute pas sur vos descriptions...

Ainsi, pour caractériser un personnage, on n'a nullement besoin de décrire le personnage lui-même! Pas même son caractère! On n'a pas besoin de dire (faire dire/expliquer par le narrateur omniscient, par exemple): «Elle était ambitieuse, violente, mais généreuse». On peut *montrer* (les effets sur l'environnement de) cette ambition, cette violence, cette générosité.

Là encore, se faire *montrer* au lieu de se faire *dire* peut être infiniment plus captivant pour le lecteur: il peut voir par lui-même et se passer ainsi de cet intermédiaire parfois trop voyant qu'est, par exemple, le narrateur omniscient. (Le «dire» est le grand défaut/danger de celui-ci; vous vous rappelez les «conférences»?) Par ailleurs, c'est tellement pratique dans le cas des narrateurs qui n'en savent pas plus que les personnages —et surtout dans le cas de celui qui en sait *moins*! Il peut (et le lecteur avec lui), transformé en détective, chercher dans l'environnement des indices de la vraie nature du personnage. Et les trouver, parce que l'auteur les y aura disposés... Du moins, est-ce ce qu'il est censé faire dans ce genre de caractérisation!

Bivouac méditatif: dire et montrer

Cette question du *dire* et du *montrer* mérite qu'on s'y arrête un peu plus longuement. «Dire», c'est ce que fait souvent le narrateur omniscient, par exemple: il sert d'intermédiaire entre les faits (les lieux, les personnages, les situations) et le lecteur: lui *a vu* mais le lecteur n'a de l'histoire qu'un rapport de «seconde main», en quelque sorte. S'il «montre», au contraire, le narrateur tend à s'effacer plus ou moins, à présenter les événements d'une façon plus ou moins directe, «comme si on y était». (C'est la différence qui existe entre écouter parler d'un accident à la télé, et avoir assisté à l'accident en personne...)

En règle générale, dans la fiction d'illusion réaliste, il semble évident qu'il vaut mieux montrer que dire... mais cela dépend en fait du type de narration choisie, de l'ambiance de l'histoire... et aussi du nombre de pages dont on dispose pour la raconter! Il est en effet souvent *bien plus long de montrer que de dire.* (Ce qui n'est pas forcément vrai avec un narrateur bavard affectionnant pauses, commentaires ou hypothèses...)

Et puis, cela dépend aussi du lecteur qu'on désire toucher. Veut-il du saignant, du vécu, de l'immédiat, du concret, de l'action? Il faut lui *montrer*. Mais préfère-t-il être assis bien tranquillement dans son fauteuil de spectateur et assister à quelque distance, en toute sécurité? Il faut alors lui *dire*. Et si l'on veut déranger l'un et l'autre dans ses habitudes de lecture, faire participer de plus près le lecteur trop prudent, calmer et faire réfléchir le lecteur trop superficiel, les secouer l'un et l'autre pour les faire éventuellement accéder à un autre niveau de conscience? Alors il peut être intéressant de les contrarier, de dire au premier, de montrer au second...

Mais on peut aussi remarquer que toute fiction, étant «racontée par quelqu'un à quelqu'un» ne peut être qu'un *dire*, qui fait tout au plus semblant —de son mieux— d'être un *montrer*...

> Vous pouvez ici vous essayer à distinguer le «dire» du «montrer»: prenez une simple situation de personnage («Paul était distrait») —c'est le «dire»— et imaginez quels détails vous (d)écririez pour «montrer» cette distraction. On peut aussi faire l'inverse, par exemple à partir des portraits que La Bruyère a justement faits de «caractères» divers. (Dans ces textes de La Bruyère, on peut très bien voir où et comment s'articulent le «dire» et le «montrer»...)
>
> Vous pouvez également vous adonner à toutes sortes de descriptions caractérisant les personnages: uniquement par l'aspect ou le comportement physique, uniquement par l'environnement... ou tout ensemble.

2. La caractérisation interne

Nous avons fait le tour de la caractérisation externe. Mais, on l'a vu, cette «extériorité» du personnage ne vaut en réalité qu'en relation avec une «intériorité». (Je n'ai séparé les deux que pour les besoins de la démonstration...) Cette «intériorité», c'est le «caractère interne» du personnage, sa *psychologie*.

a) Avertissement: psychologie et vraisemblance du personnage

Je ne vais pas me lancer ici dans une discussion du bien ou du mal fondé de la notion de psychologie appliquée à des personnages qui sont, *et ne sont que*, si on veut y bien regarder, *des mots sur du papier* à ne confondre que très prudemment avec des personnes réelles. Je ne donnerai pas non plus de trucs ou de recettes pour «construire psychologiquement» des personnages plus ou moins «psychologiquement vraisemblables». Dans ce domaine, si l'expérience et l'observation peuvent compter, on aborde néanmoins au fragile et dangereux radeau de la subjectivité.

b) La «nature humaine»

Ce qu'est ou doit être un personnage pour être «psychologiquement vraisemblable» dépend en effet essentiellement de ce que vous, auteur (et votre lecteur), considérez comme vraisemblable, c'est-à-dire de l'idée que vous vous faites de la nature humaine. Elle est simple ou elle est compliquée; «elle n'existe pas, c'est un effet de société, une somme de conditionnements qui changent avec le lieu et l'époque»; «elle n'existe pas, c'est un effet de langage: les mots créent les émotions, et non l'inverse»... Chacune de ces idées sur la nature humaine dépend en dernier ressort de ce que vous êtes vous-même, de votre vécu, comme on dit.

Car enfin, où un lecteur va-t-il chercher les critères qui lui permettent d'évaluer la plus ou moins grande vraisemblance psychologique d'un personnage donné? Là où l'auteur va chercher de quoi créer ce personnage: *en lui-même*. Comme tous les autres contenus d'une fiction, expérience et connaissance de soi et des autres entrent ici, à des dosages divers, en composition avec des choses vues, lues, entendues, rêvées, fantasmées, refoulées...

C'est pour cette raison qu'il est très difficile, en fin de compte, de répondre à la question que je posais au début de ce chapitre: «Qui fait les choix, en cours d'action et pour le dénouement? L'auteur? Le narrateur? Les personnages?»

Leur relation, en la matière, est une excellente illustration de la *liberté conditionnelle de la création* dont j'ai déjà parlé: les personnages, leur situation (aussi bien extérieure qu'intérieure), l'auteur les crée comme tout le reste à partir d'un matériau varié qui n'est jamais totalement libre (comme vous pouvez le constater vous-même dans les jeux B). À partir du moment où l'on conçoit un personnage, celui-ci constitue en soi une nouvelle *règle du jeu* qui s'ajoute à toutes les autres, et à laquelle l'auteur se doit d'obéir pour des raisons de vraisemblance.

Ainsi, de la même façon qu'un personnage ne peut avoir les yeux bleus au premier chapitre et noirs au troisième —à moins que cela ne soit expliqué/justifié par la narration —de même, s'il est bon, intelligent et courageux au début, et se retrouve lâche, cruel et stupide par la suite, l'auteur est obligé, par sa propre règle du jeu (la *cohérence interne de l'histoire*), de rendre cette transformation du personnage compréhensible et justifiée.

Bivouac-confession: une aventure vécue

«Vous projetez-vous dans vos personnages?» C'est une question qu'on pose souvent aux écrivains. La seule réponse, en toute honnêteté, c'est: «Plus ou moins». C'est seulement en cours d'écriture, et/ou de relecture/ré-écriture, que se précise éventuellement, pour chaque écrivain, la nature de sa relation avec ses personnages.

On lit souvent aussi, dans des entrevues d'écrivain, qu'ils ont dû «se battre avec leurs personnages», que leurs personnages «leur ont échappé». Je ne peux parler en la matière des expériences des autres, mais des miennes et de celles dont j'ai pu discuter avec mes collègues écrivains. Il m'est arrivé par deux fois de créer des personnages dont je pensais qu'ils produisaient un certain effet («étaient une certaine personne dans une certaine histoire»), mais dont mes lecteurs-tests (ceux à qui je fais lire mes textes avant de les proposer à des éditeurs) m'ont dit —et prouvé— qu'ils en produisaient un autre («étaient une autre personne, dans une autre histoire»). Allais-je donc changer le personnage, ou l'histoire, pour obtenir l'effet que je désirais?

Dans le premier cas, après avoir violemment protesté, comme tout le monde, je me suis rendue aux arguments de mes lecteurs et je suis revenue sur mon histoire. Je l'ai modifiée en prenant en compte, en approfondissant et en soulignant les aspects du personnage qui le rendaient plus conforme à la cohérence interne de mon histoire. Ou plutôt de mon histoire telle que ma perception modifiée du personnage m'avait amenée à la reconsidérer. Le personnage «m'avait échappé», donc, et il (elle, en l'occurrence) avait eu raison. Il semble donc bien y avoir là une relative autonomie du personnage, qui aurait «gagné» sa lutte contre l'auteur.

Cependant, cette autonomie ne résidait-elle pas en fait dans mon aveuglement premier sur ma propre création? On pourrait alors proposer cette théorie hypothétique: «Plus un auteur est prisonnier de ses *a priori*, plus ses personnages sont potentiellement libres, c'est-à-dire susceptibles de lui échapper.»

Mais je n'en suis pas si sûre. En effet, dans le deuxième cas, j'ai bel et bien changé non pas l'histoire mais le personnage, en atténuant ou en effaçant les détails qui le faisaient percevoir d'une façon contraire à celle que je désirais et qui affectaient d'autant l'histoire. C'est moi qui ai «gagné», cette fois...

Ou n'est-ce pas plutôt, dans les deux cas, *l'histoire*? Car la «fausse» perception du personnage par mes lecteurs-tests m'avait éclairée sur l'histoire dans le premier cas, *en m'y révélant une nouvelle logique interne qu'une ré-écriture ultérieure a soulignée.* Et elle m'avait également éclairée sur l'histoire dans le deuxième cas, en me confirmant que la logique interne de celle-ci exigeait cette fois une modification du personnage.

Que conclure, alors? Au moins que la liberté des choix littéraires de la fiction s'exerce simultanément dans plusieurs registres différents, et qu'elle est la résultante de libertés relatives (de relatives contraintes...), aussi bien chez l'auteur que dans l'histoire ou les personnages. À chacun d'apprendre à établir, par la pratique, son propre dosage de libertés et de contraintes.

Je ne vais donc pas parler de la *caractérisation interne du personnage* «en soi», mais toujours *en relation avec le reste de l'histoire.*

c) Personnage et action

Un personnage ne se conçoit pas, ou mal, en dehors d'une *action*. Il est ce qu'il *fait* autant que ce qu'il *est*, ou ce qu'il *a*, ou ce qui se trouve autour de lui dans son environnement. L'action n'est-elle pas justement un des moyens privilégiés par lesquels on entre en relation avec lui? Il est possible qu'un personnage interagisse avec celui-ci de façon aléatoire, au hasard, mais c'est assez rare: une action (nous disent la vraisemblance, le bon sens) a toujours des causes, fussent-elles lointaines ou secrètes.

Disons donc qu'un personnage *est un mouvement* ou qu'il *est en mouvement*. Que ce mouvement a un *but*. Et que ce but, ou ces buts, servent à définir (caractériser) le personnage, ou du moins à délimiter la façon dont on va le caractériser. Les forces et les faiblesses du personnage vont être mises en jeu dans la réalisation d'un certain *projet*.

Mais remarquons tout de suite que si la réussite ou l'échec de ce projet peuvent constituer le *dénouement de l'intrigue*, ils ne sont pas forcément le but, la fin ultime, la signification de l'histoire. Ils aident le plus souvent à la faire apparaître plus clairement.

Par exemple, dans les histoires de Bon-contre-Méchant, si le Bon gagne (la princesse, le trésor, le pouvoir ou leurs nombreuses variantes), c'est le dénouement de l'intrigue. Mais le but, la fin de l'histoire, c'est la moralité implicite ou explicite: «la Vertu Triomphe Toujours» —ou du moins les traits de caractère considérés comme vertus...

d) Personnage et motivations

La question qui se pose tout de suite, donc, lorsqu'on veut caractériser un personnage, décrire sa personnalité, la psychologie qui est censée déterminer ses actions, c'est: «Quelles sont ses *motivations*?»

Ses *motivations*, au pluriel. En effet, on n'a, la plupart du temps, pas une seule raison de faire ou de vouloir quelque chose... Ce qui n'empêche nullement de décrire des personnages qui n'ont justement qu'un seul but dans la vie: les passionnés, fanatiques, maniaques, obsédés, possédés... (l'avare et son or, l'amoureux et sa belle, l'ambitieux et le pouvoir, le sportif et le record...).

C'est un sujet littérairement vénérable, et apparemment inépuisable, que ces «études d'une passion». Sans doute parce que l'idée fixe tend à épurer et à réorganiser dans un seul sens toute la personnalité du passionné, ce qui en rend la description plus claire (et donc, pour certains, esthétiquement plus satisfaisante).

C'est ainsi que le personnage pourvu d'une unique motivation se rapproche de l'archétype... et du stéréotype. Je vous propose donc au passage une définition du personnage «psychologiquement stéréotypé»: c'est un personnage qui n'a pas des actes mais des réflexes; il suffit que les événements appuient sur ses boutons pour le faire fonctionner —et il n'a pas beaucoup de boutons... J'ajouterai aussitôt que la description de tels personnages est parfaitement légitime: ne sommes-nous pas tous plus ou moins coincés dans des rôles? Le professeur, l'étudiant, l'homme, la femme... Vous pouvez vous amuser —ou vous attrister— à faire une liste des traits de caractère attachés à tel ou tel rôle.

e) Intérieur, extérieur: même combat!

Caractérisation externe, caractérisation interne... Peut-être ces postulats sur le couple intérieur/extérieur sont-ils une façon erronée d'aborder le problème. Peut-être vaudrait-il mieux envisager la caractérisation comme l'étude (et l'usage) des «interfaces» entre intérieur et extérieur. L'aspect physique, au sens étroit ou au sens élargi (comportement) peut être considéré ainsi: n'est-ce pas le regard que les autres posent sur notre «surface», et l'interprétation que chaque époque (société...) donne de telle ou telle apparence physique qui en déterminent la valeur intériorisée, la signification dans notre conscience? Aspect physique, comportement physique, ces «caractérisations» n'ont pas de valeur *en soi* mais toujours *en relation,* autant avec un «intérieur» qu'avec un autre «extérieur» plus vaste qui en définit le sens pour nous.

Il y a une autre façon de caractériser qui pourrait être considérée comme se situant également à cette surface de contact, à cette «interface» entre nous et le reste du monde: c'est la *parole.* «Dis-moi ce que tu dis et je te dirai qui tu es», n'est-ce pas (avec «Dis-moi ce que tu fais»...) la façon la plus ancienne d'évaluer autrui?

Cela se traduit pour l'écrivain de fiction en: «Montre-moi ce que tes personnages disent, et comment ils le disent... et je pourrai savoir qui ils sont.»

S'agit-il encore de la distinction dire/montrer que j'évoquais tout à l'heure? Non. C'est même le moment où le caractère discutable de cette distinction apparaît avec le plus d'évidence. Le dire et le montrer sont en quelque sorte l'envers et l'endroit d'une même pièce. De même que toute fiction, étant racontée, est toujours une parole, toute parole, dans la fiction, est toujours donnée à voir, montrée. C'est pourquoi, pour désigner la (re)production du discours (ou de la pensée, d'ailleurs), dans le récit littéraire, il faut parler de *récit de paroles* —comme on a le «récit d'événements».

Pour le «récit de paroles», la distinction «caractérisation interne»/«caractérisation externe» ne convient plus, aussi ai-je choisi de la détacher de ces deux sortes de caractérisation.

3. Le récit de paroles

a) Problèmes et stratégies

Je rappelle la définition du *récit de paroles*: (Re)production du discours et de la pensée des personnages dans le récit littéraire écrit. Notre accord de départ, c'est toujours que nous nous situons dans le cadre de la fiction «d'illusion réaliste». Il va donc s'agir de reproduire la parole de façon vraisemblable, d'imiter/suggérer/(d)écrire pour chaque personnage un langage personnel et particulier.

Le stylo-magnétophone?

Faites l'expérience suivante: réunissez deux personnes autour d'un de ces engins, faites-les parler pendant une demi-heure en enregistrant. (Ou enregistrez une émission de radio ou de télé où les gens discutent.) Ensuite, transcrivez la bande obtenue. Vous constaterez sans doute ceci: les éléments d'information réelle n'occupent pas, et de loin, l'essentiel de la bande. Ils sont dispersés parmi les «euh», les répétitions, les à-peu-près, les silences, les rires...

Que tous ces éléments soient en définitive signifiants, comme le pense la psychanalyse, c'est une chose. Infliger à un lecteur des pages et des pages de «parole-vérité» dans tout son inachèvement informe, c'est autre chose... Aucun lecteur n'est prêt à accepter dans une fiction la reproduction intégrale et constante de la parole telle qu'elle est «dans la vraie vie».

Conventions vénérables et pratiques: la «langue parlée»

Que va-t-on donc «reproduire», alors, et comment?

Il existe un certain nombre de conventions touchant à la reproduction écrite de la parole. Je ne m'y étendrai pas: la description de la parole n'est en rien différente des autres types de description que nous avons pu rencontrer jusqu'ici: les conventions sur lesquelles elle s'appuie reposent sur le même consensus tacite touchant à la réalité. Il va donc s'agir d'en composer un *analogue vraisemblable*, en choisissant un certain nombre d'éléments qu'on va utiliser comme *signaux convenus* de la parole. On va les choisir dans la parole réelle: inachèvement, répétition, à-peu-près, usage du *registre de langue* précisément appelé «langue parlée» (tournures, vocabulaire...).

Parce que, tu comprends, ce que je voulais... je croyais qu'elle serait OK mais elle l'était pas, elle voulait pas du tout, mais alors pas du tout démarrer, et alors je tire le machin, le truc, là, le démarreur, et crac, il me reste dans la main et je me retrouve sur le cul dans le gazon, tu vois un peu le tableau!

Essayez de repérer ce qui appartient ici au registre de la langue parlée.

La «façon de parler».

Dans le cadre de la caractérisation définie étroitement comme moyen pour le lecteur d'identifier rapidement un personnage donné, on peut pourvoir les personnages d'une *façon de parler* qui n'est ni plus ni moins qu'un «comportement verbal»: particularités d'élocution (zézaiement, bégaiement...), accents, tics verbaux...

Che suis orichinaire t'Allemagne.
Ze suis orizinaire d'Allemagne.
Je, euh, suis, euh, originaire, euh, d'Allemagne.

C'est la façon la plus extérieure, disons la plus superficielle (en surface), de caractériser un personnage par la parole. Le principal inconvénient en est qu'elle devient rapidement lassante: quatre pages de dialogue entre un bègue et un sourd affligé d'un accent allemand à couper au couteau peuvent être comiques pendant quelques lignes... et encore. C'est lorsqu'un personnage à l'élocution habituellement parfaite se met à bégayer que ce détail peut devenir un élément important de caractérisation, au-delà de la simple gesticulation verbale...

La parole miroir de l'environnement: lieu, milieu, métier

On peut rendre moins superficielle la façon de parler d'un personnage en en faisant *un miroir de son environnement* (familial, géographique, social). On le pourvoit alors non pas tellement d'un accent que d'un *parler particulier*: le joual, par exemple, ou l'argot parisien, ou le parler acadien, ou... (trouvez-en d'autres). C'est déjà plus complexe: il y faut un certain vocabulaire et une certaine syntaxe, et l'auteur doit les connaître suffisamment pour y choisir les éléments-signaux.

Cela peut devenir très difficile à manier lorsque ces «parlers» renvoient à des *statuts sociaux différents*. Une reine en exercice ne parlera pas de la même façon qu'une starlette, un agent de change autrement qu'un artiste peintre, celui-ci autrement qu'un musicien rock et ce dernier autrement qu'un flûtiste de l'Orchestre Symphonique. *Du moins selon la «vraisemblance» moyenne*. C'est là encore un postulat, qui repose sur la statistique et veut que des gens différents (géographiquement, historiquement, socialement... comme psychologiquement) parlent de façon différente, tant au plan de la forme que du contenu. Tous les lecteurs ne lisent pas selon ce postulat. Certains ne verront aucun inconvénient à ce que tous les personnages parlent de la même façon: beaucoup dépend, là encore, du contrat tacite passé entre lecteur et auteur, et de la concordance ou non de leur notion respective de vraisemblance.

Je prendrai un exemple assez clair dans la SF, où les problèmes de vraisemblance sont assez aigus, et où des dizaines d'histoires ont été écrites rien que pour essayer de résoudre ce problème particulier: quelle vraisemblance y a-t-il à ce qu'un extra-terrestre venant de Bételgeuse, dans 5000 ans d'ici, parle par exemple le montréalais de 1986? Il y a bien entendu des façons de l'expliquer/justifier, mais... (Lesquelles? Vous pouvez les chercher...)

Pour prendre un autre exemple plus près de nous, il est indéniable que chaque *métier* a un vocabulaire plus ou moins spécialisé: si l'on fait discuter ses personnages dans leur cadre professionnel, peut-être vaut-il mieux, pour la vraisemblance la plus générale, qu'ils emploient au moins en partie le langage propre à leur profession. Ce qui implique, là encore, que l'auteur en ait quelque idée.

Vous pouvez mesurer l'étendue du problème en imaginant de tels personnages et en essayant de les faire parler (un bon dictionnaire ou des revues spécialisées pourront vous y aider). Ou mieux encore: vous pouvez vous faire enquêteur, aller interroger différents professionnels, les enregistrer et transcrire leur façon de parler.

Niveaux de langue et vraisemblance

Tout ceci nous renvoie en fait à un problème plus général, qui touche à la fiction dans son ensemble dans la mesure où, toujours racontée, elle est comme on l'a vu toujours plus ou moins une parole. Ce problème est en rapport avec la question de la vraisemblance, et c'est celui des *niveaux de langue*.

Soit un personnage, un aristocrate de sang particulièrement bleu, un Prince, mettons. Le stéréotype du Prince, développé à travers les siècles à partir d'observations fréquentes, et donc relativement légitimes, veut que ce personnage haut placé fasse du langage un usage correct: il parle «bien», voire d'une façon châtiée. S'il s'exprime autrement, quel effet cela va-t-il produire sur le lecteur?

Cela va d'abord dépendre de la *fréquence* de cette infraction au stéréotype verbal. Si le Prince ne s'exprime «mal» qu'une ou deux fois, peut-être le lecteur ne le remarquera-t-il pas. Mais s'il le remarque, il se dira peut-être —et avec raison— qu'il y a là une «erreur» de l'auteur si cette non-concordance entre statut social et registre linguistique n'est pas expliquée/justifiée par la narration. Elle constitue alors en effet un «trou» dans la cohérence interne du personnage. Je ne parle pas ici d'intériorité psychologique, mais bien de cohérence du personnage en tant qu'il est une construction littéraire, à l'intérieur d'un texte. (C'est le même genre de cohérence minimale que celle exigeant pour les yeux bleus d'un personnage de rester bleus...)

Si le Prince parle souvent «mal», la réaction du lecteur va être différente, ne serait-ce que parce qu'il ne peut pas ne pas constater cette discordance et donc s'interroger sur elle. L'auteur peut évidemment lui en expliquer clairement la signification, par le biais d'un narrateur omniscient ou aligné; cela va devenir plus difficile dans le cas d'un narrateur ignorant... Mais s'il ne le fait pas, certains lecteurs vont avoir tendance à chercher le *système* sous-jacent, c'est-à-dire une éventuelle justification de l'infraction au stéréotype verbal. Ils remarqueront par exemple que le Prince ne parle «mal» que dans certaines situations, avec certaines personnes, en privé. Cela va prendre un certain *sens*. Par exemple, que le Prince, finalement, est comme vous et moi, et que lorsqu'il n'est pas «en représentation princière», il se relâche...

Si le Prince parle toujours «mal», le lecteur a encore deux réactions possibles: a) c'est une erreur de l'auteur, qui ne sait absolument pas comment sont censés parler les Princes, et la cohérence/vraisemblance de l'histoire s'effondre; b) c'est un *choix délibéré* de l'auteur qui *caractérise ainsi son personnage*, et il y a du sens caché là-dessous.

En effet, l'effort d'explication/justification du décalage entre statut social et paroles va souvent produire un surcroît de sens et ce sens va aller dans le... sens d'un *surcroît de caractérisation.*

Ainsi, notre Prince peut affecter de parler «mal» lorsqu'il va faire la tournée de ses sujets: c'est par démagogie (et c'est donc un certain type de personnage). Ou bien il aime à «s'encanailler», il va se promener plus ou moins incognito dans les bas-fonds de sa ville, et il affecte alors un parler «vulgaire» ou «argotique» —c'est un aristocrate décadent, autre genre de personnage... Ou encore il met un point d'honneur à «parler peuple» par conviction idéologique: c'est un réformateur ou un révolutionnaire. Ou c'est un froussard: nous sommes en pleine Révolution, et il ne veut pas qu'on le repère comme aristocrate. Ou ce n'est même pas un «vrai» Prince, mais un imposteur (pas très doué, s'il parle constamment «à côté» de son rôle...); ou un parvenu, un anobli de fraîche date, qui n'arrive pas à oublier son origine —ou qui fait exprès de la rappeler aux nobles prétentieux qui l'entourent.

Comme vous pouvez le constater, la simple interprétation de la discordance entre statut social et façon de parler suscite à chaque fois un personnage (caractérisation) et une situation (histoire...) différents.

En somme, dans la mesure où, pour certains lecteurs, *tout signifie* dans le texte qu'ils lisent, il n'est pas recommandé de faire parler les personnages n'importe comment, ou (c'est plus généralement le cas) exactement comme on parle(rait) soi-même. Et ceci aussi bien au plan de l'énonciation (les particularités que j'évoquais plus haut, les tics, etc., et aussi le débit —parole rapide ou lente, claire ou embrouillée...) qu'au plan du vocabulaire (abstrait ou concret, «riche» ou «pauvre», «vulgaire» ou «châtié»...) et à celui de la syntaxe («recherchée», «simple», «incorrecte»...).

Pourquoi tous ces guillemets? Tout simplement parce que ce sont des dénominations erronées, si on veut y voir des jugements de valeur. Il n'y a pas dans l'écriture des tournures ou des mots «beaux» ou «laids», «permis» ou «défendus». Il y a des registres de langue différents, qui produisent certains effets, c'est-à-dire qui sont interprétés de telle ou telle façon, selon le contexte. Il faut essayer d'en prendre conscience —au moins à la relecture— et de les intégrer aux règles du jeu de la fiction. Cette règle-là (la cohérence interne du personnage dans la façon dont il s'exprime) vaut évidemment aussi bien pour les personnages que pour les narrateurs lorsque ceux-ci deviennent, par leur narration, des personnages narrateurs onmiscients, narrateurs alignés ou ignorants faisant des commentaires, et, bien entendu, le narrateur en JE.

Paroles et émotions: coïncidences et contrastes

La façon de parler est donc bien une de ces *interfaces* dont je parlais tout à l'heure entre intérieur et extérieur, puisqu'on peut parler de «comportement verbal» comme de «comportement physique», avec la même incidence sur la caractérisation. L'énonciation, ou élocution, est par exemple ce point de passage où un intérieur se révèle éventuellement à l'extérieur de façon physique: elle est en quelque sorte l'extrême pointe du corps dans la pensée (et vice versa), quand une émotion nous «brouille la voix», par exemple...

Bien sûr, c'est une forme inséparable de son contenu —comme toute forme qui se respecte. Mais lorsque je dis «inséparable de son contenu», je ne veux pas dire «identique à son contenu». Il peut y avoir une relation d'identité, certes, mais il peut y avoir aussi une relation d'opposition, et on peut en tirer des effets (des suppléments de sens) fort utiles.

> *«Ça m'est complètement égal» dit un personnage. La valeur (le sens) de cette phrase peut varier considérablement selon l'intonation (qui est une des composantes de l'énonciation).*

''Mais on n'est pas au théâtre ici'', me direz-vous peut-être, ''on n'entend pas la parole dans un texte, on la voit écrite?''. Tout à fait exact. Mais, en tant que phénomène perçu, et rapporté, la parole peut être (d)écrite dans tous ses détails — ou du moins dans les détails qu'on veut rendre signifiants.

> *«Ça m'est complètement égal», dit-il d'un ton aimable,* ou*: d'un ton indifférent, d'un ton glacial, d'un ton furieux, d'un ton désespéré...*

De même, la narration peut inscrire dans le texte et donner à voir presque toutes les modulations de la parole.

> *«Ça m'est complètement égal», dit-il en insistant sur le dernier mot.* Ou encore: *Il soupira: «Ça m'est complètement égal.»*

On dispose même d'un certain nombre de *signaux typographiques:* les MAJUSCULES pour indiquer l'insistance sur un mot (ou les *italiques* ou les **caractères gras**):

> *«Ça m'est COMPLÈTEMENT égal.»!* «Ça m'est *complètement* égal.» «Ça m'est **complètement** égal».

Paroles et environnement: interfaces

Là aussi on peut jouer des relations d'adéquation/non-adéquation, comme je l'ai déjà signalé. «Ça m'est égal, dit le personnage, *mais il/elle s'enfuit aussitôt en pleurant»:* relation d'opposition entre contenu des paroles et comportement physique, comme il peut y avoir opposition entre le ton et le contenu des paroles.

On peut jouer presque à l'infini sur ces interfaces: le personnage dit toujours «Ça m'est complètement égal»... Mais le verre qu'il tient dans sa main se brise parce qu'il le serre trop fort, ou bien sa main —sans même qu'il s'en rende compte, peut-être...— caresse un couteau ou un revolver... La combinaison des paroles avec leur intonation, les gestes et l'environnement général du personnage peuvent ainsi traduire des centaines de nuances différentes que les paroles seules, ou les gestes seuls, ne rendraient pas. (Quelle inestimable ressource pour le narrateur ignorant, par exemple...)

Mais il n'y a pas que des objets dans l'environnement du personnage. Il y a d'autres personnages, avec lesquels il entre en interaction, ce qui sert bien évidemment aussi à le caractériser.

4. Le dialogue

a) Avant-propos récréatif: la typographie

Le dialogue suppose un certain nombre de conventions d'écriture. Et la première de toutes, c'est bien entendu la convention typographique élémentaire, mais indispensable, indiquant qu'on va se trouver devant des *paroles rapportées: les guillemets.*

> *«Et maintenant, un peu de technique.»*

Le dialogue, cependant, suppose toujours au moins deux interlocuteurs. *Comment va-t-on savoir qui parle?* Le premier moyen est encore un artifice typographique: on va à la ligne à chaque changement d'interlocuteur:

> *«Et maintenant, un peu de technique.»*
> *«Est-ce seulement une question de typographie?»*
> *«Non, ce serait trop simple!»*

Et d'abord, tout le monde n'est pas tout à fait d'accord sur la typographie: guillemets, ou *tirets*?

-Et maintenant, un peu de technique.
-Est-ce seulement une question de typographie?

On peut mettre les deux: guillemets au début de la première phrase, tirets pendant la conversation, et guillemets à la fin de la dernière phrase:

«Et maintenant, un peu de technique.
-Ça commence à bien faire, la technique!
-Mais c'est bien utile quelquefois.»

Si cependant la conversation implique plus de deux interlocuteurs, leur identification va rapidement devenir problématique, surtout si le dialogue s'étend sur plusieurs pages!

Faites-en l'essai: écrivez un long dialogue à plusieurs personnages, sans autre indication que les paroles et le changement de paragraphe.

Vous aurez sans doute constaté que l'identité de chaque «locuteur» se brouille assez vite... sauf si chacun a une façon de parler ou des opinions toujours clairement reconnaissables:

«Et maintenant, un peu de techn...
-Oh non...
-Mais si...
-Mais non!
-Si!
-Non!
-Bon...»

En effet (et là je vous renvoie à ce que nous venons de dire des «façons de parler»), si l'auteur a bien fait son travail, les personnages doivent être assez bien caractérisés par leurs comportements verbaux et leurs paroles pour être aisément reconnaissables.

b) Le «ditilisme»

Mais, peut-être vous en serez-vous rendu compte lors du petit essai suggéré plus haut, on peut être tenté de clarifier encore davantage les choses pour le lecteur:

«Et maintenant, un peu de technique», dis-je.
«Aaaargh!», dit-il.
«C'est important», lui dis-je.
«Vous êtes sûre?», me dit-il.

Remarque: si on utilise les tirets, on n'utilise pas de guillemets (sauf au début et à la fin). Mais si on utilise des guillemets, on en met partout en début et en fin de chaque phrase. C'est ce que je préfère, pour ma part: cela permet d'indiquer clairement ce qui appartient ou non au narrateur. (C'est bien le narrateur qui précise «dis-je/dit-il», n'est-ce pas?) Et, comme vous allez le voir, c'est très utile lorsqu'on a des indications de comportement verbal ou autre: cela permet d'indiquer qu'elles ne font pas directement partie des paroles rapportées.

«La typographie peut être une amie précieuse.
-Gardez-moi de mes amis, dit-il en levant les yeux au ciel, je me charge de mes ennemis!»

L'indication donnée par le narrateur *(''dit-il... '')* est assez courte pour ne pas introduire de confusion dans la lecture. Mais si on a:

«Damnation», s'écria notre héros, qui avait reçu trois blessures, l'une à la cuisse, l'autre à Verdun et la troisième à l'improviste, «j'ai la grippe!»

Les guillemets servent à distinguer paroles du personnage et commentaires du narrateur —qui sont assez longs.

Pour en revenir au signal «dis-je/dit-il», vous vous rendez compte qu'au bout de quelques répliques, ces indications vont devenir exaspérantes. Pourquoi? D'abord parce que s'il n'y a que deux interlocuteurs, bien identifiables par ailleurs à leurs paroles, elles sont superflues: le passage à la ligne et les tirets/guillemets sont un signal bien suffisant. On peut se demander d'ailleurs si l'usage systématique du «dit-il/elle» n'est pas l'équivalent du nom propre par lequel sont précédées les répliques du théâtre écrit. Procédé qu'on peut d'ailleurs utiliser dans la prose non théâtrale, brièvement.

Lui: «La technique, toujours la technique!»
Moi: «Écrire des mots sur du papier, c'est aussi de la technique, non?»

Pourquoi «brièvement»? Parce que ce type de procédé a pour effet de *théâtraliser* l'échange, justement, et donc de le mettre à distance en le rendant même éventuellement humoristique. Si ce n'est pas l'effet voulu, éviter ce procédé.

J'ai choisi quant à moi d'appeler «ditilisme» l'excès dans l'usage du signal «dit-il» et ses variantes en JE, ou autres pronoms, évidemment: comme l'éthylisme, excès de consommation d'alcool, il saoule. Et il conduit à d'autres méfaits, comme les contorsions parfois grotesques (forcées) auxquelles on se livre pour ne pas écrire «dit-il» (même si cela part d'un bon mouvement). Souvent, on a recours au vocabulaire renvoyant à l'énonciation, croyant ainsi faire d'une pierre deux coups:

«murmura-t-il», «s'écria-t-il», «gémit-il»... «bégaya-t-il», «zézéya-t-il», «crachota-t-il», et autres *«éructa-t-il».*

Vous voyez comment mes exemples se dégradent... Vous le sentirez encore mieux si je change le temps et la personne des verbes-exemples. Le «ditilisme» est en effet particulièrement hilarant —ou consternant— au passé simple 1re et 2e personnes du pluriel: «crachotâtes-vous», «éructâmes-nous»... Si vous ne voulez pas produire de ces effets hilarants/consternants (dans le dialogue ou ailleurs), il vaut peut-être mieux éviter ce temps à ces personnes... C'est un des inconvénients du passé simple comme temps de narration.

c) Dialogue pris sur le vif —ou presque

«Mais que fait-on s'il y a plus de deux interlocuteurs?», me demande un étudiant resté silencieux jusqu'à présent.

«S'il y a plus de deux interlocuteurs», dis-je en me tournant vers lui, «il est bon d'utiliser de temps en temps une indication permettant d'identifier le locuteur.»

«Et comment fait-on ça?»

C'est un autre étudiant qui vient de parler, un grand brun d'une vingtaine d'années, avec de beaux yeux bleus.

«Par exemple en décrivant le personnage comme je viens de le faire pour vous, ou en décrivant la façon dont il a parlé, ou le geste qui accompagnait ses paroles, ou le décor qui l'entoure.»

Il ne me regarde pas: ses mains jouent avec son stylo, le faisant rouler de long en large sur son cahier ouvert devant lui: «Comment cela?»

«Comme vous pouvez le voir ci-dessus», dis-je avec un certain amusement. Il lève la tête et rougit en lâchant son stylo. Une étudiante du premier rang croise soudain les bras en se renversant dans son siège, ce qui fait légèrement tinter ses boucles d'oreilles, trois longues lamelles métalliques: «Mais ça doit beaucoup allonger le dialogue, non?»

«Pas forcément.» Je lui souris. «D'abord, vous n'êtes pas obligés d'aller à la ligne après avoir donné des indications concernant le locuteur, comme je viens de le faire pour votre camarade et pour vous. Ensuite, vous rappelez-vous le chapitre des relations entre Temps du Récit et Temps de l'Histoire?»

C'est une petite rousse à l'air terriblement sérieux qui répond au deuxième rang:

«Le dialogue est une scène, non?» Elle a détaché le mot «scène». «Le moment où le temps de l'histoire et celui du récit sont censés coïncider?»

«Pas étonnant que ça coïncide si mal si on ajoute tellement de choses aux paroles!», remarque l'étudiant aux yeux bleus avec un rire qu'il étouffe aussitôt en faisant mine de mordiller son stylo.

J'observe un instant mon petit groupe: hochements de tête, expressions méditatives; c'est bien, ils se souviennent des chapitres précédents.

«C'est en effet, comme je vous l'ai fait remarquer, une convention. Nous sommes toujours dans L'ILLUSION réaliste.» À voir leurs réactions, cette notion commence à être bien assimilée. «En fait, la reproduction de la parole comporte quantité de procédés conventionnels, comme les majuscules d'insistance que je viens d'utiliser, et qui signalent la transposition dans le visuel du registre de l'audio.»

«Il ne faudrait quand même pas que ça dure trop longtemps, la démonstration», bougonne l'étudiant du début, celui qui n'aime pas qu'on parle trop de technique.

d) Dialogue informatif (rappel)

Ce qui précède est une variété particulière de dialogue que nous avons déjà rencontrée en partie: le dialogue à caractère informatif. Il s'agissait pour moi de vous communiquer une certaine quantité d'informations. En tant que narratrice de ce *Guide*, j'aurais aussi bien pu, et plus brièvement, vous exposer ces détails en prenant en charge tous les arguments sans avoir recours à des interlocuteurs fictifs.

Et c'est la question qu'il faut toujours se poser, je crois, lorsqu'on veut utiliser un dialogue à des fins purement informatives: *est-ce vraiment nécessaire?* Ne peut-on procéder autrement, faire passer l'information d'une autre manière? On peut bien entendu *montrer* (en action) au lieu de (faire) *dire*, comme j'ai essayé de le faire plus haut. Mais ce n'est pas toujours possible, question de choix de narration (de narrateur), et de place disponible... et il y a toujours le danger de perdre de vue la ligne principale de l'histoire dans ces à-côtés informatifs sous forme d'action. Mais d'autre part, le danger qui menace trop d'expositions informatives par le narrateur, c'est la redoutable conférence... Il faut choisir entre ces deux maux, et le dialogue informatif peut alors sembler la façon la plus vivante de procéder.

Attention cependant: rappelez-vous le dialogue entre Paul et Virginie à propos des Tafulipus...

e) Dialogue de caractérisation

Mais il n'en va pas de même avec le dialogue qui sert essentiellement à caractériser les personnages plus qu'à introduire des informations factuelles nécessaires à l'action. Ce dialogue-là est plutôt «qualificatif» que «quantitatif»: il peut être un *révélateur* des personnages.

Révélateur au premier degré, d'abord: le personnage parle de lui-même, il fait, directement, des confidences. Le personnage (se) raconte, devient le narrateur de lui-même, en quelque sorte.

Et révélateur au deuxième (troisième, etc.) degré: le personnage se trahit sans s'en rendre compte. Il peut se trahir alors par ses paroles, mais aussi par le non-verbal: tout ce qui accompagne ses paroles. Non seulement ce qu'il dit mais ce qu'il fait, avec toutes les relations de coïncidence ou de contradiction signalées plus haut.

f) Dialogue sans dialogue: le «discours indirect»

On peut même décider de se passer totalement de dialogue, et avoir pourtant reproduction de la parole. Ce détournement plus ou moins sournois est le *discours indirect*. Il se manifeste par l'absence des signes conventionnels propres au récit direct de paroles (guillemets/tirets, paragraphes...) et la présence d'autres signes conventionnels: en particulier ce que j'appelle des *intermédiaires*: le «il dit que» et tous ses équivalents.

Si on décide de transformer un «discours direct» en «discours indirect», rien de plus simple, donc: on supprime les guillemets, on change les pronoms personnels JE en IL/ELLE, etc.):

«J'aimerais me passer de discours direct», dit-elle.

Elle dit qu'elle aimerait se passer de discours direct.

On le fait constamment: *«Alors je lui dis qu'il devrait essayer, et il me répond qu'il n'en a pas besoin, et alors je lui dis que ça peut toujours servir et qu'on ne saït jamais...»*

Il existe une version intermédiaire: *«Alors je lui dis tu devrais essayer, et il me répond je n'en ai pas besoin, et alors je lui dis ça peut toujours servir on ne sait jamais»*. On peut se demander quelle forme de «récit de paroles» est la première, la directe ou l'indirecte, mais il y a sûrement eu passage de l'une à l'autre...

Vous pouvez ici vous livrer à quelques exercices de transposition du discours direct à l'indirect, et inversement.

Comme vous aurez sans doute pu le constater, cette façon de présenter la parole produit un effet particulier: on n'assiste pas aux paroles du personnage, mais bien à un véritable *récit au second degré* (emboîté, en quelque sorte...), c'est-à-dire narrativisé par l'intervention du narrateur. Ce n'est plus une *scène* immédiate. Si on désire obtenir un effet de choc, du-saignant-du-vécu, ou plus simplement du pittoresque, il vaut peut-être mieux éviter le discours indirect. Mais si on veut mettre à distance, «calmer le jeu» ou ralentir, c'est un procédé assez efficace.

Ce n'est pas le seul moyen de se passer du dialogue ou de la reproduction de la parole en général. Au lieu de faire bavarder un personnage avec un autre, on peut le faire parler tout seul.

g) Le monologue

Monologue à haute voix

Il faut peut-être rappeler ici que le monologue, ailleurs qu'au théâtre ou pour le bénéfice d'oreilles cachées, suppose un certain type de personnage et/ou un certain état psychologique.

Vous ne parlez pas tout le temps tout seul à haute voix, n'est-ce pas? Et bien sûr, si le personnage n'est ni un original, ni un maniaque, ni un carrément fou, pour justifier ce monologue à haute voix, on peut encore avoir recours à notre vieille connaissance «l'agent passif»: le personnage enregistre ses dernières volontés, ou sa confession, etc., sur un magnétophone, ou une bande vidéo.

Monologue «intérieur»

Le procédé est relativement récent et plein de ressources. Utilisé pour la présentation de l'information, on l'a vu, il peut causer certains risques pour la vraisemblance: est-on sans cesse en train de s'expliquer à soi-même ce qui se passe ou s'est passé? Pas plus intérieurement qu'à haute voix —à moins de perturbations psychologiques particulières. Mais pour la «caractérisation» du personnage, c'est un outil incomparable.

Monologue intérieur restreint

Sous sa forme bénigne, c'est-à-dire relativement brève, le monologue intérieur permet l'intrusion soudaine d'un JE en plein milieu d'un récit en IL, une prise directe sur les pensées du personnage, gracieusement offerte par votre plus proche narrateur omniscient ou aligné (mais totalement impossible, en toute rigueur, au narrateur ignorant).

> *Johnny se laissa tomber dans un coin de la Chambre de Désintégration* (ah! ah!, vous croyiez en avoir fini avec lui! —NDA), *s'adossa à la paroi et ferma les yeux. Treize fois qu'ils m'enferment là-dedans! Ce coup-ci je ne m'en sortirai pas... Maudites tentacules! Et Patricia qui m'attend au coin de Peel et Sainte-Catherine! Tout à coup, il entendit une sorte de sifflement et ses cheveux se soulevèrent, comme si une bourrasque avait traversé la Chambre de Désintégration. Deux silhouettes humaines surgirent du néant devant lui: un jeune homme et une jeune fille, la main dans la main, nus comme des vers.* (Ah! ah!, vous croyiez en avoir fini avec eux! —NDA) *«Oh non!», s'exclama la jeune fille d'un ton exaspéré, «Cette maudite machine est encore en panne!».*
> *Johnny examina les nouveaux venus avec une curiosité un peu lasse. En panne? Pas cette fois-ci. Ce serait trop beau.*
> *Mais quelque chose lui disait qu'ils ne parlaient peut-être pas de la même machine...*

Comparez ce saisissant accès de télépathie littéraire avec les formules habituelles du narrateur omniscient ou aligné pour introduire les pensées d'un personnage: *Tristement il se dit qu'il n'était pas fait pour ce monde cruel.* Ou encore: *Je ne suis pas fait pour ce monde cruel, pensa-t-il.*

Remarque: on utilise parfois les italiques pour rendre la pensée intérieure: cela permet de la détacher plus nettement (le contraste, encore...). Il ne faut surtout pas accompagner ces italiques de «pensa-t-elle» ou «se dit-elle», puisque c'est la typographie elle-même qui fonctionne comme agent narratif! (Économie de moyens, là encore...) Mais ce n'est nullement indispensable.

> Dans la SF, on utilise d'ailleurs souvent cette convention typographique pour traduire les «pensées télépathiques».

Monologue intérieur étendu

La forme bénigne du monologue ne sévit que sur quelques lignes, comme dans mon exemple ci-dessus; la forme virulente peut faire des dizaines de pages, voire des livres entiers; toutes les formes intermédiaires sont possibles, bien entendu. Comme vous aurez pu le constater si vous vous êtes essayé à cette forme de «récit de paroles», l'élimination des intermédiaires permet une prise intense et directe sur le personnage! Du-saignant-du-vécu! De l'intense!! Du révélateur!!! Le lecteur, captivé, s'identifie totalement avec Johnny. Ou presque.

L'usage du *monologue intérieur* permet donc de donner une sorte *d'instantané des pensées conscientes, ou semi-conscientes, ou même subconscientes,* du personnage. Il peut aussi lui permettre d'instaurer un *débat avec soi-même* où il peut se dédoubler en JE et en TU, voire en JE, TU et IL, donnant lieu à de véritables dialogues intérieurs (qui supposent un certain type de personnalité pour le moins divisée, et suscitent un certain type de caractérisation...)

Dans sa forme virulente, le monologue intérieur peut devenir aussi ce qu'on appelle parfois un *courant de conscience*, un «fleuve fantasmatique» chariant délire verbal, associations d'idées/images plus ou moins baroques, sauts logiques, ellipses ou incohérences, etc. (Vous en avez une illustration dans les jeux-exercices B de l'*Entracte.*) Il est alors censé correspondre à la totalité du matériau qui occupe la conscience. Inutile de dire qu'il s'agit encore là d'une convention... Mais cela devient une sorte de rêve éveillé qui peut être extrêmement révélateur du personnage («dis-moi ce que tu rêves et je te dirai...»).

On peut en fait considérer le monologue intérieur comme une variante élargie de la narration en JE. Il en a les mêmes avantages: *c'est en effet la forme de narration où le «dire» équivaut très directement au «montrer»*. En effet, JE, en monologuant intérieurement sur tel ou tel événement, décor, parole, non seulement dit/montre ce qui est extérieur à lui mais en même temps se dit, se montre lui-même par ce qu'il inclut, volontairement ou involontairement, dans son monologue intérieur, ou ce qu'il exclut, aussi bien.

Ainsi, le narrateur quel qu'il soit se montre toujours lui-même à travers ce qu'il choisit de nous dire/raconter, autant que dans la façon dont il organise ce récit. Mais, lorsqu'il ne raconte pas sa propre histoire, le fait qu'il (se) montre en (se) disant est un effet secondaire de la narration, et non son moteur, ou son but premier.

h) Détour par le divan

Pour terminer cette visite guidée du personnage et des différentes façons de caractériser, je me dois de signaler une dernière façon de le faire. Caractériser, c'est en somme *créer une personnalité*. Il y a pour cela un procédé à peu près aussi récent que le monologue intérieur (ce n'est pas un hasard, vous allez voir pourquoi), et fort intéressant à manier au plan de l'écriture. Mais il peut être difficile à maîtriser: il exige soit une expérience personnelle, soit un certain nombre de connaissances théoriques préalables. Il s'agit de la conception du personnage dans la *perspective psychanalytique.*

Dit ainsi, cela peut paraître rébarbatif, mais en fait les données générales de la psychanalyse ont été tellement vulgarisées, ont tellement imprégné notre culture —et notre façon de parler— qu'on se trouve souvent concevoir ses personnages dans cette optique sans même le savoir.

Traumatismes d'enfance et autres: si par exemple on évoque les incidents pénibles vécus par le personnage dans son enfance, et qui l'ont «marqué pour toujours», on fait de la psychanalyse sans le savoir...

En fait, dans la mesure où on imagine la vie d'un de ses personnages depuis son enfance, il vient «tout naturellement» des détails à la frontière de la psychologie courante et de la psychanalyse... Une bonne partie de celle-ci, après tout, a consisté à systématiser et à interpréter «en profondeur» des données connues depuis longtemps sous d'autres termes ou dans d'autres perspectives.

Le lapsus verbal: lorsqu'on dit par erreur un mot pour un autre, et que le mot erroné se trouve être «révélateur». Dans la vie réelle, on ne sait pas forcément de quoi ce mot est révélateur, mais dans une fiction dont on est l'organisateur, on peut éventuellement décider de ce qu'il révèle, n'est-ce pas?...

Les lapsus comportementaux: c'est ce qu'on appelle aussi les «actes manqués»: la lettre si importante et qu'on a pourtant oublié d'envoyer, ou de timbrer, ou même qu'on a perdue; le rendez-vous amoureux auquel on arrive toujours en retard, ou qu'on manque parce qu'on s'est trompé de date, alors qu'on est par ailleurs si ponctuel et si ordonné...

Ce qui rend éventuellement l'approche de type psychanalytique si tentante pour un écrivain, c'est que la psychanalyse a très directement pour outil les paroles et les actes du patient analysé, et par ailleurs les histoires qu'il raconte: ses rêves, par exemple, ou ces sortes de rêves éveillés auxquels peuvent le mener ses monologues en présence de l'analyste —associations d'idées/images, flot de confidences théoriquement sans contrôle conscient...

Comme vous le remarquez peut-être, j'ai utilisé presque les mêmes termes tout à l'heure pour décrire le monologue intérieur. Le parallèle est tentant entre l'activité de l'analyste et celle de l'écrivain vis-à-vis de ses histoires —et de leurs personnages... Mais évidemment, les choses se compliquent considérablement du fait que l'écrivain, alors, est à la fois analyste... et analysé.

Il est difficilement niable que la relation à l'écriture permet au moins potentiellement une «descente en soi» qui peut parfois aller très loin. D'ailleurs, le trio écrivain/texte/lecteur est jusqu'à un certain point équivalent au trio analysé/discours de l'analysé (sa vie, son «histoire») /analyste...

Mais il ne faut sans doute pas pousser le parallèle trop loin. On peut difficilement considérer comme parfaitement identiques la situation de l'analyse et celle de l'écriture. Dans la première, le patient parle, et l'analyste qui n'est pas personnellement concerné se contente d'écouter sans presque faire de commentaires ni d'interprétations (c'est le patient qui est censé s'amener peu à peu lui-même à les faire). Dans la seconde, si l'écrivain est bien souvent «à l'écoute» de son texte (de lui-même au travers de son texte), il se livre sur ce texte à un travail très délibéré de commentaires et d'interprétations (les ré-écritures): il ne le conserve généralement pas à l'état brut. La relation au lecteur pourrait par ailleurs être l'équivalent de la relation à l'analyste (ce tiers indispensable dans la relation à soi), mais dans la grande majorité des cas, elle ne s'établit pas aussi directement que dans la relation analytique: le lecteur n'est pas présent physiquement...

Rêves et délires: la littérature fictionnelle n'a cependant pas attendu la psychanalyse pour faire usage des récits de rêve ou des délires des personnages (c'est un des procédés canoniques de l'épopée et de la tragédie antiques, par exemple, et en général du genre dit «merveilleux»). Mais il semble que la littérature moderne en fasse un usage beaucoup plus intensif. Les écrivains devraient peut-être élever une statue au père de la psychanalyse, Sigmund Freud, pour les avoir pourvus de ce qui constitue en fait pour eux un nouveau système esthétique?

«Système», j'ai dit «système»? Vous devez avoir entendu la sonnette d'alarme, alors... Ici comme partout, les stéréotypes, pour être récents, n'en sont pas moins menaçants... et la caractérisation à coloration psychanalytique est donc à employer avec la même prudence que tout le reste!

CONCLUSION

Comme promis dans l'*Introduction*, voici maintenant une nouvelle que j'ai écrite en atelier, il y a quelques années. Elle sera suivie des «notes» qui ont mené à sa création.

A - L'oiseau de cendres

«Non.»

Une si petite syllabe. Toomas l'écouta résonner en lui, presque étonné de l'avoir prononcée aussi facilement. Toute cette tension accumulée pendant des mois, des semaines, et aujourd'hui enfin apprendre la vérité, *Tu vas mourir*, et choisir.

Il se leva. *Choisir.* Quelque chose, quelqu'un avait choisi en lui, assurément sans hésiter une seconde, mais qui?

Non. Une si petite syllabe. Jaillie comme une balle (et Hoshi s'était un peu affaissé derrière son grand bureau translucide; il y dessinait du bout des doigts, à présent, les yeux baissés).

Toomas resta un instant immobile, marginalement conscient de l'immensité bleue du ciel au-delà du miroitement discret des baies vitrées; au-dessus de la tour Panam, des bobcars menaient inlassablement leur ballet d'abeilles. Le plan de la vitre, le déploiement en perspective de la verticalité géométrique et obstinée de Nuyork, au premier plan le jaillissement faussement aléatoire des bulles aériennes... la structure de l'ensemble lui faisait signe, des mots se rassemblaient malgré lui pour donner aux images une voix humaine, des bribes de musique s'ébauchaient, des lignes, des couleurs... la déformation professionnelle. Il détourna les yeux et croisa le regard brun de Hoshi. Encore une pause. Une attente? Mais Hoshi ne dirait rien de plus. Ils se connaissaient depuis trop longtemps.

Mon refus était-il si convaincant? Suis-je si convaincu?

Parler à Hoshi, aller à lui, lui tendre la main? Toomas eut une brève vision de Hoshi en larmes, se jetant dans ses bras. Grotesque. *Douloureux,* corrigea aussitôt le juge intérieur. Il n'infligerait pas cette épreuve à Hoshi, il ne se l'infligerait pas non plus.

Il fit demi-tour et quitta la pièce.

*

Après l'extrême luminosité de l'extérieur, le hall de l'hôtel semblait une caverne. Toomas se raidit, puis se força à avancer à l'aveuglette. Ses yeux s'adaptèrent enfin et il sourit presque: c'était une caverne. Les contours les plus rudes en avaient été adoucis, le sol, aplani, avait été recouvert d'une moquette, mais le plafond avait conservé ses stalactites d'origine (dûment enduites d'une pellicule de plastique à vaisseaux capillaires, évidemment). Les tintements et les gargouillements liquides d'une ambiance sonore quasi subliminale, des lumières mouvantes miroitant entre les stalactites, dotaient paradoxalement la caverne d'une atmosphère aquatique qui avait sûrement dû être moins animée lorsque la caverne n'avait été qu'une caverne. L'entrée d'un restaurant béait entre deux faux piliers, les ascenseurs se déguisaient en parois rocailleuses et la réception était camouflée derrière un incongru rideau de plantes synthétiques que Toomas écarta avec un amusement las. Comme tous les hôtels Fantasia où il était descendu depuis son départ de la Terre, celui-ci était informe, sans vraie musique. Trop d'intentions disparates en tiraillaient l'architecture et les agencements, empêchant un rythme, un sens réel, de s'établir entre les lignes et les couleurs, les sons et les volumes. Le thème préhistorique, la reconstitution affectée du naturel sur la nature même, n'étaient qu'un placage presque pathétique de naïveté. Le poète en Toomas hésitait entre l'amusement et l'irritation, comme d'habitude.

Mais quelle importance? *Tu ne seras plus jamais poète, Toomas.*

*

«C'est la vision qui sera touchée en premier. De plus en plus souvent brouillée, et ensuite des difficultés croissantes à apprécier les distances, jusqu'à rendre impossible toute activité physique. De violentes migraines, évidemment. Vers la fin, hypersensibilité à la lumière. Les autres sens resteront intacts plus longtemps, mais une fois le processus enclenché, ils se détérioreront très rapidement. La cécité sera une sorte de signal. À partir de ce moment-là, tu n'en auras plus pour très longtemps.»

*

Toomas tendit la main pour éteindre l'écran où défilaient les images trop bien léchées des divertissements proposés aux clients de l'hôtel. Excursions, visites guidées, sports, spectacles, c'était toujours la même chose d'un hôtel Fantasia à l'autre, seul le décor changeait avec le contenu de l'organigramme, selon la nature de la planète considérée. La véritable nature de Pyréia, hors de l'hôtel-caverne, était bien trop effrayante, bien sûr, de proportions trop monstrueuses; on n'en montrait sans doute aux touristes que des échantillons soigneusement apprivoisés et, quand on ne pouvait les humaniser, on les mettait à distance. Seuls les hardis chasseurs et autres amateurs de sensations fortes se risquaient dans les savanes qui occupaient la zone à peu près tempérée, et avec quelles précautions, quel attirail ultra-moderne! Toomas soupçonnait même que les proies des chasseurs (des équivalents des dinosaures, des félins géants et des grands primates, rassemblés dans une même époque par un caprice de l'évolution pyréienne) étaient toutes marquées, surveillées, et sans doute même contrôlées par des implants. Après tout, la chasse était le principal attrait de cette planète et la Compagnie Fantasia laissait toujours le moins de chance possible au hasard, que ce soit sur Aquatica ou Windhaven.

Sur Pyréia, aucun touriste n'avait jamais posé le pied dans la jungle dévorante de l'Ouest, dans le désert impitoyable de l'Équateur. On les survolait une fois, pendant une heure ou deux, et on n'y revenait pas: leur déroulement monotone lassait la curiosité la plus obstinée. Les films tridis qu'en avaient fait les agents de la Compagnie (habilement entrecoupés de séquences reconstituées avec des acteurs, pour le romanesque ou le sensationnel) étaient bien plus intéressants, et physiquement moins exigeants.

L'écran se brouilla.

Toomas resta figé, la main au-dessus du panneau de contrôle. Autour de l'écran le mur était flou aussi, indistinct.

L'image retrouva sa clarté.

(Lourds jaillissements d'une pâte rouge sombre. Soulèvements lents, comme épuisés, de bulles crevant dans une nappe écarlate.

Deux pellicules rouges, opaques, s'étendant à la rencontre l'une de l'autre à la surface d'un lac d'or rouge en fusion, arrivant au contact et s'engloutissant mutuellement, aspirées vers les profondeurs par le même courant perpétuel, sans doute circulaire, qui les fait reparaître plus loin et revenir l'une vers l'autre. C'est toujours différent, cependant: l'endroit où les pellicules se reconstituent, la vitesse de leur croissance, leurs configurations à mesure que leur engloutissement progressif les rétrécit, les plisse, les contracte encore, et encore, et...)

Les yeux de Toomas comprirent enfin ce qu'ils voyaient de nouveau avec netteté sur l'écran. Un mot, puis un autre, une phrase, une idée. *Ceci est de la lave.* Reprendre possession de soi. Ignorer les tempes battantes, la crampe douloureuse dans la poitrine.

D'un geste saccadé, Toomas rétablit le son du documentaire. S'entourer de réalité. *Ici, maintenant, je suis vivant.*

«...depuis des millénaires...»

Ici.

«...le Grand Rift de Pyréia...»

Vivant.

*

Trois jours plus tôt, vu de l'espace, depuis la navette qui emmenait à terre les passagers du vaisseau en orbite, ce n'avait été qu'une ligne sombre, un peu tremblée, s'étirant entre les moutonnements des collines, à l'ouest, et la lente transformation des plateaux en désert, à l'est. Mais à présent, à mesure que le bobcar réduisait son altitude, la trompeuse planéité du paysage se défaisait en perspective, la ligne se dédoublait, devenait deux lèvres craquelées béant sur une noirceur qui se révélait peu à peu profondeur et, à mesure que l'oeil rétablissait les véritables proportions de la faille, abîme, au fond duquel serpentait un mince ruisseau dont la luminosité rougeâtre était atténuée par la distance.

La blessure venait de loin. Pendant des siècles, des millénaires, des âges, les eaux s'étaient déversées dans la faille, ajoutant leur violence impétueuse à la lente violence qui écartelait le continent, la force muette et inexorable de la terre. Et pendant des âges, des millénaires, des siècles, tandis que les eaux se tarissaient, déposant leurs reliques fossilisées dans le lit sans cesse élargi du Rift, la puissance était montée des profondeurs jusqu'à ce que la pression souterraine accumulée, dans une ultime convulsion, fasse sauter par endroits la dernière couche de roc. Elles avaient eu lieu ici, ces noces mortelles, le feu victorieux sous le fantôme vaporeux et bref du lac volatilisé. Ici, au fond du Rift, pour des siècles, des millénaires, des âges, le sang de la terre, jamais asséché.

La blessure venait de loin. La phrase était comme un rocher que l'esprit de Toomas n'arrivait pas à contourner. Les mots et leur puissance, c'était une autre sorte de force avec laquelle il avait appris à compter. À vrai dire, le parallèle était un peu trop flagrant, comme désamorcé: l'érosion lente de la vie, la mort qui travaille en dessous jusqu'au moment de la révélation, de la catastrophe, et alors il est trop tard, *All the King's soldiers, All the King's men, Can't put Humpty Dumpty Together again.* Non, Carroll avait dû dire cela bien mieux; Toomas chercha les vers exacts dans sa mémoire, sans les trouver. *Lewis Carroll, Vieux sorcier, En passant le miroir, Je me briserai.*

Il réprima un sourire. Des comptines, à présent, des vers de mirliton! Toomas Brendan, Poète-Lauréat, vous êtes descendu bien bas.

Encore! Agacé, cette fois, il se força à écouter les explications dispensées par le guide. Mais la géologie, la tectonique des plaques, ne l'intéressaient pas. Son esprit revenait sans cesse, malgré lui, au couple primitif, primordial, l'eau et le feu, qui avait créé cette balafre gigantesque dans la chair de la planète. Une blessure qui ne se ferme pas, qui au contraire s'élargit sans cesse, s'entretient d'elle-même, s'alimente toujours de la matière en fusion qui monte de ses profondeurs. C'est ainsi que la terre donne naissance aux continents, minces peaux qui se morcellent ou s'agrègent en configurations nouvelles, flottant et s'engloutissant dans un coeur ardent toujours caché. C'est ainsi que la terre donne naissance aux continents, les continents aux continents...

Et le Poète à la Poésie? Vraiment, Toomas, un peu de tenue.

*

«L'opération est absolument sans risque, Toomas, je l'ai effectuée sur des douzaines de patients. Pas pour les mêmes raisons, ta maladie est très rare de nos jours. Mais l'opération est sans danger. Non seulement sans danger, mais de la routine. Tu pourrais au moins voir jusqu'à la fin. Pas comme avec de vrais yeux, d'accord. Mais tu pourrais voir.»

*

«...les huttes que vous voyez à votre gauche. Après les premiers contacts, il a donc été décidé d'intervenir le moins possible dans leur évolution. Aussi les visites sont-elles strictement réglementées. Mais ceux d'entre vous qui le désirent pourront assister dans deux jours à une des célébrations mensuelles des Pyréï. Au fait, ce n'est évidemment pas leur nom. Celui qu'ils se donnent est imprononçable pour nous et signifie quelque chose comme ''deux fois nés''. Il vous faudra donc vous conformer à un certain nombre d'obligations dont le détail vous sera fourni, avec toutes les explications nécessaires à l'hôtel.»

À travers le brouhaha excité des voix, Toomas prêta une oreille distraite à la conversation de ses voisins, un couple dans la quarantaine au luxe ostentatoire, tout en essayant de reconstituer le passage qu'il avait perdu dans l'exposé du guide. Les indigènes, bien sûr. Peu nombreux, évoluant en même temps que le Rift, longtemps enfermés dans la faille au temps où seule la rivière y coulait. Puis, à mesure que le temps passait et que les tremblements de terre devenaient plus fréquents, ils avaient exploré leur prison pour s'en échapper, escaladant les parois à pic («...des sortes de singes, après tout...», disait la voix grasseyante de l'homme assis près de Toomas). S'installant au bord du Rift sans jamais vraiment le quitter pour aller occuper le reste du continent. Indiscutablement humains («...et puis, il ont une religion! objectait la compagne de l'homme). Et pourvus de facultés particulières que l'homme ne cita pas, mais qui lui semblaient, au contraire de l'opinion de sa compagne, plutôt un signe d'animalité. «Nous nous en sommes passés très vite, si nous les avons jamais possédées. Et c'est nous qui sommes ici, après tout, pas eux sur Terre. Nous, nous avons des outils, des machines, la science. C'est ça, l'humanité, n'est-ce pas, monsieur Brenner?»

Toomas réagit avec un temps de retard au pseudonyme qu'il s'était choisi et se renfonça dans son fauteuil en hochant vaguement la tête, tourné vers la baie panoramique. Et sans les machines, alors, plus d'humanité?

Pas de poésie. Plus de poésie pour Toomas Brendan. Oh, il aurait pu continuer, bien sûr. Homère avait été aveugle, n'est-ce pas? Et Milton. Mais qui écouterait Homère aujourd'hui, ou Milton? Retourner à l'enfance, ses premiers poèmes, des mots sur du papier? Oui, même aveugle, il aurait pu dicter à la machine. Il aurait pu s'enregistrer, aussi: simplement une voix disant des mots. Mais qui écouterait une simple voix, aujourd'hui? Une telle régression... Et puis, il n'était même pas certain de pouvoir exprimer quoi que ce fût avec seulement des mots, maintenant.

N'aurait-il pas pu continuer, avec d'autres? Les techniciens, les informaticiens, leur dire comment adapter, traduire, métamorphoser ses mots en musique, en lumière, en couleurs et en formes...

Qu'il ne verrait pas. Non. Il lui fallait *voir*, personne ne pouvait le faire à sa place. Personne n'aurait la même relation que lui avec les machines qu'il avait conçues et fabriquées pour lui seul, ce corps second que seul son corps à lui savait porter. Il lui fallait *voir* ce qu'il faisait. Pas seulement, entendre, ou goûter, ou toucher. Ce qui donnait à ses créations leur caractère unique, immédiatement reconnaissable, c'était la fusion particulière des mots, des sons, des formes, des couleurs. Il n'avait trouvé sa voix et son audience qu'en découvrant le dosage exact nécessaire à cette fusion. La synergie était détruite si un seul des éléments disparaissait. Et de tous les sens, la vue avait toujours été le plus important pour lui, celui sur lequel il avait toujours le plus compté. Ne plus voir sa poésie... Ne plus voir... Non, il ne pouvait pas, il ne voulait pas continuer ainsi. Et de toute façon, continuer pour si peu de temps...

Toomas serra les dents et respira profondément: le paysage se brouillait à travers la baie de plasverre; mais c'étaient seulement des larmes. *Tu as encore des réserves de pathos, Toomas,* remarqua le juge intérieur toujours aux aguets. Toomas ferma les yeux, irrité: et pourquoi pas?! Pourquoi vouloir à toute force prétendre qu'il était calme et résigné? Il ne l'était pas! Mourir à trente-sept ans, passe encore, mais devoir auparavant devenir aveugle, et parce qu'on sera aveugle être obligé de devenir muet?

Être trahi par les machines mêmes, en définitive, quelle ironie. Les yeux artificiels proposés par Hoshi, avec leur vision électroniquement reconstituée... Une sorte de vision, assurément, mais insuffisante, tellement insuffisante pour la poésie!

«Non, Toomas, on ne peut pas simplement te greffer des yeux organiques. Ils dépendraient encore de ton nerf optique, et ton nerf optique sera bientôt attaqué. Les yeux artificiels vont directement au cerveau sans avoir besoin du nerf optique. Évidemment, ils dépendraient aussi de ta condition neurologique générale, mais ils te permettraient de voir plus longtemps. Ce serait mieux que rien.»

Il rouvrit les yeux, regarda le Rift se replier, s'éloigner et disparaître à mesure que le bobcar prenait de l'altitude, virait et s'éloignait. Un jour le coeur de la planète se refroidirait, son sang se figerait dans ses veines, les lèvres du Rift cesseraient de s'écarter sur le mot de la création. C'est ainsi que la terre meurt. Et sans machines, ou avec des machines imparfaites, plus d'humanité, en effet. Plus de poésie, en tout cas.

Mais bientôt, heureusement, plus de Toomas Brendan non plus. *(«Un an, Toomas. Si tu restes à la clinique tout le temps. Avec les techniques dont nous disposons aujourd'hui, peut-être six mois de plus. Si tu ne veux pas venir à la clinique... pas beaucoup de temps.»)*

Le temps d'un petit voyage hors du système solaire, le premier, le dernier: *Toomas, tu es un incorrigible romantique.*

*

D'abord l'écran est noir, un grand rectangle uniforme, plat, opaque. On est tenté de vérifier les contrôles, mais le poussoir ON est bien enfoncé. Puis, juste comme on prend pleinement conscience du noir, il change, il est habité. Une vibration, une brillance vague, quelque chose déplie la surface noire, lui donne, sans que la qualité de sa noirceur ait changé, une profondeur. Ce n'est plus un écran, c'est une fenêtre sur la nuit.

La nuit bouge. On ne sait pas non plus exactement quand on prend conscience de ce mouvement et du son qui l'accompagne, mais on en est empli tout à coup. Le mouvement échappe pourtant à l'oeil, au point que pendant quelques secondes, il semble n'être qu'un effet secondaire du son, ou sa traduction instantanée par le croisement de deux sens. Le mouvement d'un vaste murmure. De voix, d'eau? Impossible de discerner une parole, mais on sait que quelqu'un, quelque chose, parle. On se tend pour entendre, mais le murmure est trop vaste, et oui, son mouvement est un rythme, flux, reflux, un coeur battant qui berce, qui emporte, qui apaise. Les muscles se détendent, le corps s'abandonne.

L'esprit se déploie, se déplie, alerte, posé au bord de l'envol dans une lumière qu'il n'a pas vu naître mais qui l'environne. Qui a envahi la profondeur de la fenêtre: née de la nuit. Ni invasion ni fracture mais comme une transmutation. Et les voix se rassemblent; plus de doute, c'est une parole qui se précise au travers du friselis murmurant des échos. (Des pulsations scintillantes se poursuivent à travers la lumière, et l'oeil, avant l'esprit, commence à percevoir des couleurs.)

Et l'oreille, avant la conscience, entend des mots. Quelques mots: c'est l'espace infranchissable qui sépare deux corps et le geste infime qui suffit parfois à les réunir, la danse amoureuse des planètes humaines, image et écho du ciel... et tiens, le ciel est là dans la fenêtre, l'espace constellé, les sphères pulsantes, les explosions silencieuses et pourtant frénétiques, les voiles multicolores et déchiquetés d'où naîtront les soleils, d'autres amours, déployés dans un espace de millions d'années...

Cela n'a duré qu'un instant. La voix de partout, de nulle part, murmure d'autres mots, et c'est une chanson, un chant, une cantate, une vague glorieuse de musique qui déferle et disparaît. Était-ce de la musique, vraiment? On croit se rappeler des formes, la grâce, la majesté, l'innocence. Étaient-ce donc des êtres? On se rappelle des couleurs, une prairie sous la mer, l'hiver, un soleil qui se couche. Étaient-ce des images? On se rappelle les mots, élusifs, irisés, des bulles de sens juste hors de portée, éclatant sans cesse pour renaître un peu plus loin, semblables, différents...

Toomas n'attendit pas la dernière image, le vertigineux zoom arrière, la coque désensorcelée de la scène sous les projecteurs, avec le vaste clavier en cercle des machines désactivées. Et les applaudissements, couverts par cette espèce de cri unanime, viscéral, poussé en même temps par des milliers de gorges: admiration, jubilation, gratitude, amour, amour, et il s'était avancé dans la lumière, encore prisonnier de son armure ajourée de fils et d'électrodes, et la marée sonore s'était encore amplifiée, impossible que tous ces gens crient ainsi sans reprendre leur souffle mais c'était l'impression qu'il avait, et cela ne finirait jamais, il resterait là pour l'éternité, porté par cet amour...

Il regarda fixement l'écran redevenu opaque. Il n'avait jamais vu aucune de ses performances; il avait même eu du mal à accepter leur enregistrement pour rediffusion. «Ce n'est pas un objet, c'est un dialogue, une rencontre qui n'a lieu qu'une fois.» Il n'aurait pas dû regarder. Il ne comprenait plus. Pourquoi ce triomphe, le premier dans une longue série de performances publiques? Qu'avaient-ils vu, tous ces gens, entendu, perçu? Oh, il se rappelait exactement ce qu'il avait fait, chaque geste était réglé comme un ballet dans sa mémoire; la plupart des improvisations elles-mêmes s'inscrivaient la plupart du temps dans des structures déterminées à l'avance. Il connaissait ses machines par coeur, chacun de leurs effets, il en avait essayé toutes les variantes, mis au point les nuances les plus délicates, des heures et des heures et des heures de travail. Était-ce ce qui l'empêchait à présent d'en percevoir le sens?

Il comprenait presque, au contraire, les critiques qui avaient suivi cette première retransmission d'une de ses performances. Admiratives, pleines de louanges, mais comme elles l'avaient déconcerté alors, comme elles l'avaient blessé! «Une technique éblouissante, parfaite... une maîtrise absolue des instruments au service d'une ingéniosité sans faille...» La technique, l'ingéniosité, mais le reste? L'imagination, la sensibilité, le sens? Presque rien là-dessus. Ou ce paragraphe d'un critique qui avait également assisté à la représentation publique: «Paradoxalement, la poésie de Brendan, ce triomphe de l'électronique la plus avancée, ne passe pas à l'écran aussi bien qu'on le souhaiterait. Un argument de plus pour les partisans du Spectacle Direct et pour Brendan lui-même, qui en est un? La qualité profondément humaine de son oeuvre, son frémissement douloureux, retenu mais poignant, la fusion parfaite du poète et de ses instruments jusqu'à l'oubli total de ceux-ci par le spectateur, tout ce qui fait le prix de la performance publique de Brendan, tout cela ne semble pas supporter un second filtrage électronique. Reste une superbe performance, un spectacle total qui...»

Toomas Brendan, le Poète-Sorcier, le Magicien Électronique. Les épithètes étaient restées. *Et c'est cela qui va rester de moi?* Ces constructions ingénieuses, oui, techniquement parfaites, oui, de superbes performances. Oh non, pas «vides»! Pas totalement. Juste assez pour sonner subtilement creux. Un éblouissant jeu de surface, et en dessous...

Mais c'était moi, c'est moi, en dessous!

Il essaya désespérément de se rappeler la fin de chaque performance, la foule dressée, tendue vers lui, et lui, porté, enveloppé, vibrant avec elle, en elle... Il se souvenait, mais ce n'était que cela, un souvenir. L'émotion, l'immédiateté de l'exaltation, la certitude... évanouies. Oui, les partisans du Spectacle Direct avaient raison: rien ne remplacerait le moment fugitif, la présence magique de la vie elle-même.

Plus de poète, Toomas, et plus de poésie?

Il ferma les yeux, pour ne pas sentir qu'il pleurait.

*

Décidément, il faisait trop chaud. Est-ce que ça allait durer encore longtemps? Le soleil était à son zénith. Toomas se gratta la jambe en réprimant un bâillement. Mais la musique se tut brusquement et il se redressa. Peut-être allait-il enfin se passer quelque chose qui justifierait les obligations imposées aux visiteurs: pas de vêtements, sinon un pagne grossier, pas de chaussures, être déposé à bonne distance du village indigène et venir à dos de l'équivalent pyriëï d'un cheval, assez capricieux et pourvu de crocs acérés. Évidemment, aucun appareil d'enregistrement: «L'hôtel dispose d'excellents tridis, que nous nous ferons un plaisir de mettre à votre disposition moyennant une somme modique.»

Ils étaient cinq, outre Toomas, malgré ces conditions draconiennes: le couple des nouveaux riches, un homme à la peau trop bronzée et qui émaillait trop complaisamment ses phrases d'expressions typiques des stations de Lagrange pour être un Neillite, et «les jumelles», deux jeunes femmes que trop de détails distinguaient l'une de l'autre pour qu'elles fussent des clones. Mais peut-être était-ce la mère et la fille, impossible à dire, maintenant, avec les techniques de réjuvénation. (Tant de miracles médicaux, et pas un pour le sauver, lui. Il aurait presque pu en rire.)

La bonne volonté de Toomas commençait à s'évaporer. Le spectacle avait été vraiment monotone: des chants, des danses, mélopées interminables sur quelques notes, bonds, sautillements ou girations sur place. Et à présent, ce silence, cette immobilité.

Ah, ils attendaient les femmes! Les femmes de l'espèce arrivaient en une procession silencieuse. Effectivement assez simiesques, les Pyréï, malgré leur posture résolument verticale; sans doute leur pelage brun-roux et la longueur disproportionnée de leurs membres par rapport à leur torse. Les femmes étaient bizarrement surmontées d'un grand chapeau plat... non, c'étaient des corbeilles tressées.

Chaque femme déposa son fardeau dans le cercle formé par les indigènes et les «invités», s'accroupissant à côté. Sur un geste de l'indigène qui faisait office de maître de cérémonie, chacune retira le couvercle qui dissimulait le contenu des corbeilles. Le maître de cérémonie se tourna vers le guide-interprète et émit quelques sons brefs et rauques.

«Il dit que le moment du partage est arrivé», traduisit le guide; puis, à mi-voix: «Il s'agit pour eux d'une cérémonie religieuse. Vous allez assister à la représentation d'un de leurs mythes les plus importants. Ils sont heureux de nous accueillir, mais je vous rappelle instamment de ne pas manifester.»

Toomas écoutait à peine, les yeux rivés sur les paniers. Il avait été déçu par la monotonie chromatique du village: les huttes, le sol de terre battue, les pagnes, les ustensiles, c'était une gamme fort pauvre de roux ternes et d'ocres délavés, à peine relevée par les deux ou trois nuances de roux plus doré que présentait parfois le pelage des indigènes. Mais ces couleurs, dans les paniers! Bleu, pourpre, orange, améthyste, un vert tendre de jeune pousse, un rose coucher de soleil au bord de l'incendie, et d'autres nuances encore, éclatantes ou délicates, avec une sorte d'irisation çà et là, comme un miroitement. Toomas se retourna vers le guide, mais l'homme posa un doigt sur ses lèvres en secouant la tête.

Une mélopée lente, entonnée bouche fermée, s'éleva d'un point du cercle, reprise en choeur par le reste des indigènes. Non, seulement la moitié du cercle. Un autre motif, à peine différent, né en un point exactement opposé du cercle, fut également repris par les indigènes qui se trouvaient de part et d'autre du second chanteur. Puis les deux motifs s'entrelacèrent en une sorte de... bataille? Tantôt l'un semblait l'emporter, tantôt l'autre, selon le nombre plus ou moins grand des chanteurs qui reprenaient l'un ou l'autre. Des règles précises devaient régir la reprise, car la résultante était un effet de vague, balayant tout le cercle, non pas simplement d'un côté à l'autre mais aussi, simultanément, de façon circulaire. Au bout d'un moment. Toomas se surprit à chantonner et sourit. *Primitif, mais efficace.*

Puis il retint une exclamation furieuse: sa vue se brouillait encore.

Mais... non? Un brouillard s'élevait du centre du cercle au-dessus des paniers et des femmes accroupies. Toomas jeta un coup d'oeil à l'indigène le plus proche de lui: tout en chantonnant, celui-ci se balançait imperceptiblement au rythme de la mélopée, fixant sur le brouillard des yeux sans regard, en transe.

Le brouillard s'épaississait, se condensait en une énorme sphère d'un brun noirâtre, avec çà et là un miroitement étouffé. Et les paniers se vidaient.

De la poussière ou des particules finement broyées. Télékinésie, alors... Fascinant. Mais comment se procurent-ils ces couleurs?

Un éclair d'un rouge éclatant traversa la sphère, coïncidant avec une intensité presque égale des deux mélodies qui (s'affrontaient? collaboraient?). La sphère se défit presque aussitôt et toutes les couleurs réapparurent, des nappes et des pans chatoyants qui se croisaient, s'enroulaient, se repliaient ou se traversaient sans cesse en un désordre exubérant mais qui se calmait peu à peu. Les nappes se ramassèrent en couches superposées autour d'une sphère d'un rouge cerise éclatant, agitées de courants incessants. La dernière couche était verte et évoquait la croissance d'une jungle filmée en accéléré. Tandis que le rythme de la mélopée se précipitait, la sphère rouge se mit à pousser des pseudopodes à travers les nappes immobiles, pour jaillir enfin à travers la couche verte, qui se morcela.

Le Rift. La création du Rift. Ou de la planète?

Un grand silence, puis le brouillard brunâtre se reforma tandis que les couleurs s'y fondaient à nouveau, et la mélodie reprit, sur un rythme plus lent, dans un ton différent. Des silhouettes se dégagèrent peu à peu du magma informe, des condensations de lumière et de couleurs, des merveilles tridimensionnelles, minutieusement détaillées quoique totalement irréalistes, tournant, virevoltant, ou se figeant dans des postures hiératiques.

Toomas ne comprenait pas le détail, mais le sens global était clair: après la création, deux (ou plusieurs) dieux jaloux l'un de l'autre se faisaient la guerre. Les Pyréï, créés par le dieu bon, étaient cruellement emprisonnés par le mauvais dieu dans l'équivalent pyréien des enfers, de toute évidence le Rift. Un héros leur naissait, qui luttait contre un être démoniaque, peut-être le mauvais dieu lui-même. Le dieu bon tendait la main pour le sauver d'une chute mortelle.

Le héros faisait alors un séjour dans la demeure du dieu bon, où il tombait amoureux (devenait l'ami?) d'un être (la fille du dieu?), en tout cas d'une créature de flamme qu'il finissait par enlever pour l'emmener avec lui chez les Pyréï (qui semblaient alors habiter les parois de la faille). Colère du dieu, qui frappe le héros à mort. Douleur de l'être de flamme, qui emporte le corps avec lui (avec elle?) dans le Rift (aux enfers?). Et là — déchaînement de couleurs ardentes —, l'être se sacrifie pour que vive le héros qui s'élève, métamorphosé, au-dessus de l'abîme pour conduire les siens vers la terre promise (le paradis?) en tout cas hors du Rift.

Ou bien l'être de flamme s'incorporait le héros. Ou bien le héros s'incorporait l'être de flamme, qui se trouvait être alors en réalité son double (son âme?). Un être transfiguré remontait en tout cas des profondeurs, une histoire aussi ancienne que les humanités humanoïdes et vivipares: la Chute et la Rédemption. Et merveilleusement interprétée, oui, mise en images, oui, oh, ces couleurs! oui, quel spectacle étonnant! quel dommage qu'on n'ait pas eu le droit d'apporter des enregistreurs, et croyez-vous que les films vendus par l'hôtel seront assez bons, monsieur Brenner?

La conversation explosait enfin dans le bobcar retrouvé, après le trop long silence. Mais Toomas refusa d'y tenir plus longtemps sa partie et répondit par un grognement peu engageant à la question d'une des jumelles. Les deux jeunes femmes ne semblèrent pas s'en formaliser et la conversation se poursuivit, aimable, autour de lui. Il boucla sa ceinture, vit sur ses mains, ses cuisses, tout son corps, la poussière colorée dispersée sur tous les assistants (une bénédiction, c'était clair) par l'éclatement de la sphère qui avait marqué la fin de la cérémonie. Il ferma les yeux.

Mais les silhouettes fantastiques continuaient à danser dans son esprit. Si simples, si primitives, et pourtant si fortes, si belles. Les larmes lui étaient venues aux yeux, il le savait, lorsque l'être de flamme mourait (peut-être) pour le héros, et le juge intérieur n'avait pas eu d'ironie, cette fois. À présent, tandis que le bobcar l'emportait avec les autres vers l'hôtel et le refuge de sa chambre, Toomas ne désirait plus que la douche bien froide qui le laverait de la sueur accumulée pendant la longue journée, et, sans doute, de ces couleurs tenaces. Mais pas de ces images, pas du souvenir de la cérémonie ni de ce qu'il avait éprouvé en observant la création des Pyréï: de la jubilation, de l'admiration, de la gratitude...

Du regret. De l'envie.

Ils n'avaient pas besoin de machines, eux.

*

Les groupes de touristes allaient et venaient. Toomas restait. Des visages nouveaux apparaissaient, qu'il remarquait brièvement lors de ses excursions de plus en plus rares dans les restaurants et les bars de l'hôtel, puis qu'il oubliait, absorbé par ce que son juge intérieur appelait ironiquement «ton alibi»: des pages et des pages noircies d'une écriture serrée, raturées, déchirées, recommencées. Réapprendre les mots, les simples mots. Si les Pyréï pouvaient obtenir de tels effets avec des images et des couleurs, par-delà la barrière des races, pourquoi n'arriverait-il pas à parler aux enfants de la Terre avec de simples mots, leur propriété commune? Après tout, la poésie n'avait bel et bien été que cela pendant des millénaires, des mots nus parfois accompagés de musique, mais pas toujours. Il l'avait déjà fait: pourquoi ne pas essayer de nouveau?

Il savait que d'une certaine façon le juge avait raison — cette voix ironique en lui qui était lui-même, le compagnon de son adolescence que la poésie avait rendu silencieux mais que le travail de la mort proche avait fait renaître. Toomas devait s'arrêter de plus en plus souvent, rester étendu dans le noir, les yeux fermés, attendant que disparaisse le mal de tête de plus en plus lancinant qui s'emparait de lui. Mais il n'était pas en train de retarder une échéance. Il n'était pas venu ici pour se tuer. Il s'était arrêté sur Pyréia par lassitude d'aller plus loin. *Mais pourquoi justement là?* demandait alors le juge.

Eh bien, soit, un décor grandiose pour la Mort du Poète. Le Rift, bien sûr. N'avait-on pas le droit de succomber parfois à sa pente, de se permettre le luxe de quelque fantaisie outrageusement romantique? Une fantaisie, c'était tout. Il avait *joué* avec l'idée du suicide, mais c'était un jeu. Pour faire une belle mort spectaculaire quand on est Toomas Brendan, la jeune coqueluche de la Confédération, on ne voyage pas sous un faux nom. *Mais n'espérais-tu pas un peu qu'on te reconnaîtrait?*

Hors de la Confédération? Il n'était pas mégalomane à ce point.

Et quelle importance, de toute façon? Il n'avait pas l'intention de se tuer.

(Mais quoi d'autre? Attendre d'être complètement aveugle, ici, sur Pyréia, et se faire renvoyer ensuite sur la Terre, vers la clinique et la sollicitude désespérée de Hoshi?)

Il n'avait pas l'intention de se tuer, et c'était tout. Il n'avait pas l'intention... Il n'avait pas du tout d'intentions. Ou seulement celle de réapprendre l'art ancien des mots. Pour rien, pour lui, et si c'était aussi un geste, pourquoi pas? Qui décidait des clichés, sous quel autre regard finissait-il de vivre, sinon le sien? Ne pouvait-il inviter le juge intérieur au repos, avant le repos définitif qui leur fermerait les yeux à tous les deux, et pour toujours?

Alors, tous les mois, avec un groupe diffférent de touristes, il retournait assister à la cérémonie des Pyréï. Quand il se lavait, au retour, il regardait les couleurs couler de sa peau, se mêler en une boue brunâtre dans le fond de la baignoire, et il pensait aux feuilles raturées qu'il jetait tous les matins dans l'incinérateur, à la poussière de ces mots en cendres que le vent, peut-être, déposait à la surface de Pyréia. Curieusement, il n'en était pas attristé. Il restait juste assez de mots — quelques phrases ici ou là, parfois un paragraphe entier — qu'il recopiait religieusement dans un carnet, en souriant. Oh, c'était loin, très loin de la jubilation qu'il se rappelait avoir éprouvée dans l'orage des sensations multiples déclenchées par ses machines, mais c'était un plaisir, dans sa fugacité, dans sa fragilité même.

*

«Pas de cérémonie ce mois-ci», déclara le guide à Toomas à la fin de ce qui était l'hiver, du moins théoriquement dans cette zone de perpétuelle chaleur. «En tout cas, pas de cérémonie à laquelle nous ayons le droit d'assister.»

Mais il y aurait bien une cérémonie trois jours plus tard, pour le solstice. Trop grave, trop importante aux yeux des Pyréï pour laisser des étrangers y assister. Même les premiers explorateurs n'avaient pu l'observer. Tout ce qu'on en savait, c'était que les plus âgés des adultes descendaient dans le Rift et n'en remontaient pas. «Une façon comme une autre de se défaire des bouches inutiles», commenta le guide. Les indigènes, bien entendu, dans les rares et laconiques réponses qu'ils avaient consenti à faire aux premiers explorateurs, s'étaient contentés de rappeler le nom de leur héros-fondateur — qui se trouvait être également le leur en tant que peuple: Deux-Fois-Né.

Toomas remonta dans sa chambre et essaya de se remettre à écrire. Depuis quelques semaines, outre une vision de plus en plus brouillée, il commençait à avoir des problèmes avec la parallaxe: les objets semblaient se déplacer soudain dans son champ de vision, plus éloignés ou plus rapprochés qu'ils ne l'étaient réellement. Au bout d'un moment, il dut abandonner son marqueur. Il voulut relire ce qu'il avait consigné les jours précédents dans son carnet, mais les lignes nageaient devant ses yeux. À la fin, il activa le visiophone et appela le guide: «Trois cents scidis pour m'emmener chez les Pyréï. Ou plus, faites votre prix.»

Le guide fit la grimace: il ne voulait pas d'ennuis, et si jamais il arrivait quelque chose à Toomas...

«Je ferai un enregistrement vous dégageant de toute responsabilité.»

Le guide accepta, pour cinq cents scidis.

*

Après avoir quitté le bobcar du guide, il fallut presque toute la matinée à Toomas pour installer la tente gonflable puis se rendre à pied au village, à près de deux kilomètres de là en suivant le bord de la faille: ses yeux le trahissaient de plus en plus fréquemment. Aux premières huttes, personne ne l'arrêta et il arriva sans encombre sur la place.

Aucun préparatif particulier ne semblait en cours; simplement, des indigènes — en qui Toomas avait appris à reconnaître les anciens de la tribu — étaient rassemblés près de la plus grande des huttes, assis sur des bancs. De temps à autre, un enfant ou un adolescent s'arrêtait et s'accroupissait près de l'un d'eux; le vieillard posait alors une main sur la tête du jeune, prononçait quelques paroles, et le jeune repartait, remplacé ou non par un autre.

Les yeux très noirs des vieillards, un peu troublés par l'âge, se posèrent sur Toomas lorsqu'il arriva près d'eux. Il avait très chaud, la sueur coulait de son dos et de ses jambes nues et, malgré sa peau bien brunie, il était sûr d'avoir attrapé un coup de soleil. Un vertige le saisit, mais non, c'étaient ses yeux, encore: les vieillards se brouillaient par à-coups, au rythme de la migraine qui lui martelait les tempes. *Mais qu'est-ce que je fais là?* Il lui sembla tout à fait naturel de s'asseoir par terre dans l'ombre de la hutte près de l'extrémité du banc où était assis l'indigène qu'il avait baptisé «le Chef» mais qui était peut-être le Grand Prêtre, ou simplement le maître de cérémonie.

Le sol était agréablement frais; Toomas appuya son dos à la surface rugueuse de la hutte et ferma les yeux.

Une odeur acidulée les lui fit rouvrir: le Chef lui tendait une coupe de bois pleine d'eau. Toomas la prit, essayant en vain de déchiffrer une expression sur le vieux visage poilu. Le Chef l'avait-il reconnu? Sûrement: cela faisait six mois qu'il assistait régulièrement à chaque cérémonie mensuelle. L'eau était tiède, parfumée au jus de *satal*, le citron local.

Le Chef dit quelque chose, posa une main sur la tête de Toomas. Les mains des indigènes étaient très larges, hors de proportion avec le reste de leur corps, et Toomas sentit les doigts du Chef se refermer doucement sur son crâne, une pression extérieure agréablement différente, pour un temps, de celle de la migraine. Le Chef continuait à parler, plus pour les autres Pyréï, semblait-il, que pour Toomas. Toomas ferma de nouveau les yeux, essayant de calmer sa migraine par la seule force de la volonté.

La main se retira. La migraine, elle, restait là, un peu moins féroce; ne plus être au soleil et avoir fermé les yeux y contribuaient sans aucun doute. Un autre Pyréï parla: il y eut un bruit d'allée et venue, un autre jeune qui venait demander (sans doute) une bénédiction aux anciens prêts à partir. Toomas garda les yeux fermés. On ne le chassait pas pour le moment, on le reconnaissait peut-être, peut-être l'acceptait-on. Pour le moment. On verrait plus tard.

*

Il se réveilla en sursaut, cligna des yeux, et la main qui avait secoué son épaule se posa sur sa tête; une vieille voix dit quelque chose sur un ton interrogateur, mais peut-être cette intonation avait-elle une autre valeur pour les Pyréï. Toomas se redressa; combien de temps avait-il dormi? Le soleil était encore haut dans le ciel. Il se leva, regarda autour de lui. Les anciens étaient rassemblés au milieu de la place, un groupe nettement distinct du reste de la tribu qui semblait attendre, réunie derrière eux. Le Chef se détacha du groupe des anciens, fit un signe que Toomas choisit d'interpréter comme un appel et auquel il répondit en s'approchant.

Il dominait les indigènes de la tête et des épaules, mais il n'en ressentait aucune impression de supériorité, plutôt de l'embarras, au contraire: ce grand corps massif, disproportionné parmi ces êtres grêles et déliés… Il demeura devant le Chef, les bras ballants, vide de pensée. En quittant l'hôtel, puis la tente et ses vêtements, derniers vestiges de son monde, il était comme sorti du temps — ou plutôt il s'était tout entier concentré dans l'instant présent. Il attendait, ici et maintenant. Il était venu jusque-là, et de très loin. Il avait fini d'agir.

Le groupe des anciens se mit à chantonner à bouche fermée et le reste des indigènes lui répondit. Ce n'était pas tout à fait le même rythme que lors de la cérémonie familière, mais la mélopée était très semblable. Le Chef prit le bras de Toomas, le tira vers le bas, puis comme Toomas ne comprenait pas, le Chef se haussa sur la pointe des pieds et lui appuya les deux mains sur la tête. Toomas ne put retenir un sourire et s'agenouilla, assis sur les talons.

Le Chef cligna plusieurs fois des yeux, l'équivalent du sourire se rappela Toomas, et il lui posa de nouveau la main sur la tête; la mélopée s'accéléra un peu. Le Chef posa brièvement son autre main sur les yeux de Toomas qui, obéissant, les ferma.

Dans l'obscurité imparfaite (la lumière du soleil filtrait à travers les paupières), la mélopée prenait une dimension différente, semblait-il, comme la pression de la main du Chef et l'odeur un peu musquée de son corps. Toomas essaya de se détendre; quelle que fût la conclusion de cette cérémonie impromptue, il l'acceptait d'avance.

La surprise lui fit rouvrir les yeux. Il avait vu le Rift.

Un instant très bref, mais une image très claire, très détaillée. Et le Rift n'était plus la blessure, la déchirure, l'abîme où s'engloutissait la vie. C'est du temps, l'affirmation de la durée, les paroles du temps matérialisées en longues phrases de roc, de terre, de lave refroidie, les hiéroglyphes adressés par la terre au ciel, inlassablement, et tout au fond le signe flamboyant de la lave, indéchiffrable mais familier. Devant lui, non, sous lui, le Rift, non pas noir et funèbre comme la première fois depuis le bobcar, mais illuminé de lumières étranges, qui ne venaient pas de l'extérieur mais semblaient sourdre des couches mêmes du roc et des sédiments à nu, des lumières qui étaient aussi des couleurs. Toomas reconnut les couleurs de la cérémonie, bleu, rose incendié, améthyste, orange cuivré, vert… Des couleurs intenses, vibrantes, vivantes.

La main du Chef se posa de nouveau, doucement, sur ses yeux.

Délibérément cette fois, Toomas se laissa plonger dans la mélopée.

*

Au début, la descente lui fut plus facile qu'il ne l'aurait cru, même s'il avait mis une sorte de point d'honneur à se maintenir en forme, utilisant le gymnase de l'hôtel jusqu'à ce que les troubles visuels finissent par rendre ses déplacements hasardeux. Mais il y avait aussi un chemin le long des parois, et les indications du Chef dans les passages plus difficiles. Ils dépassèrent la zone ensoleillée au bout d'une heure ou deux et Toomas s'arrêta pour regarder une dernière fois autour de lui.

C'était ici que le Rift prenait ses véritables proportions, son véritable aspect: une montagne inversée, ou presque. Ses parois obliques, de plus de deux mille mètres de haut, écartées au sommet de près d'un kilomètre, se rapprochaient considérablement vers le fond de la gigantesque faille. D'où il se trouvait, Toomas ne pouvait apercevoir le ruisseau de lave. Qui n'était pas un ruisseau, mais un lac large de près de deux cents mètres et long de plusieurs kilomètres. Il le savait, mais la première vision qu'il en avait eue restait la plus durable. Un large surplomb le dissimulait, loin au-dessous de la zone ensoleillée.

Toomas reprit la descente, plongeant dans la zone de pénombre. Au moment où il arrivait près du Chef, sa vision se brouilla, se dédoubla. Il s'arrêta, la tête tournée vers le Chef, les yeux fermés. Au bout d'un moment, il sentit la main du Chef sur sa main et se remit en route avec lenteur, les yeux toujours fermés, suivant la légère traction et les images de la voie à suivre qui se dessinaient fugitivement dans son esprit.

*

Les Pyréï mirent plus longtemps qu'ils n'en avaient l'habitude, sans doute, pour atteindre le surplomb: Toomas les ralentissait. Ses yeux, contrairement aux leurs, ne s'adaptaient pas suffisamment à la pénombre de la zone intermédiaire ni à l'obscurité presque totale qui régnait dans l'ombre portée de la paroi est. Même s'ils avaient pu s'adapter mieux, ils ne lui auraient été d'aucun secours: sa vision était presque constamment brouillée à présent, au point qu'à mi-chemin il déchira un morceau de son pagne et s'en fit un bandeau; il préférait que le déclin de sa vision de chair ne vînt pas faire obstacle à ce que lui montrait le Chef.

Sur le surplomb, le Chef lui lâcha la main et la soudaine et totale obscurité où il se trouva alors plongé lui fit pousser une exclamation. Mais il se força à ne pas retirer son bandeau et resta immobile, écoutant la voix du Rift.

Un grondement sourd et constant, lointain mais omniprésent, perçu par tout le corps en même temps que par les oreilles: le lac de lave bouillonnait sous le surplomb, à au moins huit cents mètres. Même à cette distance, et loin du rebord, Toomas pouvait percevoir l'intense chaleur dégagée par la roche en fusion et les odeurs âcres qui flottaient vers le haut de la faille, portées par les puissants courants ascendants.

Lorsqu'il décida d'ôter son bandeau, il fut surpris de percevoir, au bout d'un moment, une luminescence vague autour de lui. Il attendit que ses yeux finissent de s'adapter, satisfait de constater que pour un moment ils ne le trahissaient plus, lui montrant les reflets de la lave dans le noir. Il chercha ses compagnons et les aperçut, de petites silhouettes plus sombres au bord du surplomb. Il se dirigea vers eux, attentif aux obstacles qui auraient pu le faire trébucher, mais le surplomb était remarquablement plat; la texture en était plutôt lisse, et non granuleuse et rêche comme on aurait pu l'attendre d'une formation due aux premiers jaillissements de lave qu'avait connus le Rift.

Un indigène bougea à son approche, lui posa une main sur la poitrine: le Chef, Toomas pouvait à présent reconnaître son toucher dans son esprit. Il ferma les yeux.

Une silhouette noire, un Pyréï reconnaissable à ses longs membres minces, tombait en tournoyant vers le lac de lave et, avant de le toucher, se volatilisait en un nuage de couleurs chatoyantes. Une autre silhouette, une autre encore... Les nuages colorés s'élevaient en se déployant, poussés par les vents. Encore une autre silhouette, plus grande cette fois, plus massive...

Non. Il avait dit «non» à Hoshi; il se rappelait bien. Non à la demi-vie que Hoshi lui offrait pour un temps et qu'il avait considérée comme une mort vivante. Et à quoi disait-il donc «non», maintenant? Au suicide? mais ce n'était nullement ce que le Chef lui proposait. Ce que le Chef offrait, c'était... la vie dans la mort? Toomas n'était pas sûr de vraiment bien comprendre.

Mais il pouvait comprendre, maintenant, pourquoi Hoshi, son ami d'enfance, son médecin, n'avait pas protesté davantage, pas davantage discuté sa décision: comment l'aurait-il pu en percevant directement les émotions (les pensées?) de Toomas, leur sincérité immédiate, irréfutable? Comme les gens à l'hôtel, lui parlant lorsqu'il était prêt à parler, le laissant tranquille si à propos lorsqu'il le désirait.

Comme le triomphe des performances publiques, la déception des spectacles retransmis.

Mais la main du Chef ne quittait pas la poitrine de Toomas: le Chef ne comprenait pas, n'acceptait pas son refus comme Hoshi l'avait accepté. Peut-être ne le percevait-il pas comme Hoshi: inéluctable, définitif, transmis en même temps que le mot, au-delà du mot, par le pouvoir de Toomas. Peut-être était-il nécessaire de partager la même langue, les mêmes mots, ces mots qui concentrent émotions et idées entre les membres d'une même communauté humaine?

Ou bien ne suis-je plus aussi convaincu?

Il n'avait jamais eu vraiment besoin des machines, alors. C'était bien lui, en dessous, il avait toujours été sa poésie. À travers le foyer ardent des mots qui condensait, qui concentrait le sens en lui pour le diffuser ensuite dans les images, et les formes, et les sons recréés par ses machines. Avait-il eu si peur de ce pouvoir qu'il n'en avait même pas eu conscience? Doutait-il si profondément de lui qu'il avait toujours préféré penser avoir besoin des machines?

Et c'était maintenant qu'il s'en rendait compte... Peut-être son cerveau affaibli n'était-il plus capable de dissimuler ce don, ou peut-être la maladie avait-elle mis à nu, en l'exacerbant, une faculté que la bonne santé avait toujours occultée?

Ou bien les Pyréï avaient fait sauter ses dernières résistances. Ils l'avaient en tout cas reconnu pour ce qu'il était: doué de ce pouvoir qu'ils possédaient aussi — et mourant. Ils voulaient l'aider.

De nouveau l'image de la lave, la silhouette en croix, les couleurs vives. Le contact ne trompait pas: le Chef croyait profondément, le Chef était certain de la métamorphose. (La poussière colorée qui remplissait les paniers, d'où venait-elle? Mais non, elle avait cédé à l'eau et au savon, comme de la vraie poussière...)

Comment expliquer au Chef? Comment s'y prenait-on pour télépather? (Empathiser? De quoi s'agissait-il exactement? Projetait-il des idées, des émotions, des images? Tout à la fois, sans doute. Et les mots aidaient. Mais il n'y avait pas de mots communs, ici.) Toomas essaya de visualiser son corps au-dessus du brasier millénaire, tombant, tournoyant, se volatilisant. Non en lumière vivante mais en poussière noire qui continuait (impossiblement, mais il visait le symbole) à tomber dans l'abîme. Aucun phénix multicolore ne renaîtrait jamais de ces cendres mortes.

Le Chef lui secoua le bras et il perçut nettement dans son esprit l'écho (le reflet, le goût, l'odeur?) du «non» qu'il avait lui-même prononcé plus tôt, tandis que la chute rectiligne de la poussière noire s'arrêtait devant son oeil intérieur. Les cendres se condensaient en un nuage qui prenait peu à peu la forme d'un oiseau, réduit à sa plus simple, à sa plus forte expression: deux grandes ailes battantes. Elles ne s'attachaient à aucun corps, mais à un centre immatériel d'où irradiait une lumière qui peu à peu gagnait les ailes, se teintant d'irisations fugitives.

Puis le Chef lâcha le bras de Toomas, qui rouvrit les yeux. Il vit obscurément les petites silhouettes marcher vers le bord du gouffre, se détacher un instant sur la luminescence rougeâtre, et disparaître.

Pas de nuages colorés, bien sûr, même si Toomas n'était pas certain de pouvoir les distinguer dans ces conditions. Mais de poète à poète, ils s'étaient compris: le Chef croyait en l'immortalité de l'âme, non en la réalité matérielle des nuages.

Toomas s'approcha du rebord et s'y étendit; la pierre était moins brûlante qu'il ne l'aurait cru, trop cependant pour qu'il restât ainsi très longtemps. Il risqua un coup d'oeil vers le bas.

Le lac de lave s'étendait à perte de vue, une surface d'une luminosité si aveuglante pour les yeux mourants de Toomas qu'elle court-circuitait en quelque sorte le regard et en appelait directement à l'esprit. Il se releva, le visage asséché par le souffle inhumain, divin. L'enfer? Le paradis? L'enfer *et* le paradis: la bouche d'où naissait toute vie, où toute vie s'engloutissait. Il lui semblait mieux comprendre, à présent, le mythe des Pyréï. Aucun dieu jaloux ne combattait leur Créateur. Le dieu bon et le dieu mauvais du mythe n'en étaient qu'un seul. Peut-être le dieu des Pyréï était-il un dieu fou, un dieu qui s'était mutilé en se multipliant dans ses créatures? Comme Toomas s'était mutilé en se dispersant dans ses machines. Et ce dieu, c'était une partie de lui-même, les Pyréï en la personne de leur héros-symbole, qui avait commencé, et continuait avec les anciens, à chaque solstice, à lui rendre sa plénitude perdue, son âme.

Peut-être les Pyréï donnaient-ils un autre sens à leur mythe fondateur, mais celui-ci convenait à Toomas. Un dieu imparfait, sauvé par les plus infimes, les plus fragiles, les plus communes de ses créatures — qui étaient pourtant lui-même.

Il pensa soudain au carnet qu'il avait laissé dans la poche de sa veste sous la tente gonflable. On le trouverait, sans doute. Et quel salut viendrait, pour la mémoire de Toomas Brendan, de ces simples mots arrachés au magma du sens?

Il ne serait pas là pour le voir. Il sourit, tout au bord du gouffre, et, pacifié, les yeux ouverts dans l'obscurité traversée de sourde lumière, il fit un pas en avant.

1981

(«L'oiseau de cendres» dans Janus, *Paris, Denoël, ''Présence du futur'' n° 388, 1984, pp. 7-32)*

B - Notes sur "L'oiseau de cendres"

«Poète/flamme/rift//pas de dialogue»: ce sont les mots et la «consigne d'écriture» que le hasard m'avait donnés lors d'un atelier d'écriture SF dont j'étais l'animatrice. Les autres consignes (les règles du jeu sur lesquelles les participants s'étaient mis d'accord au départ) étaient de produire une nouvelle de 20 pages maximum à partir des trois mots tirés par chacun, et en deux jours. (C'est la consigne de longueur que j'ai eu le plus de mal à suivre: ma première version faisait 23 pages...) La consigne narrative était différente pour chacun.

Les tirages au sort avaient eu lieu au commencement de l'atelier, qui durait huit jours pleins (de 9 heures du matin à... tard le soir, même si officiellement la séance était levée vers 18 ou 19 heures). Les participants avaient donc pu réfléchir à ce qu'ils allaient écrire. Ils avaient d'ailleurs presque tous déjà écrit des textes longs, certains étant même des auteurs publiés —ce qui explique un peu la nature des consignes de temps et de longueur, qui auraient été quelque peu exagérées pour de vrais débutants.

Je n'ai pas l'habitude d'écrire des textes de fiction à partir de matériaux «extérieurs». Pour apprivoiser un peu l'exercice, et surtout parce que c'est ma façon habituelle de travailler, j'ai commencé par rédiger des *notes*, qui m'ont peu à peu menée à la rédaction de la nouvelle que vous venez de lire. Je vous les présente ici telles quelles (avec leur ponctuation dont les éclipses suivent «le flot de l'inspiration»...). Vous pouvez les comparer au résultat final, et exercer sur elles votre perspicacité en vous aidant des notions que vous aurez rencontrées dans le *Guide*. La première section peut être considérée par exemple comme une gigantesque «nébuleuse» à partir des trois mots inducteurs. La seconde a davantage rapport à l'organisation de l'histoire, la troisième à celle du récit... Mais en réalité, comme vous pourrez sans doute le constater, tout s'élaborait *en même temps*, les éléments se renvoyant les uns aux autres dans une incessante circulation dynamique. La création, n'en déplaise aux théoriciens, n'est pas un processus ordonné... ou plutôt *elle se conforme à plusieurs ordres en même temps.* J'ajouterai ensuite quelques commentaires sur ce que je me rappelle de certains problèmes et réflexions soulevés par ce texte en cours de rédaction.

*

POÈTE/FLAMME/RIFT//PAS DE DIALOGUE

Un poète, brûlé par une flamme, au bord d'un rift

le rift: gigantesque cassure de la croûte terrestre (sur une planète E.T.) Dans le rift, les couches géologiques affleurent, toute l'histoire de la planète y est inscrite par rangées comme dans un manuscrit

Poème de pierre et de terre, signes

Une race d'E.T. vit au bord de/dans le rift; gardiens

(de la flamme?)

Pas de communications directes entre E.T. et poète, il ne parle pas leur langue

(que fait-il là?)

riche-désabusé-décadent, s'est fait déposer là par le vaisseau qui l'emmenait ailleurs (là ou ailleurs, dans son état, ça lui est égal)

(qu'est-ce qu'il a?) Qu'est-ce qu'il n'a PLUS: plus d'inspiration? Plus de temps à vivre, il est gravement malade et condamné? Il va devenir aveugle et ne peut se résoudre à subir une opération qui ferait de lui un cyborg*(1)? (mais pourquoi refuser? Quel blocage? Les yeux artificiels ne produisent pas les mêmes perceptions?)

POÈTE: que signifie ce mot, dans le futur?

Pas seulement les mots: art plus complet: musique/couleurs

Possibilité: il va mourir de toute façon, et la première étape est de perdre la vue, mais il peut avoir une opération qui lui permet de continuer à voir, même si c'est de façon différente. Il se demande si ça vaut la peine, etc., pourquoi ne pas partir en beauté, encore intact, etc., mais sentiment de la vanité des gestes, méfiance vis-à-vis du romantisme, etc.

son art (pourquoi est-il/est-il?/un grand poète?) Il est un peu freak du point de vue de l'appareillage visuel: il perçoit plus loin dans l'infra-rouge et l'ultra-violet, et il a trouvé une façon, des équivalents? Non, les auditeurs/spectateurs ne sont pas équipés pour.

bon, il a une vision particulièrement bonne, c'est tout. Très bonne discrimination des couleurs, des détails, large champ visuel, etc., etc. De toute façon, yeux/vue équivalents symboliques pour lui de vie/réalité/création (indépendance, aussi?)

son art: des mots et des sons (musique et autres) et avec des couleurs, des formes

(formes et couleurs suscitées par appareillage électronique, ordinateur, etc., quand les mots sont prononcés ET vice-versa; il joue de l'ordinateur comme d'un instrument de musique, de sa voix et de son corps à lui également. Ses performances: ballet/opéra/symphonie autant que récital de poésie. Tout ça est fini parce qu'il va mourir, et ça va même finir un peu plus tôt parce qu'il va devenir aveugle, et l'opération ne lui restituera qu'une fraction de ses capacités... Il a donné son dernier récital.

Personnage blessé, ironie, réserve, distance; sensibilité, cependant; accès de rage/révolte, effort vers le détachement, mais retombées incessantes; confusion d'esprit, désespoir qu'il n'arrive pas à maîtriser, etc. Par ailleurs grande curiosité pour le monde, les êtres, être-au-monde très développé, par tous les sens, sensualité, etc.

LA PLANÈTE ET LE RIFT: planète de tourisme, principalement, parce qu'à son stade (primaire? secondaire? Stade de formation géologique intense, en tout cas, hum, se renseigner... Fin du quaternaire? En tout cas, volcans, activité sismique (et là au milieu, des E.T.)

LE RIFT: une gigantesque cassure, au fond de laquelle coule une rivière de lave. Très très profond (deux, trois mille mètres.) (ou plus?) on fait la descente et non l'ascension (les sportifs, alpinistes, etc.). Page d'écriture renvoyant à l'histoire de la planète; et équivalent de l'art du poète: pas seulement «signes (mots)» mais aussi couleurs/formes et sons (trous, cavernes, cavités, etc. dus à l'érosion et où le vent incessant... etc., rugissements de la lave au fond, grondement de la terre etc., oiseaux vivants dans les hauteurs du rift, cascade tombant dans le rift...)

Les E.T.: de type simiesque, sont capables de faire l'ascension et la descente très-vite-très bien?

En tout cas petits êtres très vifs, et au bord de l'animalité. Mais indéniablement «humains» (langage, vie tribale, bijoux, rituels.)

les gardiens de la flamme

la mort et la renaissance, passer à travers la flamme. Phoenix.

Un de leurs rituels consiste à descendre dans le rift et à se jeter dans la rivière de lave, au fond

le fond: image de l'enfer, mort éternelle (de l'âme) pour le terrien, mais pas pour les E.T.

(les E.T. vivent au fond et le haut est pour eux «le ciel», le paradis?)

ont évolué au fond, sont remontés peu à peu, ont le sentiment d'être au «paradis» en haut, orientation très spirituelle/métaphysique de leur culture (d'après ceux qui savent leur langue et les ont étudiés; «et des poètes», dit-on, ce qui excite la curiosité (l'envie, le mépris envieux, parfois) du terrien.)

le rift pour les E.T.: proximité du ventre (pour eux, la bouche: la création se fait par la bouche, dans leurs mythes) ambivalence. (vie ET mort, etc.)

Bon. Fin de la nouvelle? (sens?)

de toute façon, OK, le poète se résigne à mourir/à subir l'opération?/ou du moins il fait sa paix avec.

ou bien

fait la descente dans le rift avec les E.T. et se jette dans la rivière de lave; ou dans l'intention de se jeter dans la rivière de lave, et au dernier moment...

ou l'inverse: n'a pas du tout l'intention de se jeter dans la rivière de lave, mais au dernier moment...

croyance très forte en la renaissance, chez les E.T., qui le jettent dans la rivière de lave (et il renaît? ne renaît pas, mais juste dans la fraction de seconde avant de mourir, saisit le sens de tout ça, le plus beau des poèmes?)

Ici, me sentant déjà plus «en possession» de l'histoire, j'ai changé de page...

Titre (tentative): L'Oiseau de Feu (l'oiseau de cendres?)

Toomas Brendan, «poète célèbre» et adulé dans tout le système solaire, a appris qu'il est condamné par une maladie incurable. Mais d'abord, il perdra la vue. Une opération (greffes d'organes cybernétiques) pourrait cependant lui assurer une vision partielle jusqu'à sa mort. Il a refusé cette opération: en effet, l'exercice de son art exige une excellente vue —laquelle il a toujours possédée: (couleurs, détails, champ visuel); l'art en question est une sorte de spectacle total: avec l'aide d'un ordinateur sophistiqué, Toomas transforme gestes, musique et couleurs/formes en mots (poésie) et vice-versa...

Il part incognito pour un voyage vers les planètes nouvellement explorées par les terriens et s'arrête sur la planète *(nom à trouver)*, planète primitive encore en proie à de grands bouleversements géologiques et autres, mais cependant habitée par plusieurs races de «sapients»*(2). Elle possède également des paysages pittoresques, des animaux féroces et gigantesques dans sa partie jungle, est un paradis pour chasseurs de gros gibier et touristes en général (grâce à des installations situées en dehors des zones troublées, évidemment).

Le Grand Rift est un de ces points pittoresques: une énorme cassure de la croûte terrestre, sur des kilomètres de long et sur plus de 3000 mètres de profondeur; la rivière initiale a été remplacée par un «fleuve» de lave.

Une des races «humaines» de la planète est née dans la vallée du Grand Rift (au temps où c'était une rivière qui coulait au fond). Ce sont de petits êtres à l'allure vaguement simiesque, très vifs et agiles, excellents alpinistes. Ils ont fini par escalader les parois de la vallée qui les enfermait et sont arrivés au sommet, pour eux, dans leurs mythes, le «paradis».

Toomas s'installe à l'hôtel qui se trouve au bord du rift et vit là sans trop savoir ce qu'il va faire. Il ne veut pas se suicider, trop facile, etc. Il rencontre les E.T. au bord du rift, dans ses promenades, mais ne les comprend guère, puisqu'il ne parle pas leur langue.

Il finit par comprendre qu'ils veulent qu'il les accompagne au fond du rift, où leurs rites les ramènent une fois par an, rites étroitement liés apparemment aux mythes de la mort et de la renaissance. Il finit par accepter.

Une fois au fond, il observe les rituels des indigènes, toujours sans comprendre exactement de quoi il s'agit. Ils le saisissent et le précipitent dans la lave.

Et là, j'ai passé plusieurs lignes... Le blanc correspondait à mon indécision: je me retrouvais avec le problème de la «vraie fin»...

Mais ils ont un pouvoir télékinétique*(3) qui agit comme une protection, et Toomas ne meurt pas; pendant les quelques instants où il a cru qu'il allait mourir, cependant, il a revu tout son problème d'un autre oeil. Il va accepter l'opération, qui lui permettra de continuer à voir jusqu'à sa mort d'une façon correcte, même s'il ne peut plus exercer son art. Et il peut continuer à être un poète jusqu'au bout: il y a les mots, les simples mots, et la musique, et les couleurs et les formes, même si ce n'est plus lui qui les suscite directement, assez de poésie pour lui tenir compagnie jusqu'à ce qu'il disparaisse.)

Ou bien: il sait qu'ils vont le précipiter dans la lave, mais tout à coup il voit cela comme une oeuvre d'art, comme une communication enfin réalisée entre eux et lui.

Ah! il s'attache aux indigènes parce qu'il n'arrive pas, lui, être de communication, à communiquer avec eux, et pourtant il sait que ce sont —au dire de ceux qui les ont étudiés— de grands poètes, à la langue très raffinée... C'est pourquoi il les suit, et accepte la mort qu'ils lui donnent par bonté (si lui ne les comprend pas, ils semblent comprendre assez bien quel est son cas).

De plus en plus sûre de tenir mon histoire, je suis passée à la page suivante, pour établir le «plan définitif».

L'oiseau de cendres (plan)

1) La dernière performance de Toomas (description de son art) *(Ce passage n'apparaissait pas dans la première version du texte, celle de l'atelier; elle a réapparu dans la version définitive, inversée en* **première** *performance de Toomas.) On*

ne sait pas pourquoi c'est la dernière; le chirurgien et ami essaie de le convaincre de subir une opération, il refuse encore et s'esquive.

2) L'arrivée sur la planète, Toomas incognito; portrait rapide du genre de gens qui se trouvent à l'hôtel (description par implication de la planète: primitivité, danger, chasse, excursions). Quelques artefacts des indigènes (leur trouver un nom). Portrait de Toomas par la façon dont il regarde les gens et les choses.

3) Le Grand Rift; description, réflexions de Toomas; on apprend (commence à apprendre) pourquoi il est là: il va mourir.

4) Rencontre avec les indigènes qui vivent au bord du rift; description, atmosphère; première approche agressive/condescendante de Toomas («ces gens sont des poètes?!») indices divers; réactions des indigènes vis-à-vis de Toomas: attirance, curiosité, gentillesse. (Ils voient sa maladie, une de leurs capacités particulières). Pas de communication possible: Toomas ne connaît pas leur langue, ils ne parlent pas la sienne (en fait, ils la parlent, mais refusent de lui parler, parce qu'ils sentent/savent qu'il ne le désire pas.)

5) «Spectacle» où les indigènes jouent leur mythes (création dans le fond du Rift, lente ascension au propre et au figuré vers l'humanité et le sommet du Rift; la renaissance et la mort). Réactions mitigées de Toomas.

6) Rencontre avec un indigène en particulier, amorce de communication, curiosité et intérêt de Toomas; essai d'échange. (Toomas n'a aucun contact avec ses compatriotes à l'hôtel.)

7) Le jour approche de la grande cérémonie des indigènes: la descente dans le Rift. L'indigène X fait comprendre à Toomas qu'il doit aller avec eux (ou Toomas va avec eux, malgré eux? Ils le laissent faire. PAS de communication, ou alors communication très distante...)

8) La descente dans le Rift: nouvelle description du Rift *(ce passage n'apparaissait pas dans la version de l'atelier; il a été écrit par la suite.)* Mais cette fois Toomas le regarde en partie avec les yeux des indigènes: ce n'est plus seulement une image de mort —«Poème de pierre», etc. (Toomas n'a PAS l'intention de se jeter dans la lave, de se suicider.)

9) Cérémonie: les indigènes se jettent dans la lave. Toomas regarde, avec des émotions mêlées. Il finit par être en harmonie avec eux et quand ils viennent le prendre pour le jeter dans la lave, il comprend qu'il y a eu communication et que les indigènes perçoivent directement le «poème» que constituent chaque être et chaque chose, et qu'ils lui donnent la «fin» qu'il désire, mais qu'il n'arrive pas à vouloir se donner lui-même?

pas de communication du tout entre indigènes et Toomas, juste des suppositions de sa part, et le comportement des indigènes à son égard?

attirance, mais distance réciproque? (éviter le cliché des bons-sauvages-détenteurs-d'une-sagesse-ancestrale).

Oui, les indigènes, évolués dans un environnement dur, voire hostile, ne sont pas spécialement des mous. Bonté et tout, mais austère et discrète.

(d'ailleurs, leur rituel de se jeter dans la lave...)

la «caamora» de Donaldson *(rituel purificateur, par le feu, auquel se livrent des Géants, dans une trilogie américaine de «fantasy»*, Chronicles of Thomas Covenant, the Unbeliever*(4). *La similitude des prénoms, Thomas/Toomas, ne m'a frappée* *que bien après l'Atelier, alors que je retranscrivais mes notes. À ce jour, je ne me rappelle ni quand ni comment j'ai trouvé le nom de mon personnage...)*

Eux ne meurent pas quand ils sont dans la lave; faculté télékinésique, oui, mais qui ne fonctionne que pour eux.

primitifs réels, alors, soigneusement préservés du contact avec les terriens; Toomas enfreint l'interdiction en allant les voir (genre Asadi: "Death and designation among the Asadi", de Bishop (5)) et c'est bien par bonté et compréhension cependant qu'ils le jettent dans la lave —en croyant qu'il s'en sortira vivant, comme eux.

rituel de purification, donc, renaissance (changement de sexe? étape suivante de leur évolution? (hum, ici, Silverberg (6))

suggestion: ont-ils senti qu'il y a bel et bien une partie immortelle en l'être humain?...

Un certain nombre de notes a été ajouté en cours de rédaction (celle-ci a été étalée sur environ 24 heures).

planète: Puréia? Purée! Pyréia.(7)

indigènes: Pyréïns? Pyréï? *(le nom «pyréï» a été choisi après avis des participants de l'atelier; c'était celui que je préférais au départ, mais j'avais voulu faire un effort pour franciser...)*

les indigènes possèdent une façon rudimentaire de «poétiser» que Toomas utilise à un moment donné.

Hum. Ils télékinèsent, vraisemblablement, donc il ne peut pas s'en servir. (Ils manipulent la poussière, les cendres, hum?)

quel équivalent technique? Une petite machine portative anti-gravité. NON. Toomas justement pogné à cause de la technique: il ne peut pas continuer à être «poète» en étant aveugle, parce qu'une bonne partie de ses effets en liaison avec l'ordinateur dépend de sa vision «humaine».

(hum? plausible?) (Quelle vision lui procureraient les organes cybernétiques qu'on lui propose? Vision genre robot de «Mondwest» (8)?)

Donc, pas de machine, là. Quoi d'autre?

Il dessine —excellent dessinateur (c'est nécessaire pour son art, ou juste bon dessinateur) en utilisant un médium très souple (genre ardoise auto-effaçante...)? (les indigènes l'invitent à dessiner, ou bien il ne tient plus, il faut qu'il «poétise» avec eux?)

pas de performance de Toomas en ouverture; ouverture sur «Non».

À quoi dit-il non? Conversation avec le chirurgien —fin de la conversation: il a dit «Non», c'est définitif; mention de la dernière performance.

(ensuite, montrer les autres morceaux de la conversation: la maladie incurable de Toomas, et le fait qu'il va devenir aveugle, en contrepoint au reste de la narration).

NB: problème de la chaleur au fond du rift, même si vents etc.; ne pas les faire descendre jusqu'à la lave, mais jusqu'au dernier surplomb.

(dans version définitive, vérifier système atmosphérique/climatologique au-dessus du Rift. Vérifier géologie, aussi.) *(Ce qui a été fait, auprès d'amis géologues...).*

Quelques autres commentaires

Comment la «forme» influe sur le «fond» et réciproquement. Ma consigne narrative était «pas de dialogue», c'est-à-dire pas de «communication directe» entre les personnages. Et je me suis retrouvée avec un personnage qui a de toute évidence un problème à communiquer. Paradoxalement, pourrait-on dire, puisqu'il est «poète», il n'arrive pas à communiquer avec autrui (son ami Hoshi) ni avec lui-même: il ne comprend même plus sa propre création et comment elle a pu «parler» au public. Quand il y aura communication, avec les indigènes, cela ne se fera que par le biais d'une sorte de télépathie. Je dois par ailleurs confesser que j'ai pris un malin plaisir à tricher avec ma consigne: ne pas écrire des dialogues, certes, mais présenter cependant quantité de «récits de paroles» (et même bel et bien des dialogues, d'ailleurs, comme celui entre les deux touristes, dans le moddex.) Mais tout passe par la conscience de Toomas, ou plutôt par le narrateur aligné sur cette conscience.

Cette isolation de Toomas dans sa propre tête m'a d'ailleurs donné un *problème avec sa caractérisation:* c'est lui, ce personnage dont je parle dans la Deuxième partie et que j'ai modifié pour l'amour de l'histoire. Dans les premières versions, il apparaissait en effet comme quelqu'un d'assez déplaisant par moments (on peut en juger en lisant les notes: «mépris envieux, condescendance»...). Or je n'avais pas le temps et la place, dans une nouvelle aussi courte, de m'attarder vraiment sur la psychologie de mon personnage afin de faire comprendre/accepter ses aspects déplaisants —qui sont «vraisemblables», les artistes étant des êtres humains, parfois même plus difficiles à supporter que les autres... et en particulier celui-ci, qui n'apprécie pas beaucoup sa mort prochaine! Mais cet excès de caractérisation venait en travers de l'histoire, m'ont fait comprendre mes lecteurs, et j'ai choisi d'atténuer (essayer de...) la façon dont Toomas essaie de nier ou de juguler sa souffrance et sa peur par le dédain et le narcissisme (le côté très «centré sur soi» du personnage, accentué par la consigne narrative...).

La narration en narrateur aligné, s'ajoutant à la consigne «pas de dialogue» m'a posé aussi des *problèmes au plan de la présentation de l'information,* que ce soit sur le personnage (qui est-il, que fait-il, quel est son problème?) ou des temps-et-lieux (où et quand est-il, où va-t-il?). J'ai essayé d'apporter toutes ces informations en même temps «extérieures» (temps et lieux) et «intérieures» (personnage) par le biais du regard du personnage sur l'environnement: la ville future, au début, puis la description de l'hôtel et du Rift, ou, en «agent passif», le documentaire sur la planète. Passant toujours par Toomas, des «retour en arrière» m'ont permis d'expliquer son problème, le noeud de l'histoire: les circonstances de sa mort prochaine. (Et ce sont tous des «récits de paroles»: des extraits des explications de Hoshi à Toomas avant que celui-ci ne dise le ''Non'' qui ouvre la nouvelle —en fermant le dialogue qui l'a précédé...). Le guide qui conduit les touristes sert aussi d'informateur (presque en personnage - «utilité», s'il ne revenait pas plusieurs fois et ne donnait à Toomas les moyens d'aller une dernière fois au village des Pyréï...). Enfin, des «mises en abyme» —c'est le cas de le dire, avec le Rift...— sont censées suggérer le sens général du texte et permettre d'en saisir le dénouement: la première description du Rift, celle de la performance donnée par Toomas, (et qu'il regarde à la tridivision), et la cérémonie-spectacle des Pyréï, qui évoquent toutes les deux en modèle réduit la thématique centrale du texte (pour moi), création/re-création, mort/vie, mort/renaissance. J'ai d'ailleurs essayé de ménager des correspondances entre ces descriptions.

Je dis bien, et je le répète: *J'ai essayé.* Je ne prétends nullement avoir réussi. "L'oiseau de cendres" n'est pas un texte «parfait», un texte-modèle, loin de là! Avoir conscience des problèmes posés par sa propre écriture —dans la mesure où c'est possible— et même avoir conscience des moyens dont on dispose pour y pallier ne garantit pas automatiquement la réussite. Vous êtes les seuls juges de l'écart ou de la coïncidence qui existent entre mon *rêve de texte* et le texte concret que vous avez pu lire...

Je vous laisse donc maintenant sur les rives du Pays de Fiction avec cette histoire, compagnons-explorateurs, avec cette bouteille à la mer qu'est toute histoire...

Notes

1. Cyborg: contraction de l'expression anglaise *cybernetic organs*, adoptée dans le lexique SF: être humain dont certains organes sont remplacés par des organes cybernétiques.

2. *Sapients:* mot inventé par les auteurs de SF américains sur le modèle latin "sapiens", pour désigner les races «humaines» non terriennes, la connaissance (de soi, en particulier) étant considérée comme le principal critère d'humanité. En parlant de «sapients» et non d'«humains» pour désigner des extraterrestres dans la SF, on espère éviter le risque d'anthropomorphisme.

3. De Stephen Donaldson. La traduction (fort mauvaise, et tronquée) de cette trilogie a été entreprise par les éditions J'ai lu, dans la collection «Flamme».

4. Adjectif correspondant à «télékinésie»: pouvoir d'agir psychiquement sur la matière, à distance.

5. Novella de Michael Bishop, où un exo-anthropologue observe ainsi une mystérieuse tribu d'extraterrestres peut-être «sapients».

6. *Le fils de l'homme,* Robert Silverberg, Éd. Presses Pocket, Paris.

7. La racine Pur- signifie «feu» en grec.

8. *Le monde de l'Ouest,* film de R. Benjamin, où Yul Brynner joue le rôle d'un robot pourvu de sens électroniques, dont une vision numérisée.

INDEX

A

B

C

D

E

F

G

H

I

J

L

M

N

S

T

U

V

Québec, Canada
2004